チャイナウォッチ
矢吹晋著作選集

5

電脳社会主義

[未知谷]
[Publisher Michitani]

チャイナウオッチ
矢吹晋著作選集　5

電脳社会主義

目次

チャイナウオッチ
矢吹晋著作選集

5

電脳社会主義

凡例

・原載における誤植、誤字・脱字などは訂正した。
・表記は基本的に原載どおりとしたが、一部の語句は漢字表記を仮名表記に、仮名表記を漢字表記に改めた。なお一部については記述を改めた箇所がある。
・全巻の体裁を整えるため大小を問わず見出しは改めた箇所がある。
・常用漢字以外の略字は、表外漢字字体表に基づいて改めた。
・送り仮名は基本的に「送り仮名の付け方」（内閣告示、１９７３年）に基づいた。
・引用文中の省略の示し方は〔中略〕に揃えた。
・数字表記、また記号類については一部改めた箇所がある。
・著作名・組織名・人名などの表記は基本的に全巻揃えるようにした。
・中国・香港・台湾発行の書籍名および論文名は原書どおりとするよう揃えた（ただし簡体字・繁体字は表外漢字字体表に基づいて改めた）。なお初出時に邦訳名のみ記されているものは邦訳ままとしたものがある。
・慣用されていない中国語句は基本的に日本語句に差し替えた。
・原載の脚注以外に編者による注を付加した。なお編者による注は山括弧〈　〉を用いて示した。
・各著作冒頭の前文は編者による。

習近平の「プチ毛沢東」化——集団指導制から個人独裁制への鮮やかな転換

中国共産党のトップに選ばれて記者会見に臨んだ習近平、その毛沢東語録と見まがうばかりの口吻に、著者は「プチ毛沢東」のあだ名をつける。それは江沢民の「執政」と「院政」二〇年の間に異常増殖した腐敗問題を処理するべく、トップセブンによる「集団指導制」を習の「個人独裁制」に転換しようとする意気込みだったのか。日本のメディアは、当初は習を「中国共産党史上、最も弱い総書記」と見誤るが、習は自身の意向を党内に徹底すべく、毛沢東が文革時に用いた「小組」をいくつも組織して権力固めを進める。そして腐敗の象徴たる軍最高幹部の徐才厚と党中央常務委員の周永康の党籍を剥奪するに至る。

二〇一二年一一月一四日、私は党大会を終えて中国共産党のトップに選ばれたばかりの習近平記者会見をインターネットで凝視していた。数十分の記者会見を聞いているうちに、私は一昔前にタイムスリップした錯覚に陥った。習近平の口から次から次へとナツメロのように毛沢東語録が飛び出したからだ。曰く、大衆路線、曰く、人民のために奉仕する、等々。

私はテレビ画面に釘付けになりながら、習近平とはどんな人物か、あれこれ考えた。清華大学を出て、最初にやった仕事は、文民の立場で初めて国防部長を務めた秋颷国防部長の秘書であった。これはおそらく父親習仲勲が旧知の秋颷に息子を預けたものか。経緯はともかく彼が軍事委員会の周辺を知っていることは重要かもしれない。一九九七年九月の第一五回党大会で習近平は中央候補委員に選ばれ、中央幹部としての歩みを始めたが、その印象は強烈であった。得票順からして序列は一五一名中のビリなのだ。中央委員一九三名は筆画順に並べるので、得票数はわからない。しかし候補委員は得票順を明らかにしておく必要がある。中央委員に欠員が生じた場合に繰り上げ当選させるためだ。このとき習近平は、辛うじて候補委員に当選はしたものの、序列ビリ。これは何を意味するのか。

ちなみにビリから二番目が鄧小平の長男鄧樸方であり、王岐山はビリから七番目であった。三人の太子党はなぜかくも評判が悪いのか。それはおそらくは三人の個性のためではない。当時は鄧小平の没後まだ半年、「太子党を政治権力の中枢に加えるなかれ」という鄧小平ら革命第一世代の良識、自制が働いていた。文革期には実権派子弟は肩身が狭かった。その後名誉回復は行われたが、文革の遺風はまだ残り、習近平ら太子党は小さくなっていた。長老陳雲の長男陳元に至っては、習近平より八歳年上だが、習近平より五年遅れて二〇〇二年にようやく候補委員になった。そしてその序列はビリから六番目であった。薄一波の息子薄熙来は、一九九七年には候補委員にさえ選ばれず、二〇〇二年に候補委員を飛び越えて直接中央委員に選ばれた。年下の習近平に追い越された薄熙来の敵愾心がやがて身を滅ぼす。いずれにせよ、一五回大会（一九九七年）、一六回大会（二〇〇二年）当時は、まだ中国共産党が自らの権力乱用を自制する良識が働いていた。この自制心を次第々々に解いて、ついには誰憚ることなく権力を乱用したのが江沢民と江沢民人脈だ。軍のトップや政法委員会書記が処分される現代とは大違いではないか。私はテレビを見ながら習近平＝「プチ毛沢東」のあだ名をつけた。

習近平の虎退治と権力固め作戦

二〇一五年三月、習近平は名実ともに「プチ毛沢東」ぶりを発揮する。一連の全人代がらみの報道について「ピラミッド型の権力モデル」と呼ぶ評論も現れた（たとえば牟伝珩の論評「中南海で〝集団指導制〟を覆す」香港『争鳴』二〇一五年三月号）。

習近平はどう変身したのか。二〇一二年秋、党大会でトップに就任した直後の記者会見の写真では七名の常務委員の真ん中に並ぶ一人であったが、それから二年を経て、テレビカメラの焦点は、習近平の「標準写真」像にズームインされ、他の六名がどんどん後景に退いた。このイメージの変化を象徴するニュースが一月一六日に報じられた。この日、トップセブンからなる中央政治局常務委員会議は終日会議を開いた。

日本の国会に当たる全国人民代表大会常務委員会。（委員長＝張徳江）、内閣に当たる国務院（総理＝李克強）、参議院に擬せられる全国政協（全国人民政治協商会議。主席＝兪正声）、最高裁に当たる最高人民法院（院長＝周強）、最高検に当たる最高人民検察院（院長＝曹建明）の五大国家機関における「共産党フラクションの代表」すなわち「党組書記」の参加を求めて、それぞれの代表から当該部門の「活動報告」を行わせた。報告を聞くのは総書記習近平だ。

ここで張徳江、李克強、兪正声はもともと党中央政治局常務委員会のメンバーだから、一見特に問題はなさそうに見える。周強と曹建明は、ヒラの政治局委員でさえなく、中央委員級にすぎないから、この政治局常務委員級の会議に対しては、呼び出しを受けた際にのみ「列席」できる。周強と曹建明は、召喚を受けて報告した形だ。これがこの会議の性質になる。ここから張徳江、李克強、兪正声ら正規の常務委員もまた「それぞれの分担をもつ常務委員としての出席」というよりは、事実上、周強と曹建明の例のように、習近平の呼び出しを受けて出席した形にならざるをえない。これは巧みに計算された習近平格上げのイメージ作りに見える。

江沢民時代（一九九二〜二〇〇二年）、胡錦濤時代（二〇〇二〜二〇一二年）の常務委員会議は、メンバー九名がそれぞれの担当分野に全責任を負い、他の分野の担当者は、他部門について口出しをする権限が事実上なかった。これは「九竜による治水」などとも呼ばれる分業責任制であった。江沢民や胡錦濤は、自らを除く八名からそれぞれの担当分野の報告や提案を受ける形で議事が進み、総書記はいわば会議の「単なる司会役」にすぎなかったと評しても言い過ぎではない。

江沢民の場合は、基本的に自らの腹心を配置できたので、思惑通りに処理できたが、問題は胡錦濤のケースだ。胡錦濤時代の人事は江沢民が自らの影響力を極力残すように仕組まれた人事体制のゆえに、胡錦濤カラーを打ち出すことはほとんどできなかった。このような江沢民リモコン体制のもとで、空前の腐敗現象が現れた。

周永康の子飼いを常務委員に昇格させないために設定したトップセブンという枠組み

二〇一四年七月末に処分された周永康は、政法委員会書記として、警察・検察・裁判など司法部門の全権力を握っていた。ここで胡錦濤は周永康の腐敗問題に気づいたとしても、それに「口出しできない慣例」に縛られていた。これが「江沢民執政一〇年、院政を含めて二〇年」の間に次第に劣化を加速した「集団指導制」の内実であった。

この制度・慣行という縛りに悩まされてきた胡錦濤は、政法委員会書記の地位を常務委員会レベルからヒラの政治局委員レベルに格下げすることを習近平への「置き土産」とした。すなわち常務委員数を九名から七名に減員して、前任政法委員会書記周永康が「子飼いの代理人」を常務委員会に残す道を塞いだ。これが胡錦濤の習近平への置き土産であった。

王岐山政法委員会書記の辣腕

さて大会以後に形成された新たなトップセブンの分担体制において、それまでは副総理として国際国内金融を統括していた王岐山に畑違いの政法委員会書記のポストを担当させた。この措置は、その後の経過が明らかに示すように、敏腕王岐山にしか前任者周永康の腐敗問題を処理できないことを的確に把握した上での人事であった（この人事内定を受けて、王岐山自身は、自らの後継者を周小川に決定し、周小川を全国政協委員の副主席の一人に据えた。これによって閣僚級の周小川の定年は六五歳から副総理級の六七歳に延びた。腐敗摘発は金融面にも波及するが、周小川に実務レベルの最高意思決定を委ねる措置にほかならない）。

新たに政法委員会書記を担当した王岐山は、前任者周永康の直接の後継者が常務委員会にはいないことを奇貨として、存分に辣腕を振るうことができた。

胡錦濤の軍事委員会完全引退の深慮──徐才厚処分の伏線

胡錦濤と習近平の「事前の合意」でもう一つ決定的な事柄がある。それは胡錦濤が党大会を機として、軍事委員会の「主席ポスト」を習近平に譲ったことだ。江沢民から胡錦濤への権力引き継ぎの際には、二〇〇二年の党大会の二年後の四中全会まで、江沢民が軍事委員会主席のポストにしがみついたので、胡錦濤の軍権掌握は著しく妨害を受けた。この苦い体験に照らして、胡錦濤は習近平に大会直後に主席ポストを譲る決断をしたが、これはたいへんな英断であったことが徐才厚処分の際に明らかになる。

というのは、軍事委員会は二人の副主席と四総部の司令官あるいは部長（総参謀部、総政治部、総装備部、総後勤部）および陸海空軍、ミサイル部隊の司令官などからなり、これらはすべて制服組のポストである。文民の習近平がただ一人主席として会議を主宰し、軍事委員会主席としての意思決定を行うことができる仕組みだ。これは「主席責任制」と呼ぶ中国流の文民統制メカニズムだ。制服組の司令官たちは、みずからの指揮する実働部隊の責任者としての判断を求められ、意見を述べることはできるが、軍事委員会としての意思決定権は、習近平の一手に残されている。この「主席責任制」に支えられて習近平は、自らの昇格とともに引退した前任副主席徐才厚を共産党から除名する大英断が可能であった。

もし、多数決の評議ならば、この処分決断は葬られたであろう。

　こうして江沢民の「執政一〇年、院政一〇年」期に異常増殖した腐敗問題を果断に処理することによって、習近平は一挙にトップセブンの「集団指導制」の内実を習近平「個人独裁制」に転化した。いまやあたかも毛沢東のような個人独裁権を掌握し、他の六名のメンバーがすでに従属的地位に転落したことを象徴的に示すセレモニーこそが二〇一五年一月一六日会議の「報告」スタイルにほかならないと私は解する。これは六名の常務委員は、担当分野について「報告する側」であり、習近平ただ一人がこれを「聞きおく側」の立場に、事実上昇格していることを見せつけるセレモニーなのだ。まさに習近平が「プチ毛沢東」に大化けした瞬間というべきだ。

　日本の少なからぬメディアが、習近平の実力について、「共産党史上、最も弱い総書記」と軽視しているうちに、本人は大変身した。日本のメディアは、なぜ事態を見誤ったか。取材源が基本的に習近平に敵対する江沢民人脈に限られていたことで致命的弱点をさらけだしたように見える。習近平を見くびり、傀儡化を図る旧勢力が「弱い習近平イメージ」を世論工作のために拡散し、これにひっかかった。これは特派員というニュースの送り手側の問題だ。

　その背景にあるのは、安倍内閣の中国敵視姿勢であろう。中国敵視・中国脅威・中国封じ込めといった極度に時代後れの戦略に籠絡されて日本世論は、中国問題にほとんど関心を失い、無関心になった。そして「著しく大気の汚染された国、腐敗した肉を売る国」といった類のネガティブ・キャンペーンのみが横行した。これにメディア側自身が幻惑されて、習近平の中国の現実を冷静に観察する意欲と能力を失ったものと私は解している。これは二〇一二年の尖閣国有化以来の大きな潮流だ。こうして習近平の就任以来の中国の新しい動向に、日本世論は目を塞ぐか、あるいはネガティブな側面にしか興味を示さなかったために事態を読み違えたのではないか。

毛沢東の「小組治国」に倣う

習近平が一挙に権力を掌握したのは、腐敗の象徴としての徐才厚と周永康とを処分したことによるが、その具体的な方法を見ると、毛沢東が文革で用いた「文革小組方式」に酷似している。すなわち小組治国である。

三中全会（二〇〇四年一一月）以後、習近平は①中央全面深化改革、②中央国家安全委、③中央財経、④中央網絡〔インターネット〕安全 信息化〔情報化〕等々、一一個の「領導小組」を新設して、党・政・軍、立法、行政、司法、経済、文化など国家的一切の権力を習近平個人の手に集中した。

中国は一三億の人口からなり、共産党員だけでも八〇〇〇万人を超える。党とは、いわば「国の中の独立国」であり、党組織自体が極度の官僚主義体制だ。膨大な官僚機構は、どのように機能するか。「習近平の打ち出す新政策」は、ほとんどの場合、官僚機構のルートを通じてねじ曲げられ、各段階の各対策によって、シロはクロに変化してしまう。習近平の指示は、官僚主義と敵対勢力によって、ほとんど正反対のものにねじ曲げられる。こうした官僚機構の各段階で生ずる歪曲を防ぎ、習近平個人の意向を誰の目にも明らかにするためにこそ「小組方式」が必須なのだ。これを新たに設けて、この小組によって伝えられる内容だけが「習近平の肉声」であり、これ以外はすべて「ニセの習近平指示」であることを明示するものが、毛沢東のひそみに習う「小組治国」システムなのだ。

習近平がわずか二年で、毛沢東方式を活用して、権力を一手に掌握した実力は刮目に値する。毛沢東からその作風を深く学んだ太子党・習近平にしかできない芸当と見てよいと思われる。

習近平を突出させる措置は、たとえば二〇一四年国慶節において、李克強が国務院総理として開いた新中国成立六五周年慶祝レセプションでも見られた。中国共産党は長らく建国祝賀の会は、周恩来ら歴代の国務院総理が講話を発表する伝統が守られてきた。ところが慣例を破り習近平自身がここで主役を演じた。総理李克強は「主役の地位」から単なる「司会者役」に格下げされた形だ。とはいえ、これをもって李克強の地位に変化が生じたと見るのは短絡だ。総理としての李克強の地位、すなわち実務を通じて党務の習近平を支える伝統的な党政構造に由来する地位にはいささかの変化もないと見てよい。李克強の地位が下がったのではなく、習近平の地位が格段に強められたのだ。両者はそもそも対等ではない。毛沢東に仕える周恩来の姿を「党高政低」と見ればわかりやすいであろう。

国務院の主宰すべき会議でさえもこのありさまであるから、党の三中全会（二〇〇三年一一月）、四中全会（二〇〇四年一〇月）など、党レベルの会議において習近平の「領袖としての地位」が格上げされていることはいうまでもない。たとえば習近平は二〇一四年一〇月一五日に文芸座談会を開き、周小平（著名な若手ブロガー）、花千芳（ネット作家、撫順市作家協会副主席）らに発言の場を与えて周囲を驚かせた。さらに福建省古田で「新古田会議」（二〇一四年一〇月三〇日～一一月二日）を開き、軍に対する党＝習近平の指導を強調するセレモニーを行った。古田会議は由来毛沢東がゲリラ軍に対する党の指揮を制度としてビルトインした会議として知られている。

習近平語録

これらの一連の動きを通じて、習近平の地位が確立しつつある姿を『習近平談治国理政 第一巻』（邦訳『習近平 国政運営を語る』二〇一四年一〇月、北京・外文出版社）〈中文版および英文版は第四巻まで、日文版は第三巻まで既刊〉で確認してみよう。この習近平講話集は二〇一二年の発言一二篇、二〇一三年の発言四五篇、二〇一四年一～六月の発言二三篇、計八〇篇からなる。索引を開くと、毛沢東は一八回、鄧小平は二九回、江沢民は七回、胡錦濤は八回登場する。毛沢東思想は六回、鄧小平理論は一七回、江沢民の「三つの代表」は一七回である。

プチ毛沢東としての習近平の面目は、たとえば「大衆路線」を一三回語るところに現れる。鄧小平時代、江沢民時代、胡錦濤時代にはこのキーワードはほとんど死語扱いで、代わって知識分子の英語力、数学力やＩＴ技術者の先進的知識に光が当てられていた。科学技術を重視する点では、清華大学卒・習近平も前任の総書記たちと同じだが、彼が「反腐敗」のスローガンで虎退治に邁進するとき、その支えは大衆の支持であり、これを大衆路線と呼びながら推進し、大衆の喝采を得ている。

「反腐敗」や「虎・ハエ」のキーワードで習近平講話を調べて見ると、初出は、二〇一三年一月二二日「中央紀律検査委の第二次全体会議の講話」である。そのタイトルは「権力を制度のオリに閉じ込める」と題され、「たとえ誰であろうと、職務がどれだけ高かろうと、党の紀律と国の法律を犯しさえすれば、必ず厳しく取り調べ処罰される」と語った。「これが決してただの空談ではないことを［私＝習近平は］全党、全社会に表明している。厳しく党を治めるため、処罰は決して緩めてはいけない。『虎』（大物）も『ハエ』（小物）も一緒にたたき、指導幹部の紀律違反・法律違反案件を断固として厳しく取り締まるだけでなく、大衆の身の回りの不正の風潮や腐敗行為も着実に取り除かなければならない。党の紀律、国の法律の前に例外はないことを堅持し、それが誰の身に及ぼうとも、徹底的に調べ、決して見逃してはならない」（邦訳四三二ページ）と強調した。

傍点を付した「職務がどれだけ高かろうと」の一句がキーワードになる。これまでは政治局常務委員級以上の高官は「刑ハ大夫ニ上ラズ」の慣行からして訴追されることはないと広く見られてきたことを踏まえて、高位高官でも「党の紀律、国の法律の前に例外はない」と宣言した。これは習近平が党大会でトップに昇格して二カ月後のことであり、虎退治の盟友・王岐山は、この習近平指示に基づいて、調査に着手していた。

習近平の虎退治二回目の発言は、二〇一三年四月一九日「政治局第五回グループ学習会の談話」である。習近平はここで戦国時代中後期の商鞅と法家学派の学説をまとめた『商君書』「修権」から「商鞅の変法」の必要性を説いたキーワードを引用した。

「蠹衆くして木折れ、隙大にして牆壊る」――キクイムシが増えると木は折れ、隙間が大きくなると牆は壊れるの意である（邦訳四三七ページ）。人民大会堂がシロアリの巣となり、崩壊するイメージであろう。腐敗をこれ以上放置するならば、金城鉄壁の共産党王国が崩壊するという危機感の表明にほかならない。

習近平の三回目の発言は、二〇一四年一月一四日、中央紀律検査委の第三次全体会議の講話である。「腐敗分子に対しては、見つけ次第断固取り調べ、処分する。早い段階、軽い段階で押さえ、病気なら早急に治療し、問題を見つけたら直ちに処理する。腫れ物をそのまま放置して、命にかかわる重病になってはいけない」と語った後で、習近平は解放後に初代上海市長を務めた陳毅（元外相）の言葉を引用する。「［金銭に］手を伸ばしてはならず、手を伸ばせば必ず捕まる」という道理を幹部一人一人に銘記させなければならない」。これは『陳毅詩詞選集』（北京・人民文学出版社、一九七七年）からの引用だ。習近平も一時期上海市書記を務めたが、上海市を解放して初代市長を務めた陳毅元帥の言葉を引用しているのは、太子党の面目躍如だ。

もう一つの引用は、「善を見ては及ばざるが如くし、不善を見ては湯を探るが如くす」という『論語』「季氏篇」の言葉である。「善を見れば、とても達成できないかもしれぬと謙虚に努力するとともに、不善を見れば、あたかも熱湯に触れたかのように、即座に離れる」態度をもって「不善を憎むべし」の意である。習近平はこのような言葉で中央紀律検査委員たちを激励し、腐敗摘発を呼びかけた。これらの一連の行動は、大衆からの支持を狙うものであるとともに、習近平の敵陣営を破壊し、直ちに自らの政治的基盤を強化する役割をもつ。

さて、習近平を毛沢東に似せて描いたが、毛沢東時代と現代は、中国内外の環境は著しく異なる。外を見ると、中国の政治経済はグローバル経済のなかに深くビルトインされている。文革期のような鎖国政策にはもはや戻れない。私は旧著『チャイメリカ』（花伝社）で詳論したが、米国の国債を保有する最大の債権国が中国であり、二〇一五年現在一兆二三九一億ドルだ。ちなみに親米派の日本は一兆二三八六億ドルで、わずかに少ない。一年前には中国が日本より六〇〇億ドルも多かった。米中貿易は日米貿易の約二倍であり、米国から見て日本の地位に昔日の面影はない。中国国内の社会情勢も高度成長を経て大きく変わりつつある。内外の情勢が激変するなかで、習近平が毛沢東の作風を真似するだけでは、マンガになる。権力を掌握した習近平がその独裁権力をどのように行使するのか。

アジアインフラ投資銀行（ＡＩＩＢ）問題

前項まで書き終えた二〇一五年三月末に、突如浮上して安倍ドンキホーテ政権をキリキリ舞いさせたのが、アジアインフラ投資銀行（ＡＩＩＢ）の発足だ。ロンドン発三月一二日ロイター電によると、英国は中国の主導するＡＩＩＢに「創設メンバーとして参加」すると爆弾声明を発表した。オズボーン財務相は「（英国が）ＡＩＩＢに創設時から加わることで、英国およびアジア地域の投資と成長のため、無類の機会を創出することができるだろう」と述べた。この英声明を待つかのように、Ｇ７のドイツ、フランス、イタリアが相次いで参加を表明した。ＢＲＩＣｓ諸国のうち、発案者の中国は当然として、ロシア、インド、ブラジルが全員顔を並べ、ＡＳＥＡＮ（東南アジア諸国連合）のインドネシア、ベトナム、シンガポールなど加盟一〇カ国すべてが参加し、サウジアラビア、クウェート、カタールなど中東の主要資源国、中央アジアのウズベキスタン、カザフスタン、最後には、米国に気兼ねしていたオーストラリア、ニュージーランド、韓国、台湾も参加し、香港も当然参加する。すでに五十数カ国に上る。

この雪崩を打ったような現象は何を意味するか。安倍政権の中国封じ込め戦略の完全失敗を象徴する。安倍政権は、日本を頂点とし、左右にインドとハワイ（米国）、そして底辺にオーストラリアを配した菱形の「ダイヤモンド安全保障」構想により、「中国の海洋進出を封じ込める」という時代錯誤の戦略を提起して、識者の顰蹙を買っていたが、安倍流封じ込め作戦は、ここで完敗した。

私は、尖閣衝突以後、ますます激しくなる両国のナショナリズム衝突を煽りつつ、東アジア世界に新たな緊張を意図的に作り出そうとする安倍戦略に対して「中国経済が米国を抜いて世界一になるとき、中国封じ込めに動く安倍ドンキホーテ政権に未来はあるか」とこれを批判してきた（『中国情報ハンドブック』巻頭論文、蒼蒼社、二〇一四年七月）。

中国という巨大な風車を封じ込める発想は、そもそも常識では考えられない狂気の発想なのだが、安倍は何をどう見間違えたのか、これを広言してきた。外務省、財務省、経産省など官界は、これを諌めることをせずに、安倍政権の長持ちに賭けて迎合するのみ。マスメディアは、大本営情報のみを流し続け、軌道修正の機会を失う。かくて日本は世界に孤立する道を選んだ。

（初出：『情況』二〇一五年五月号、「中国観照 第一回」）

習近平の夢

習近平の夢とは何か？　今やグローバル経済の中にビルトインされた中国の政治経済において、習は「プチ鄧小平」の役割をも演じる。発展を望み、経済成長への期待をもつ途上国の期待に応えられない、既存の世界銀行やアジア開発銀行への不満を糾合し、アジアインフラ投資銀行（ＡＩＩＢ）を発足させた。これぞ中国沿海地区発展戦略をグローバルに発展させた「一帯一路」という「二十一世紀版海陸シルクロード」構想、習の「夢」であろう。アジア型とヨーロッパ型の二つの顔をもつ日本は、その歴史的位相を正しく認識して日本にしかできない役割を発揮できるのか、大きな岐路に立たされる。

一　習近平シルクロードの夢

中国が主導する国際金融機関、アジアインフラ投資銀行（ＡＩＩＢ）は二〇一七年三月二十三日、新たにカナダや香港など一三カ国・地域の加盟申請を承認したと発表した。加盟国・地域は七〇になり、日米が主導するアジア開発銀行（ＡＤＢ。本部マニラ）の六七カ国・地域を上回った。先進七カ国（Ｇ７）での参加を見送っているのは日米だけとなった。ＡＩＩＢが新たに申請承認したのは香港、カナダのほか、ベルギーやハンガリー、アイルランド、ペルーなど。今後、国内手続きなどを経て正式に加盟する。ＡＩＩＢは「今回の発表は新規加盟の第一陣だ」（広報担当）としており、加盟国は今後さらに増える可能性がある。

1　世界一の経済大国・中国――二〇一四年に購買力平価で米国を抜いた

世界銀行は二〇一四年四月二十九日、国際比較プログラム（International Comparison Program, ＩＣＰ）を発表した。これによると、二〇一一年の国内総生産（ＧＤＰ）は世界全体で九〇兆ドルを超え、そのうち半分近くが低・中所得国であった。[*1]

中所得国の代表選手・中国の躍進は著しい。一三・五兆ドル（世界シェア一四・九％）であり、米国の一五・五兆ドル（一五・五％）に迫る。中国を筆頭に、インド、ロシア、ブラジル、インドネシア、メキシコも確実に伸びている。これら中所得六カ国は、為替レートで換算すると、世界の一五・六％にすぎないが、購買力の実質を意味する購買力平価ベースでは、二九・二％を占めて、約二倍に増える。

逆に、いわゆる先進国、世銀のいう高所得国は、目減りする。たとえば日本の場合、為替レート換算ならば五・九兆ドルだが、購買力平価では四・四兆ドルにへこむ。中国の三分の一の規模にすぎない。常識的に考えるならば、アベノミクスを成功させようとするならば、中国経済の成長力と連携する必要が不可欠であることは明らかだが、安倍政権は、このような常識とはまるで逆の対中姿勢をとる。

(1) 世界銀行の調査結果

この調査は、国連統計委員会の勧告に基づき実施されたもので、「二〇一一年ラウンド調査」（対象時期は二〇〇九〜二〇一二年）と呼ばれる。ちなみに、前回調査は二〇〇五年に行われたICPラウンドであった。今回は過去最多の一九九カ国を対象に、各国通貨の購買力平価（PPP）を算定したものである。これは、PPP算出の手法改善により、これまで以上に精度の高い算定となったと世銀は指摘している。すなわち今回のICP調査は主に、①二〇一一年PPP、②PPP換算のGDP推計値、③GDP指数を、それぞれ国民一人当たりおよび総数で算出している。

周知の通り、国際比較のためには、各国のGDPなどの経済指標を共通の通貨に換算する必要があるが、この場合、①為替レート、②購買力平価（PPP）、という二つの方法がある。

②「購買力平価（ＰＰＰ）」の方が、その金額で買える財やサービスをより直接的に表すことができる。ＩＣＰ調査は、世界銀行内に設けられている「ＩＣＰグローバルオフィス」により実施されるが、同オフィスは、以下の八地域機関とパートナーを組み、調整を行った。
すなわち①アフリカ、②アジア太平洋、③独立国家共同体（ＣＩＳ）、④中南米、⑤カリブ海、⑥西アジア、⑦太平洋島嶼国、⑧ＥＵ統計局（ユーロスタット）という八地域および経済協力開発機構（ＯＥＣＤ）である。ただし、グルジアとイランの二カ国については、個別に二国間比較のみが行われた。

今回の調査で明らかになった主な調査結果は以下の通りである。

・世界の経済大国一二カ国のうち六カ国は中所得国
①世界の経済大国一二カ国のうち六カ国は世界銀行の定義による「中所得国」であった。この中所得国と高所得国を合わせた一二カ国は、世界経済の三分の二、世界人口の五九％を占める。
②ＰＰＰ換算した世界のＧＤＰは、九〇兆六四七〇億ドルに上る。為替レート換算では七〇兆二九四〇億ドルであり、購買力平価による推計は、為替レート換算よりも、二八・九％大きい。すなわち実質購買力は為替換算よりも三割弱大きいことがわかる。
③中所得国が世界のＧＤＰに占める割合は、ＰＰＰ換算では四八％、為替レート換算では三二％である。
④二〇一一年、低所得国が世界のＧＤＰに占める割合は、ＰＰＰ換算では為替レート換算の二倍以上である。世界経済の一・五％にすぎない低所得国が、人口では世界の一一％を占める。

⑤国民一人当たりGDPが世界平均（一万三四六〇ドル）を上回る国に暮らす人口は世界人口の約二八%。残りの七二%は平均以下の国で生活している。

⑥一人当たり支出の世界の概算中央値は一万五七ドルであった。つまり世界人口の半分が、一人当たり支出で一万五七ドルを下回っている。一日当たり、二七・五ドルである。

・経済規模の大きい国

⑦中所得六大国（中国、インド、ロシア、ブラジル、インドネシア、メキシコ）が世界のGDPに占める割合は三二・三%であり、高所得六大国（米国、日本、ドイツ、フランス、英国、イタリア）は三二・九%である。すなわち中国、インドなどの六大国が先進六大国に追いついた。

⑧中国とインドを含むアジア太平洋が世界のGDPの三〇%を占める。ユーロスタット・OECDは五四%を占める。ラテンアメリカ五・五%である（ただしメキシコはOECDに含まれ、アルゼンチンはICP2011に参加していないので、両国を除いたもの）。アフリカと西アジアはそれぞれ約四・五%である。

⑨中国とインドは、アジア太平洋（OECDプログラムに含まれる日本と韓国を除く）経済の三分の二を占める。

⑩ロシアはCISの七〇%以上、ブラジルは中南米の五六%を占める。

⑪南アフリカ、エジプト、ナイジェリアを合わせると、アフリカ経済の約半分を占める。

・物価の高い国

⑫物価指数（ＰＬＩ）は基準となる為替レートに対するＰＰＰの割合である。指数が一〇〇以上であれば物価が世界平均より高く、一〇〇未満であれば世界平均より低いことになる。

⑬ＧＤＰで見た世界で最も物価が高い国は、スイス、ノルウェー、バーミューダ、オーストラリア、デンマークで、物価指数は一八五から二一〇である。米国は、フランス、ドイツ、日本、英国などの多くの高所得国よりも低い二五位となっている。

⑭物価指数が五〇を下回る国は二三カ国に上る。物価が特に低い国は、エジプト、パキスタン、ミャンマー、エチオピア、ラオスで指数は三五から四〇であった。

・国民一人当たりで比較する最富裕国と最貧国

⑮一人当たりＧＤＰが特に高い五カ国は、カタール、マカオ特別行政区（中国）、ルクセンブルク、クウェート、ブルネイである。カタールとマカオは、国民一人当たりＧＤＰが一〇万ドルを超える。マカオはカジノと観光のため、ルクセンブルグはＥＵの金融センターのため、他はすべて産油国である。

⑯一人当たりＧＤＰが五万ドル以上の国は一一カ国を数えるが、世界人口に占める割合は〇・六％に満たない。米国の国民一人当たりＧＤＰは一二位である。

⑰国民一人当たりＧＤＰが一〇〇〇ドルに満たない最貧国は、マラウイ、モザンビーク、中央アフリカ共和国、ニジェール、ブルンジ、コンゴ民主共和国、コモロ、リベリアの八カ国である。

・個人消費が高い国

⑱国民の物質的な豊かさをより的確に測定するには、一人当たりの実質個人消費（個人に直接恩恵をもたらす支出総額）の方が、国民一人当たりGDPより適している。国民一人当たりの実質個人消費が特に高かったのは、バーミューダ、米国、ケイマン諸島（イギリス海外領土）、香港特別行政区（中国）、ルクセンブルグの五カ国である。

⑲一人当たり実質個人消費の世界平均は約八六四七ドルである。

・投資支出

⑳世界の投資支出（総固定資本形成）では、中国が最大の二七％を占め、次いで米国の一三％となっている。

㉑次いで、インド（七％）、日本（四％）、インドネシア（三％）である。

㉒中国とインドだけで、アジア・太平洋の投資支出の約八〇％を占める。ロシアはＣＩＳの七七％、ブラジルは中南米の六一％、サウジアラビアは西アジアの四〇％を占める。

(2)欧米経済各紙の論評

世銀の推計を紹介しつつ、英『フィナンシャル・タイムズ』は二〇一四年四月三十日「中国が今年、米国を抜いて世界最大の経済大国になる（China poised to pass US as world's leading economic power this year.）」と報じた。「これは歴史的な瞬間だ。何しろ一八七二年以来、米国が世界一の経済大国だったから」[2]とコメントした。「PPPの産出方法が修正された結果、中国とその他アジア諸国が従来想定されていたよりも大きくなったことは確かだ」、「ICPは直近の二〇一一年の数字の前には、二〇〇五年、一九九三年、一九八五年、一九八〇年、一九七五年、一九七三年、一九七〇年の推計がある」、「今回の新しい推計を認めたくないと思う米国の人々は、二〇〇五年には下方修正した推計値を受け入れたではないか」と皮肉っている。

下世話な言い方だが、「隣に蔵が建つとわしゃ腹が立つ」と、嫉妬心を笑う表現がある。二〇一一年の推計では、中国一三・五兆ドル、米国一五・五兆ドルであるから、中国は二〇一一年時点で米国の八七%水準である。しかしながら二〇一二～一四年の三カ年の累計成長率は、中国二四%に対して、米国七・六%である（IMF予測成長率）。したがって二〇一四年末の中国のGDPは一三・五×（一＋〇・二四）＝一六・七三五兆ドル、米国のGDPは一五・五×（一＋〇・〇七六）＝一六・六七八兆ドルになる計算だ。この結果、二〇一四年内には五七〇億ドル中国が上回るという話になる。

英『フィナンシャル・タイムズ』のほかに、米国では、『ブルームバーグ』[3]は、「中国経済の地位が世界水準で上昇しているのは間違いない。それは何年も前から続いていることだ」とコメントした。

そして『ウォールストリート・ジャーナル』[4]は、「中国をはじめとする新興国がIMFなどの国際金融機関でより大きな意思決定権を得るために、購買力平価データを利用して欧米に迫るのは必至だ」とコメントした。さらに五月二日には「人民元は過少評価されてはいない」[5]と論じた。現行の為替レートは人民元安に設定されているのではない。すなわち経済の実力を忠実に反映したものである以上、購買力平価による試算で、GDPを膨らますのは妥当ではない。

いずれにせよ、ＰＰＰ推計は、いくつかの仮定に基づく試算であるから、過少・過大の論議は避けられない。とはいえ、百歩譲って、今年は米国に追いつかないとしても、近い将来に追い越すことは確実だ。中国経済の含む「水分の要素」（水膨れ）や内包するもろもろの矛盾を直視しつつも、これを敵視して、中国包囲網などを語るのは、ドンキホーテにも似た愚行である。世界経済が中国経済を基軸として動き始めたことは確かであり、欧米のメディアはこれを注視していることの一端がＩＣＰ報告の報道によく現れている。中国経済を直視し、その活用と共生をはかる以外に日本経済の活路はない。

世銀による補足

今回の推計作業を行った世銀事務当局は、推計データの使用に当たっての留意点を次のように指摘し、注意を喚起している。

①ＰＰＰは、統計上の推計値である。標本誤差、測定誤差、分類誤差を避けることは困難であり、これらのデータは、概算値として扱われるべきである。また、データ収集とＰＰＰ算定のプロセスの複雑さゆえに、各国間の推計値の細かな差異は重要な意味をもたない。

②ＰＰＰ換算値は、通貨の過小または過大評価の物差しではない。ＰＰＰは、為替レートが「どのレベルにあるべきか」を示すものではない。また、換算通貨に対する需要や投機、外貨準備高に対する需要を反映するものでもない。

③ＩＣＰは、基準となる年における各国の経済活動を比較し、その結果を共通の通貨に置き換えて表している。したがって、今回の「２０１１ラウンド」推計値を前回の「２００５ラウンド」推計値と直

接比較することはできない。両者はそれぞれ異なる価格レベルを基にしているからだ。

④ＩＣＰは、個々の国のＰＰＰ換算のＧＤＰを時系列で比較することに用いてはならない。これまでの調査で、推計値と新ベンチマークの間には、たとえわずか数年でも大きな相違が発生することがわかっている。要するに、この調査の目的は、ある時点における各国の横並び比較のための推計である。

2　チャイメリカ体制と脇役――ＥＵとロシア

中露包括的・戦略的協力パートナーシップ

習近平国家主席は二〇一四年五月二十日、ロシアのプーチン大統領と上海で会談した。両元首は中露関係や重大な国際・地域問題について踏み込んで意見交換し、「高度の一致を見るに至った」、「中露関係の包括的、多層的で順調な発展に満足の意を表明した」、「両国は実務協力を拡大、深化し続け、中露包括的・戦略的協力パートナーシップをさらに高い水準へと押し上げることを決定した」と報じられたが、それぞれにとってこれは迫られた上での決断と見てよい。

習近平は「中露が包括的・戦略的協力パートナーシップ」をいっそう発展させることは、世界の平和的発展の維持と両国の共同発展・繁栄に必要であり、世界の多極化発展に向けた必然的選択でもあるとする認識の上に次のように述べる。

①中露協力は包括的で多層的だ。双方は二〇一五年までに二国間貿易額を一〇〇〇億ドルにまで増やすという目標の実現に努力する必要がある。

②シルクロード経済ベルトとロシアのユーラシア鉄道建設を結びつけ、両国の経済・貿易往来と隣接地区の開発・開放を牽引し、ユーラシアの大通路と大市場をともに享受する必要がある。

③中露は二国間および上海協力機構の枠組みで安全保障協力を強化し、両国および地域の安全・安定を守る必要がある。

④中露両軍は合同演習、軍事技術、対テロ面で協力を深化し、中露合同海上軍事演習と上海協力機構加盟国合同対テロ軍事演習を共同で成功させる必要がある。

⑤二〇一五年は世界反ファシズム戦争ならびに中国人民抗日戦争勝利七〇周年であり、習近平とプーチン大統領は慶祝・記念活動を開催し、世界各国の人々とともに第二次大戦の勝利の成果と戦後国際秩序の維持に尽力し、ファシズムと軍国主義による乱暴な侵略という悲劇の再演を断じて許さない。

⑥中露は国連安保理常任理事国として、地域および世界の平和、安全、安定に重大な責任を負っている。双方は国連、G20、上海協力機構、アジア太平洋経済協力会議（APEC）、BRICS、アジア相互協力信頼醸成措置会議（CICA）[*6]などの枠組みで協力を強化し、国際問題における国連の中心的役割を断固支持し、国連憲章の趣旨と国際関係の基本原則を守る必要があると指摘した。[*7]

これに対してプーチン大統領は次のように述べる。

①露中関係は全面的で急速な発展という新段階に入った。習主席自らが露中関係の発展に関心を持ち、

推進していることに感謝する。習主席と引き続き緊密な意思疎通と付き合いを継続したい。

②石油・天然ガス、原子力、電力、高速鉄道、旅客機、金融など双方間の協力プロジェクトを積極的に推進したい。

③石油・天然ガスの対中輸出を増やしたい。双方間の東ライン天然ガスプロジェクト価格交渉に重要な進展があったことを知り喜んでいる。互恵互利の原則に基づき、できるだけ早く最終的合意に至りたい。

④ロシアはシルクロード経済ベルトの建設、交通インフラのコネクティビティの強化を支持する。ロシア極東地域の開発への中国側の参加を歓迎する。

⑤両軍協力は重要であり、引き続き強化すべきだと表明した。

会談後、両国元首は「中華人民共和国とロシア連邦の包括的・戦略的協力パートナーシップの新たな段階に関する共同声明」に署名するとともに、エネルギー、電力、航空、通信、地方など協力文書複数の調印に立ち会った。[*8]

天然ガス売買についての合意

ウクライナ問題をめぐって、EUと対立を深めているロシアは、一方がガス供給の削減で脅迫すれば、他方は代金支払いの延期措置で対抗し、そこへ米国がオイルシェールの提供を申し出て、三者三様の勝者なき駆け引きを繰り広げている。弱みを抱えたロシアと、同じように内外の矛盾の山積する中国の習近平指導部は、いわば弱みをかばいあうかのごとき、協調関係を深めている。

ここで注目されるのは、一つは天然ガス売買についての合意であり、もう一つは中露海軍の合同演習だ。まず前者は、習近平とプーチン立会いのもとで五月二十一日、ロシア国営ガス会社のガスプロムのアレクセイ・ミラー会長と中国石油天然ガス公司(CNPCシノペック)の周吉平会長が中露両国政府の「中露東ライン天然ガス協力プロジェクト覚書」および中国石油天然ガス集団とガスプロムの「中露東ラインガス供給購入販売契約」に調印した。

ロシアは中露天然ガスパイプライン東ラインを通じて二〇一八年から三〇年にわたり中国にガスを供給する。供給量は年々増やし、最終的には年三八〇億立方メートルとする計画だ。中露東ライン天然ガス協力は、両国政府が「直接指導し、参画し、双方の企業が長い間ともに努力して実現したもの」であり、「両国の包括的エネルギー協力パートナーシップを強化し、包括的・戦略的協力パートナーシップを深化する新たな重要な成果」と強調されている。[*9]

多年にわたる交渉にもかかわらず、価格などの条件面でこれまで折り合いがつかなかったものだが、両国ともいわば背中に火がついて、あわてて合意を急いだものと見てよいであろう。

合同軍事演習

注目すべきもう一つの動きは、中露「海上連合―2014」という名の合同軍事演習である。五月十八日、ロシア太平洋艦隊の旗艦、ミサイル巡洋艦「ヴァリャーグ」が上海地区の某軍港に入港し、中露「海上連合―2014」合同軍事演習に参加するロシア艦隊護衛艦が上海のある軍港に次々と入港した。

中露両国の海軍は互いに大砲を鳴らし、中国側は上海入りしたロシア艦隊を歓迎する盛大な歓迎式典を開いた。

ロシア太平洋艦隊の旗艦、ミサイル巡洋艦「ヴァリャーグ」が軍港に入る際に、歓迎式典に参加した軍楽隊が歓迎の曲を演奏した。その後、駆逐艦「ビストライ」、大型対潜艦「アドミラル・パンテレイブ」、中型タンカー「イリム」、大型陸揚艦「アドミラル・ネベルスコイ」、タグボート「カラー」が次々と入港した。今回の合同軍事演習で、中露海軍はいずれも主力艦を派遣している。

中国側の演習参加兵力は、ミサイル巡洋艦、ミサイル護衛艦、総合補給艦およびミサイル艦などの水面艦艇八隻、潜水艦二隻、固定翼航空機九機。ロシア側の演習参加兵力は、巡洋艦、対潜艦、駆逐艦、陸揚艦、タンカー、タグボートなどの水面艦艇六隻を含む。また、海上安全保障協力におけるシージャック救出、護送などの特殊任務を執行するために、双方はヘリコプター搭載艦を出動させ、特戦部隊などの兵力が演習に参加した（新華社）。

この「海上連合―２０１４」（合同軍事演習五月二〇日～二六日）は、長江口東側の東海北部海空域で実施されるが、海軍軍事学術研究所研究員・張軍社は五月一八日、演習の重点項目を説明している。曰く。

①中露両国はともにアジア太平洋地域の大国であり、アジア太平洋地域の平和、安定と発展の維持において、共通の利益と希望があり、地域の安全と安定を維持する重要な責任も負っている。

海上安全保障協力における軍事演習は、中露海軍の常態化（習慣化）、メカニズム化された協力形式となっている。今回の演習目的は、両国と両軍の戦略的協力を強固にして発展させ、両国海軍の海上安全への脅威に共同で対応する能力を向上させることにあり、年度計画内の定例合同演習であり、いかなる特定の国とも目標物を標的としていない。

②今回の演習の素晴らしいポイントのひとつは、海上安全保障における「保交」行動の指揮に向けた連携と保障を強調したものだ。「保交」とは、海上交通コースの護衛である。中露海軍は合同「保交」という戦役行動に関連する指揮連携、保障および各種戦術的行動をめぐって、重点的に演習を行う。演習の戦術的行動課目は、合同護送、シージャックの合同救出、合同捜索、合同防空、合同対潜、合同対海面突撃などを含む。

③中露海軍は、合同調査による確認と識別および合同防空課目について初回演習を行う。「調査による確認と識別」は、海上防空を実施するための必要な手順と行動だ。艦艇防空にしても、地域防空にしても、空中の目標物を調査して確認し、識別してから適当な防御行動を講じる必要がある。

演習では、中露海軍は調査して確認した兵力指揮、兵力行動および手順に対する訓練を行う。双方の海軍は、飛行機と艦艇のレーダーなどの兵力手段を利用し、海域上空に現れた飛行目標物に対する調査・確認と識別を行う。目標物の航行方向、機種、速度、姿勢などの飛行情報を把握し、目標物に敵意があるかどうかを判断したのち、それに対して講じる航空機での阻止、駆逐などの行動パターンを確定する（新華網）。

中露「海上連合―２０１４」という合同軍事演習が東シナ海、南シナ海における領有権問題に対する牽制であるのは、当然としてこの種の演習が次の段階で何を生み出すか、重大な関心をもって見守るべきであろう。最後に、アジア相互協力信頼醸成措置会議（ＣＩＣＡ）の首脳会議について。日本ではあまり知られていないこの会議が五月二十～二十一日に上海で開かれた。ＣＩＣＡはアジアの安全保障に注目した多国間フォーラムである。日本はオブザーバー参加国だが、中国は発足時からの構成国で、二〇一四年から二〇一六年まで初めて議長国を務める。

これは元来、アジア諸国の安全保障をめぐる「信頼醸成」のための会議なのだが、折からの国際情勢のもとで、特に中露首脳会談と相前後して開かれ、しかも中国がたまたまホスト国として議長役についたこともあって、米国の「リバランス路線」に対抗するかのごとき印象さえ与えている。

程国平外交部副部長（外務次官）は五月十五日の国内外プレス向けブリーフィングで、アジア相互協力信頼醸成措置会議（ＣＩＣＡ）首脳会議の開催について、次のように説明した。

①ＣＩＣＡの第四回首脳会議が五月二十、二十一日両日に上海で開かれ、習近平国家主席が議長を務める。現時点で四六の国と国際組織の指導者、幹部または代表の出席が確認されており、国家元首一一人、政府首脳二人、国際組織幹部一〇人が含まれる。中国は二〇一四～二〇一六年のＣＩＣＡ議長国に正式に就任する。

②ＣＩＣＡは一九九二年にカザフスタンのナザルバエフ大統領が提唱した「アジアの安全保障問題に関するフォーラム」であり、現在二四の加盟国（ベトナムを含む）、一三のオブザーバー国（日米はともにオブザーバー）と組織を擁し、アジアの各準地域にまたがり、さまざまな制度、宗教、文化、発展

段階を包含し、広範な代表性を備えている。

多国間信頼醸成措置の制定を通じて、対話と協力を強化し、アジアの平和・安全・安定を促進することがCICAの趣旨であり、すでにa軍事・政治、b新たな脅威と試練、c経済、d環境、e人文・文化の五大分野の信頼醸成措置を制定した。

③現在、アジア情勢は全体として安定し、平和を求め、協力をはかり、発展を促すことが地域の本流となっている。

一方、「伝統的安全保障」上と「非伝統的安全保障」上の脅威が入り交じり、アジア諸国に一連の試練をもたらしている。いかにして相互信頼を強化し、新旧の安全保障上の問題に連携して対処し、地域の安定・発展にプラスの安全保障環境を構築するかが、アジア各国の直面する差し迫った課題となっている。

④中国はCICAプロセスを強く重視し、CICAの枠組みの各信頼醸成措置の構築と実行に積極的に参画し、CICA関連会議の開催を数度引き受けてきた。中国はCICA首脳会議の開催と議長国就任を契機に、団結・協力し、ともに困難を乗り越える、協力、ウィンウィン（原文＝共贏）の精神を発揚するよう各国を促し、共通の安全保障、総合安全保障、協調的安全保障、持続可能な安全保障を追求し、CICAの発展と加盟国の対話・協力を促すためにいっそうの貢献を果たすことを望んでいる。[*10]

本章冒頭に触れたように、中国のGDPが米国のそれを上回るというパラダイム転換の時機に当たり、旧秩序の機能停止と新秩序の未形成というカオス（混沌）状況が現代の特質であろう。少しでも自国に有利な秩序を求めて、各国の疑心暗鬼が続く。天下大乱か、それとも新秩序による新平和への陣痛か。

事態は予断を許さない。

3 「シルクロードの夢」

習近平の唱える「シルクロードの夢」とは何か？　習近平の考え方を探るには、次の五つの演説を調べるのがよい。

①二〇一三年十月三日、インドネシア国会での演説の一部（「共に「二十一世紀海上シルクロード」を建設しよう」『習近平談治国理政』第一巻、北京・外文出版社、二〇一四年、所収。以下『治国理政』と略す。中文版および英文版は第四巻まで、日文版『習近平　国政運営を語る』は第三巻まで既刊）。

②二〇一三年十月七日、ＡＰＥＣ - ＣＥＯサミットでの演説（「改革開放を深化し共に素晴らしいアジア太平洋地域をつくろう」『治国理政』）。

③二〇一三年十月二十四日、周辺外交活動座談会における談話の要旨（「親密、誠実、恩恵、包容の周辺外交の理念を堅持する」『治国理政』）。

④二〇一四年五月二十一日、アジア相互協力信頼醸成措置会議第四回サミットでの演説（「アジア安全観を積極的に樹立し安全協力の新局面を共に創出しよう」『治国理政』）。

⑤二〇一四年六月五日、中国・アラブ諸国協力フォーラム第六回閣僚級会議開幕式における談話（「シルクロード精神を発揚し中国・アラブ諸国の協力を深化する」『治国理政』）。

以上五つの演説に、習近平構想の原型が示されている。

①（二〇一三年十月三日）では、「中国はＡＳＥＡＮ諸国との相互アクセスの強化に力を尽くしている」と指摘しつつ、

中国はアジアインフラ投資銀行の設立を提唱し、ＡＳＥＡＮ諸国を含めて、この地域の発展途上国がインフラの相互アクセスの体制作りを進めることを支援したいと考えている。

東南アジア地域は昔から「海上シルクロード」の重要な中枢だった。中国はＡＳＥＡＮ諸国と海上での協力を強化し、中国政府が設立した中国・ＡＳＥＡＮ海上協力基金を活用して、海洋協力のパートナーシップを発展させ、共に「二十一世紀版海上シルクロード」を建設することを願っている。

と述べて、「海のシルクロード二十一世紀版」の建設がインフラの中身と想定されていた。

②（二〇一三年十月七日）は、バリ島で開かれたアジア太平洋経済協力会議（ＡＰＥＣ）非公式首脳会合での演説だ。

長い間、アジア太平洋地域は常に世界経済の成長をけん引する重要なエンジンであった。世界経済の回復の原動力が欠乏している背景のもと、アジア太平洋各経済体は敢えて天下に先んじる勇気を奮い、発展・刷新、成長の連動、利益の融合ができる開放型経済発展パターンの確立を推進しな

ければならない。

として、「世界経済を牽引するアジア太平洋」を位置付けた。

さらに「アジア太平洋と中国の関係」について。

中国はアジア太平洋地域の多くの経済体にとって最大の貿易パートナー、最大の輸出市場、主要投資国となっている。二〇一二年のアジア経済の成長率に対する中国の貢献率は、すでに五〇パーセントを上回っている。二〇一二年末時点で、中国が設立を許可した外資系企業は累計七十六万社に上り、外資直接投資額は約一兆三千億ドルに達した。中国はすでに二十カ国・地域と一二の自由貿易協定（FTA）を締結しており、交渉中のものは六つあり、自由貿易パートナーはほとんどAPEC加盟国・地域である。今後五年間、中国の製品輸入額は十兆ドル、新規対外投資は五千億ドル、中国大陸部外への観光客数は延べ四億人を超えると予測されている。

現在、アジア諸国、特に新興市場と発展途上国はインフラ整備の融資需要が大きい一方、最近は経済の下押しリスクの増大と金融市場の不安定さなどの厳しい試練に直面しており、より多くの資金をインフラ整備に導くことで経済の持続的で安定した成長を維持し、地域内の相互アクセスと経済一体化プロセスを促進する必要がある。そのため、中国はアジアインフラ投資銀行の設立を提唱し、東南アジア諸国連合（ASEAN）諸国を含むアジア地域の発展途上国のインフラ整備のために資金面での支持を提供したい考えである。

以上①②が、インドネシアのバリ島で開かれたＡＰＥＣ非公式首脳会合の機会をとらえて「海のシルクロード」を呼びかけたのに対して、③（二〇一三年十月二十四日）は、同じ構想を国内向けに語ったものだ。いわゆる「周辺外交」を説いた演説である。曰く。

地理的位置、自然環境から見ても、相互関係から見ても、周辺はわが国にとって極めて重要な戦略的意義を持っている。周辺問題を考え、周辺外交を進める時には、立体的、多元的で、時空を越えた視点を持つことが必要である。わが国の周辺の情勢を見ると、周辺環境は大きく変化し、わが国と周辺諸国の関係は大きく変化しており、わが国と周辺諸国との経済・貿易のつながりはいっそう緊密になり、相互作用はかつてなく密接になっている。〔中略〕

関係諸国と共に努力して、インフラの相互アクセスを加速し、シルクロード経済ベルト、二十一世紀海上シルクロードを立派に建設すべきだ。周辺を基礎に自由貿易圏戦略の実施を急ぎ、貿易、投資分野の協力の可能性を広げ、地域経済一体化の新しい枠組みを築くべきだ。地域金融協力を絶えず深化させ、アジアインフラ投資銀行の設立準備を積極的に進め、地域の金融セーフティネットを整備すべきだ。国境地帯の開放を加速し、国境沿いの省・自治区と周辺諸国の互恵協力を深めるべきだ。

④（二〇一四年五月二十一日）は、アジア相互協力信頼醸成措置会議（ＣＩＣＡ）が上海で第四回首

脳会合を開いた際の演説である。この会議に日本はオブザー参加するだけで、正式メンバーではないこともあり、報道は少ない。

この措置会議とは、一九九三年に発足した多国間協力組織である。一九九二年十月の第四七回国連総会において、カザフスタン大統領（ヌルスルタン・ナザルバエフ）が「アジア全域の相互協力と信頼醸成を目的とする地域フォーラム」として設立を提唱したことに始まる。正規加盟は二六カ国・地域、オブザーバーは七カ国四機関であり、西アジア、中央アジア、南アジア、東アジアだけでなく、ロシアのような北アジアまで及ぶ。事務局はカザフスタンのアルマトイに置かれている。「欧州安全保障協力機構（OSCE）のアジア版」との見方もある。

①②が「海のシルクロード」を建設するインフラであるのに対して、④は「陸のシルクロード」というインフラ建設を狙う。習近平曰く。

総合〔的安全保障〕とは、伝統的と非伝統的分野の安全保障を統一的に考慮することである。アジアの安全保障問題は極めて複雑で、ホットで敏感な問題もあれば、民族・宗教上の矛盾もあり、テロ、国際犯罪、環境安全保障、ネットセキュリティー、エネルギー・資源安全保障、ひどい自然災害などによる困難が顕著に増え、伝統的、非伝統的安全保障の脅威が交錯し、安全保障問題の内包と外延がさらに拡大している。

アジアの安全保障問題については歴史的経緯と現状を総合的に考慮し、多方面からの取り組みを集め、総合的施策をとり、地域の安全保障管理を協調して推進しなければならない。現在の際立っ

た地域安全保障問題の解決に力を入れるだけでなく、さまざまな潜在的脅威への対応を統一的に計画し、〔中略〕

テロリズム、分裂主義、過激主義という「三つの勢力」に対し、一切容赦なしの姿勢をとり、〔中略〕地域人民が平穏で和やかな土地で幸せに生活できるようにしなければならない。中国は各国と共に、〔陸の〕シルクロード経済ベルトと二十一世紀海上シルクロードの建設推進を加速し、アジアインフラ投資銀行を早期に設立し、地域協力のプロセスにより深く参与して〔いく〕。

⑤二〇一四年六月五日は、「中国・アラブ諸国協力フォーラム」の「第6回閣僚級会議開幕式における談話」である。

中国・アラブ諸国協力フォーラムは、二〇〇四年一月三十日に設立され、中国とアラブ諸国の対話・協力を強化し、平和・発展を促すことをうたっている。メンバーは中国とアラブ連盟の二二の加盟国からなる。習近平曰く。

今後五年で、中国は十兆ドルを上回る商品を輸入し、五千億ドルを超える対外直接投資を行っていく。二〇一三年のアラブ諸国からの商品輸入額は千四百億ドルで、これは今後予定されている毎年二兆ドルの商品輸入額の七％にすぎない。アラブ諸国への直接投資額は二十二億ドルで、今後予定されている毎年一千億ドルの対外直接投資額の二・二％に過ぎない。ギャップは潜在力となるものであり、チャンスでもある。中国は〔中略〕アラブ諸国の雇用拡大、工業化推進、経済成長推進を支援することを願っている。

中国側は中国企業がアラブ諸国からより多くの石油以外の製品を輸入することを奨励して、貿易構造を最適化し、今後十年間で相互貿易額を二〇一三年の二千四百億ドルから六千億ドルにまで増やすよう努力する。また、中国企業がアラブ諸国のエネルギー、石油化学工業、農業、製造業、サービス業へ投資することを奨励し、今後十年間で中国のアラブ諸国に対する非金融類投資累計額を二〇一三年の百億ドルから六百億ドル以上にまで増やすよう努力する。〔中略〕原子力、宇宙衛星、新エネルギーの三大ハイテク分野を突破口として、双方の実務協力のレベルを引き上げるよう努力することである。双方は中国・アラブ諸国技術移転センターの設立を検討し、アラブ原子力平和利用トレーニングセンターを共同で設立し、アラブ諸国における中国の衛星測位システム「北斗」の展開を検討することができる。

条件の整ったものから実現していくべきだ。例えば、中国・湾岸協力理事会（ＧＣＣ）自由貿易圏、中国・アラブ首長国連邦共同投資基金、アジアインフラ投資銀行（ＡＩＩＢ）設立へのアラブ諸国の参加などである。

習近平「一帯一路」とオバマ「アジア軸足」構想

要するに、「陸のシルクロード経済ベルト」と「海のシルクロード」（「一帯一路」）を結ぶインフラ投資を行うのが、この投資銀行の目的であるから、中国が中心に位置付けられていることは明らかだ。

とはいえ、日本から見れば、日本こそが「陸のシルクロードの終点」であり、かつ「海のシルクロードの始点」であることも世界地図、東西交流史から見て確かな事実である。この文脈では、日本はすでに「一帯一路」に事実上巻き込まれている。課題はどのような形で参加し、どのように日本の国益を実現できるか、であろう。安倍内閣にそのような対応能力が欠けていることを暴露したのが今回の不参加表明のドタバタ劇であろう。日本の悲劇は、そのような無能内閣に代替できる政権を作れないことだ。

以上のような習近平構想からわかるように、これはユーラシア大陸を陸路で結び、海路は中東、アフリカを経てヨーロッパまで繋ぐ構想である（図1）。要するにグローバル経済物流の主な動脈を整備しようというものだ。この中国版をオバマの「アジア軸足」構想（Pivot Asia）の付図（図2）と比べてみよう。

この付図は現在の世界貿易の流れを線の太さで示したものだ。大きな違いは二つ。オバマ版には陸のシルクロードがないこと、そして中国版にはヨーロッパからニューヨークに至る海路が示されていないことだ。この二つを除けば、習近平版とオバマ版とは、ぴったりと重なることがわかる。両者ともに現行の貿易ルートを踏まえて、その発展を論じているからだ。

吹き飛んだ安倍首相の「地球儀を俯瞰する外交」

これに対して、安倍首相流の「アジアの安全保障ダイヤモンド」なるもの（図3）は、異質だ。中国の海洋進出を抑制する政治目的のために考えられた構想だからである。この構想では、インドとオーストラリアの中国政策に期待をつないで、日本が呼びかけたものだが、インドもオーストラリアも

図１　一帯一路とは陸路の交易ベルトと海上の物流ルートを指す

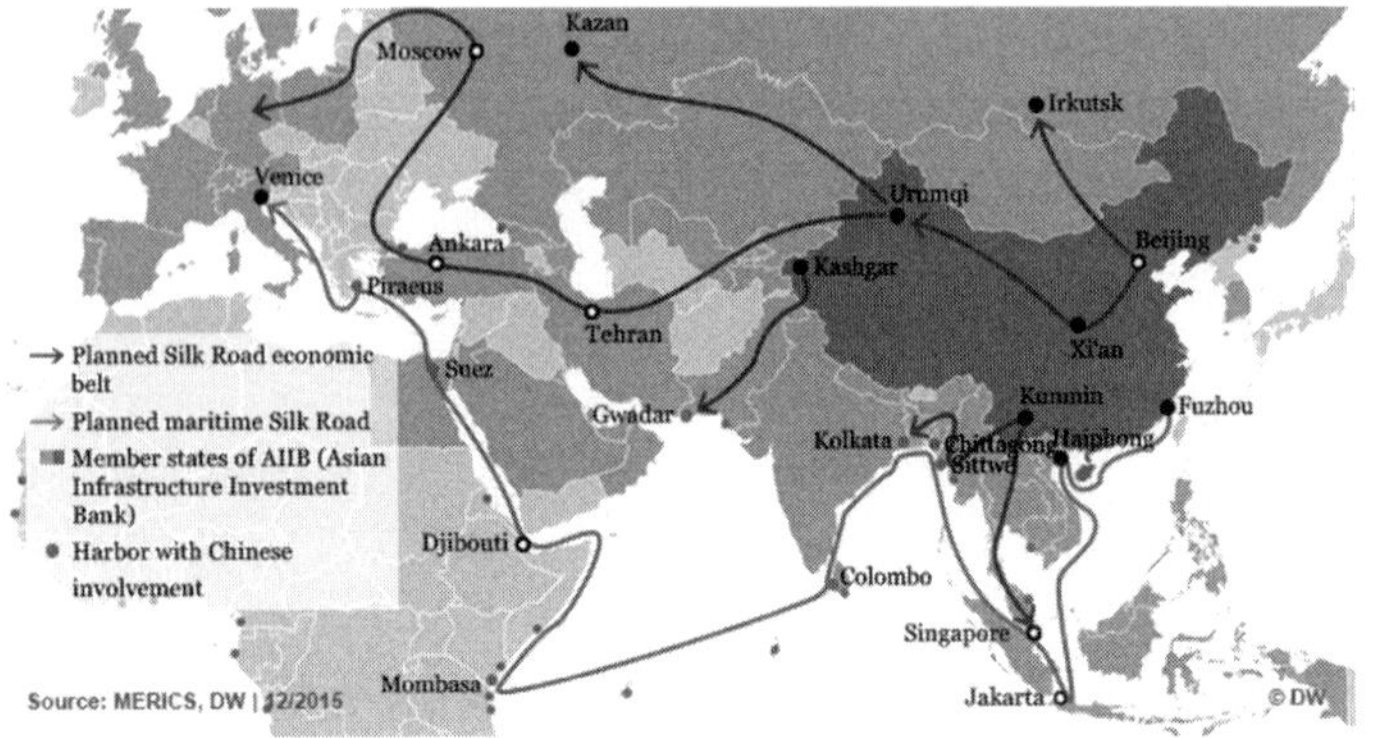

（出所）新華社資料をもとに描かれた米議会資料

図２　米欧貿易ルートに加えて、対アジア貿易のルートを拡充する
「アジア軸足」（Pivot Asia）構想

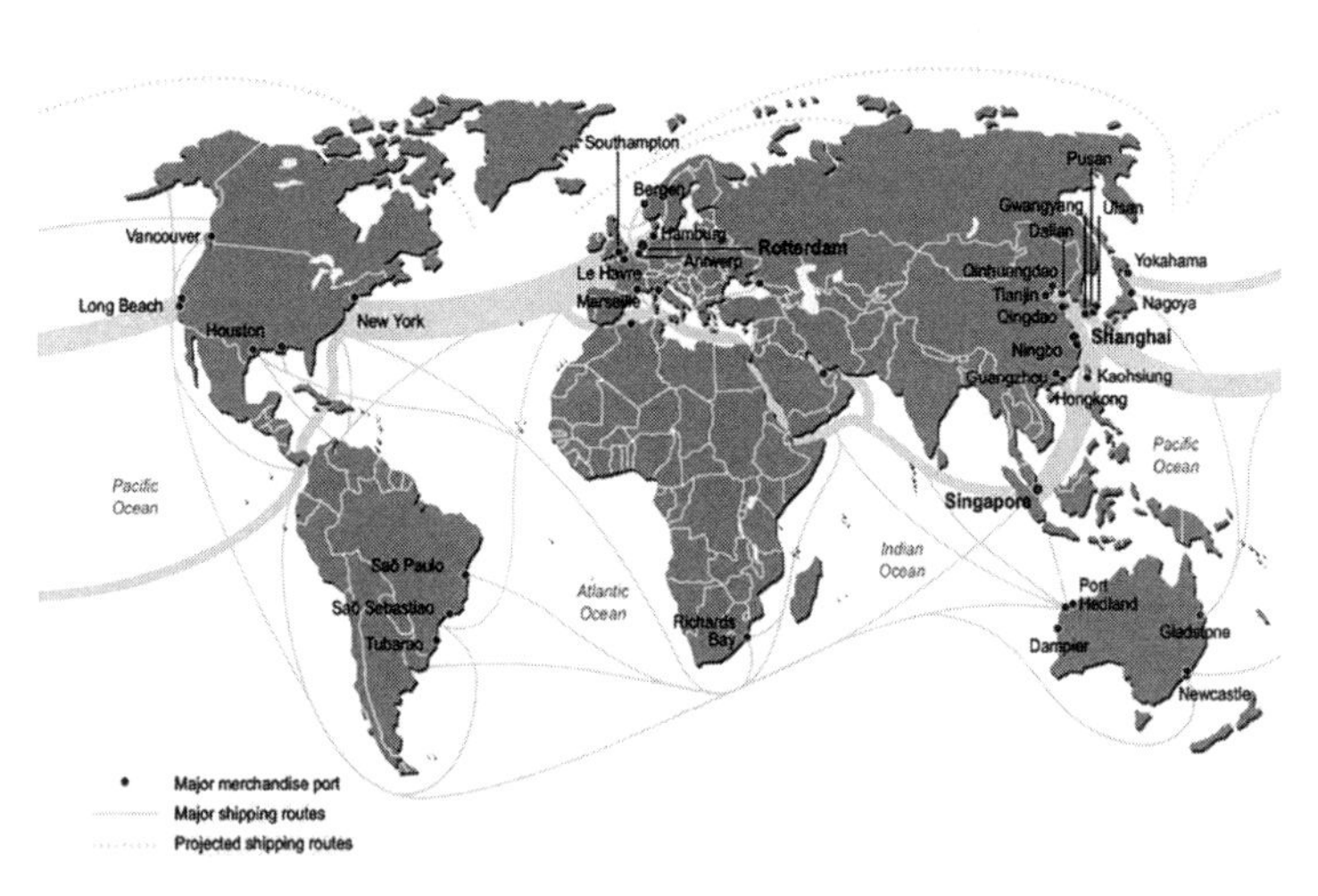

Source: Justin Dillon Baatjes, Seol Han Byul, Sam Wood, Transitioning Skysraper, at http://transportcity.files.wordpress.com/2011/11/world_trade_map.jpg.

（出所）CRS, *Pivot to the Pacific? The Obama Administration's "Rebalancing" Toward Asia*, March 28, 2012.

図３　アジアの安全保障ダイヤモンド

Asia's Democratic Security Diamond. 2012 年 11 月中旬、衆議院選挙の直前に執筆され、Project Syndicate というチェコのホームページに掲載された。

日本よりは中国を選び、ＡＩＩＢを選択した。貿易という実利が、安倍首相の唱える、いわゆる「価値観外交」、「地球儀を俯瞰する外交」を吹き飛ばした形である。安倍首相の中国封じ込め論は、そもそも日本語のテキストがない奇怪な文章だ。原タイトルは「Asia's Democratic Security Diamond」である。「アジアの民主的安全保障の菱形構造」あるいは「アジアの民主的菱形安全保障構造」の意か。これは二〇一二年十一月中旬、総選挙の直前に執筆され、Project Syndicate というチェコのホームページに発表されたものだ。それは総選挙で大勝して首相に就任して直後の十二月二十七日である。論文のベースになっているのは、二〇〇七年夏にインドを訪問した際のムガール帝国のダラシーコ（Dara Shikoh）親王のことば「インド洋と太平洋を結ぶ（Confluence of the Two Seas）」発想である。一六五五年の故事を踏まえて中国封じ込めのために、インド洋と太平洋を結ぶという話であるから、そもそも大いなる時代錯誤だ。しかもそれを国民には知らせずに、英語で「一五四カ国の三億人の読者」に語りかけたのである。「日本の外交は民主主義と法治と人権尊重に根ざす[11]」と繰り返したこの演説を国民には聞かせず、英語だけで発信するとは、およそ独立国の首相としての矜持が疑われるようなやり方だ。

世界銀行とアジア開発銀行は途上国の資金ニーズを満たしていない

アジア開発銀行は、発展途上国のニーズに応え得るのか？　世界銀行の融資は、国際復興開発銀行（ＩＢＲＤ）が行う「中所得・低所得向け利子付き融資」と国際開発協会（ＩＤＡ）が行う「最貧国向け無利子・無償援助」とに分かれる。ＩＢＲＤは、加盟一八八カ国が共同出資する国際開発金融機関であり、途上国の国内経済の公平かつ持続可能な成長の達成、経済発展ならびに環境面での持続可能性など、さまざまな重要分野で差し迫った地域的・世界的問題の解決に向け、加盟国と協力して取り組んでいる。

このＩＢＲＤは、「極度の貧困の撲滅」と「繁栄の共有の促進」という二大目標を掲げ、その達成に向け、主に貸出、保証、リスク管理、開発関連分野の専門知識の提供、さらには地域や地球規模の課題への対応の調整を行っている。他方、ＩＤＡは、「譲許的融資」（長期低利、場合によっては無償援助分[Grant Element]を含む）を提供する国際機関としては世界最大であり、世界の最貧国において持続可能な形で達成することを目的とした組織である。

二〇一四年度のＩＤＡ融資適格国（最貧国）は八二カ国である。ここで融資残高を見ると、ＩＢＲＤは一五四〇億ドル、ＩＤＡは一三六〇億ドル、両者の合計は二九〇〇億ドルである。この融資規模を中国の国家開発銀行のそれと比較してみよう。中国開銀はもともと、日本の開銀に似た性格をもち、もっぱら国内の地域開発に投資してきたが、近年は豊富な外貨余剰をベースとして、中国資本が海外で資金開発を行うためにドルベースで外国政府や企業に融資あるいは投資している。その残高はすでに三二〇〇億ドルに達した。

世銀の融資と中国の開銀とは、元来性格がまるで異なるから、それを無視した比較を試みるのではない。途上国のインフラ建設ニーズは莫大なものがあり、現行の世銀は途上国の開発のニーズに応え得ていない一例として挙げるにすぎない。

たとえば中国の開銀はブラジルの国家石油公司との間で、期間一〇年、総額一〇〇億ドルの二国間借款協議を結んだ。ブラジル側は中国に対して二〇〇九~二〇一九年にわたり、毎日二〇万バレル（年一〇〇〇万トン）の原油で返済している。この種の二国間借款協定ならば、改めてＡＩＩＢを構想する必要はないが、交通・輸送ルートは、多国間を結ぶことに意味がある。いま一例をあげたにすぎないが、途上国は、発展を望み、経済成長への大きな期待があるにもかかわらず、既存の世銀やアジア開銀は、これらのニーズに応えていないとする根強い不満がある。

これらの不満を糾合して、中国がＡＩＩＢ構想を想起したのは、むしろ自然な成り行きと見るべきである。既存の体制は量的に不足しているばかりではなく、その運営についても、不満が大きい。世界銀行や国際通貨基金のような米欧主導の国際金融体制のもとで「納得のいく発言権（＝話語権）が与えられない」という不満からだ。米欧側からすれば、中国はまだ「国際金融秩序を維持していくパートナーとして十分に訓練されていない」から、発言権に限界あり、という話になる。

「話語権」

現状はどうなっているのか？　世界銀行の現任総裁は韓国出身のキム・ジム・ヨン（金墉）である。ハーバード大学医学部卒、韓国系公衆衛生の専門家を抜擢して、国際金融を扱う世界銀行の総裁に据えた米国の苦肉の策に問題の断片が読み取れる。米国の思惑は、「米国主導体制を守り」つつ、グローバルな経済成長を支えるアジアの声にも「多少は耳を傾けるポーズ」を示すことだと見ていい。

米国は、中国に代表される、途上国の「話語権」に抗するために、韓国系米国人を持ち出した。「話語権」とは、近年中国でしばしば用いられるキーワードだ。その意味は「発言権プラス影響力」である。発言権とは、会議などでメンバーとして発言する権利だが、これが認められて発言したとしても、その意見がいつも無視されたのでは、欲求不満は蓄積されるばかりだ。発言した見解が決議や行動に反映されなければ意味はない。

そこで、結果として残るような発言権が欲しい。すなわち「話語権」である。世界銀行加盟の各国は出資比率に基づき、保有する世界銀行株「一株につき一票」の投票権をもつ。もっとも票数が多いのは米国で、総票数の一五・八五％をもつ。次いで日本が六・八四％、以下、中国四・四二％、ドイツ四・〇〇％、英国三・七五％、フランス三・七五％、インド二・九一％、ロシア二・七七％、サウジアラビア二・七七％、イタリア二・六四％の順となっている。

購買力平価ベースでは二〇一四年に中国のＧＮＰは米国を抜いた。為替レート評価で米国を抜くのも時間の問題だ。そのような経済の実力を考えるとき、現行の出資比率はあまりにも実態に合わない。話はアジア開発銀行の場合も似ている。その出資比率は、日本一五・六五％、米国一五・六五％、中国六・四六％、インド六・三五％、オーストラリア五・八％、カナダ五・二五％、インドネシア五・一七％、韓国五・〇五％、ドイツ四・三四％となっている。

このような経済の実態と合わない出資比率、そしてそれに伴う投票権に対して、是正要求をつきつけてきたが、一向に改革は進まない。そこでしびれをきらして、かくなる上は中国や途上国のインフラ建設のニーズを満たすことのできる新たな投資銀行が欲しい。

世界が追随するＡＩＩＢ構想

この構想を習近平が初めて提起したのは、前述のように、二〇一三年十月三日、インドネシア国会演説だ。そして二〇一四年十月に北京で準備会議を開き、二〇一五年三月を設立メンバーの申し込み期限と設定した。英国の参加表明以後、独仏伊も競って参加を表明し、四月初め創設時加盟国は五七を数える。ＡＩＩＢ構想は中国の友好国が若干加わる程度の「マイナーリーグ」と見られたが、蓋を開けてみると、一挙に「メジャーリーグ」に大化けした。その結果、世銀の改革阻止に固執する米国とこれに追随することしか知らない日本だけが世界の潮流から取り残された。

英国は当初三月十七日に参加表明を行う手筈を整えていたが、小国ルクセンブルグが十一日に突如参加を表明したので、五日繰り上げて発表した。その理由として詮索されているのは、ＡＩＩＢ銀行のヨーロッパ事務所の設置都市選択だ。英国が急いだのは、ルクセンブルクに先を越されてはたまらない。金融都市ロンドンに設置したいからと見られている。

このほかドイツのフランクフルトも名乗りを上げている。三月十二日に主要七カ国（G7）で初めて英国が参加を表明したことによって参加メンバーは雪崩を打って膨らんだ。オズボーン財務相声明は「世界で最も急速な成長を遂げているアジア・太平洋地域との連携強化は、英国企業にとって事業や投資の絶好の機会」と強調した。「英国企業にとって事業や投資の絶好の機会」となりうる組織に参加しない法はない。

中国の軍事力や外交方針には疑問がないわけではないが、まずは「事業や投資の機会」を優先させた。英国のこのような柔軟姿勢は、ただちにG7構成国に雪崩現象を引き起こした。フランス、ドイツ、イタリアをはじめとして、BRICS諸国のうち、中国は当事者として当然、ロシア、インド、ブラジルが全員顔を並べ、さらにはASEAN（東南アジア諸国連合）のインドネシア、ベトナム、シンガポールなど加盟一〇カ国全てが参加した。

その他にもサウジアラビア、クウェート、カタールなど中東の主要資源国、中央アジアのウズベキスタン、カザフスタン、そして最後には、米国に気兼ねしていたオーストラリア、ニュージーランド、韓国、台湾も参加し、日米だけが取り残された。米国外交の大失敗であることは明らかである。

とはいえ、米国は「腐っても鯛」程度の力をもつから、世界銀行などを通じて、中国との関係を再調整する可能性は残されている。また二〇〇九年以来毎年休まず開かれている「米中戦略対話」のチャネルは、トランプ大統領のもとでも堅持されることが、新任のムニューチン財務長官とそのカウンターパート王洋副首相との電話会談で確認された（二〇一七年二月十八日）。時間をかけて着実な対話を続けてきた米中の米財務省証券売買関係は今後も継続されることが確認された。

なにしろ中国は米国債の世界最大の買い手なのだ。人民元の支持なしには米ドルは紙屑になるほど堅い絆で結ばれている。

習近平の対日外交

習近平の夢とそれを支えるインフラ建設の構想を見てきたが、その背後には、現代世界に対する習近平の洞察が秘められている。それを示す「運命共同体」にかかわる発言を整理しておきたい。習近平が二〇一二年秋にトップの座について以来二〇一五年秋までの三年間に、まず日本問題にどのように言及しているかを調べてみよう。

一つは、ユネスコでの演説だ。「中国人は中華文化によって仏教思想を発展させ、独特な仏教理論を形成した上で、仏教を中国から日本、韓国、東南アジアなどの地に伝えた」。ここでは中国が仏教を受容して中華文化を豊かにし、仏教を日本、韓国、東南アジアに伝えた文化交流史を説明したものだ。

もう一つは、ドイツでの演説で「日本の軍国主義が発動した中国侵略戦争だけで中国の軍民に三五〇〇万人以上の死傷者を出す惨劇を引き起こした。この悲惨な歴史は中国人の骨身に刻み込まれた記憶として残っている」。

前述の『治国理政』を開いて国名を数えてみると、習近平が日本に言及したのは、この二回のみだ。ちなみに米国への言及は八回登場する。ロシアは三五回だ。台湾同胞は二一回、「台湾独立反対」五回、インド六回、ドイツ三回、インドネシア二回、フランス三回、英国〇回である。ここから何を読み取れるか?

彼は「台湾同胞」に統一を呼びかけ、「台湾独立」を主張する者に反対している。これが日本がらみの歴史問題であり、日本で騒がれている反日の実態だ。

「運命共同体」に関わる発言

では運命共同体はどうか？　それを調べる前に、半年前の二〇一四年十一月二十八～二十九日、北京で開かれた中央外事工作会議の「重要講話」を見ておく。そこで彼は「国際情勢と中国の外部環境」の変化を全面的に分析し、新情勢下の対外工作の「指導思想、基本原則、戦略目標、主要任務」を提起した。その中身はこうだ。

①和平、発展、合作、ウィンウィン〔原文＝共贏〕の旗幟を高く掲げる。
②国内国際の両局をつかむ。
③発展と安全の大事をつかむ。
④和平発展、民族復興の主線をつかみ、国家主権、安全、発展の利益を守り、和平発展に有利な国際環境をつくり、中華民族の偉大な復興という中国の夢を実現。
⑤世界多極化の趨勢は不変。
⑥経済全球化の進展は不変。
⑦和平・発展という時代のテーマは不変。
⑧国際システム変革の方向は不変。

⑨アジア太平洋地区の繁栄・安定の趨勢は不変。

中国は大国外交でなければならない。中国的特色、中国的風格、中国的気構えを持つべきだ。独立自主の和平外交を堅持し、国家・民族の発展を基点とし、和平発展の道を歩み、正当な権益を放棄せず、国の核心利益を犠牲にしない。

各国は大小・強弱・貧富を問わず、いずれも国際社会の平等な一員である。世界の運命は各国人民が共に握り、国際間の公平正義を擁護し、とりわけ広範な途上国のために、主張をする〔原文＝為発展中国家説話〕。

領土主権と海洋権益を守り、国家統一をまもり、領土・島嶼の争いを妥当に処理する〔原文＝妥善処理〕。周辺外交をつかみ、周辺の運命共同体をつくる。安定的な大国関係の枠組みをつくり、途上国の大国との合作を拡大する。多角外交を進め、国際システムとグローバルガバナンス〔原文＝全球治理〕を改革し、中国と途上国の「代表性」と「話語権」を拡大する。合作を強め、「一帯一路」建設を推進する。

一二篇の「運命共同体」講話

さて、「一帯一路」の建設において、特に注目されるのは習近平がいくども「運命共同体」を繰り返していることだ。その中身を知るには、彼の演説集を繙くのがよい。同じく『治国理政』からこのキーワードを拾ってみよう。

以下の一二篇の講話で運命共同体を語っている。

①二〇一三年三月二十三日モスクワ国際関係学院における演説。時代の流れに乗り、世界の平和と発展を促進しよう。②二〇一三年三月二十五日タンザニアのニエレレ国際コンベンションセンターでの演説。いつまでも信頼できる友人、誠実なパートナーであり続ける。③二〇一三年四月七日博鰲・アジアフォーラム二〇一三年次総会での基調演説。アジアと世界の素晴らしい未来を共に切り開こう。④二〇一三年六月十三日中国国民党名誉主席・呉伯雄一行と会見した際の談話の要旨。中華民族の全般的な利益という次元から両岸関係の大局をつかむ。⑤二〇一三年九月五日主要二十カ国・地域（G20）首脳会議の初会合での世界経済情勢に関する発言。開放型世界経済を共に擁護、発展させよう。⑥二〇一三年十月三日インドネシア国会での演説の一部。共に「二十一世紀海上シルクロード」を建設しよう。⑦二〇一三年十月七日APEC・CEOサミットでの演説。改革開放を深化し共に素晴らしいアジア太平洋地域をつくろう。⑧二〇一三年十月二十四日周辺外交活動座談会における談話の要旨。親密、誠実、恩恵、包容の周辺外交の理念を堅持する。⑨二〇一四年三月二十七日国連教育科学文化機関（ユネスコ）本部での演説。文明は相互交流によって多彩になり相互参照によって豊かになる。⑩二〇一四年四月十五日中央国家安全委員会第一回会議における談話の要旨。総体的国家安全観を堅持し中国の特色ある国家安全の道を歩もう。⑪二〇一四年五月二十一日アジア相互協力信頼醸成措置会議第四回サミットでの演説。アジア安全観を積極的に樹立し安全協力の新局面を共に創出しよう。⑫二〇一四年六月五日中国・アラブ諸国協力フォーラム第六回閣僚級会議開幕式における談話。シルクロード精神を発揚し中

国・アラブ諸国の協力を深化する。

習近平が「運命共同体」として、何を考えているのかを知るには、彼の演説を網羅する必要がある。彼の演説を部分的にとらえて、「習近平は、どこと心中するつもりかね？」と尋ねる人があったので、調べてみた次第である。どのような文脈で語られているかを知るために、運命共同体というキーワードを含む文節を、以下に五つだけ拾い上げておく。

①時代の流れに乗り、世界の平和と発展を促進しよう――二〇一三年三月二十三日、モスクワ国際関係学院における演説。「この世界では、多くの新興市場国や発展途上国が発展の軌道に乗り、十数億人、さらに数十億人が急ピッチで現代化に向かって進んでいる。複数の経済成長圏が世界各地域で形成されつつあり、国際勢力の力関係は引き続き世界の平和と発展に有利な方向へと向かっている。この世界では、各国の相互関係、依存の度合がかつてなく深まっており、人類は同じ地球村で暮らし、歴史と現実とが入り交じる同じ時空の中で生きており、〔中略〕運命共同体となっている」。

②中華民族の全般的な利益という次元から両岸関係の大局をつかむ――二〇一三年六月十三日、中国国民党名誉主席・呉伯雄一行と会見した際の談話の要旨。

われわれは、両岸の民衆の幸福増進に努め、より多くの民衆に両岸関係の平和的発展の成果を享受させなければならない。また、両岸同胞が共通の利益の強化と中華文化の発揚に取り組む中で、両岸の運命共同体としてのアイデンティティーを強化し、民族的な誇りを強め、中華振興という共同の信念を固めるよう、積極的に促していかなければならない。

③開放型世界経済を共に擁護、発展させよう——二〇一三年九月五日、主要二〇カ国・地域首脳会議（G20）の初会合での世界経済情勢に関する発言。

各国は運命共同体意識を確立し、〔中略〕競争の中で協力し、協力の中でウィンウィン〔原文＝共贏〕をはかるべきである。

④共に二十一世紀海上シルクロードを建設しよう——二〇一三年十月三日、インドネシア国会での演説の一部。

中国はインドネシアのＡＳＥＡＮにおける地位と影響力を非常に重視しており、インドネシアをはじめとするＡＳＥＡＮ諸国と共に努力して、双方が盛衰と安危を共にし、同舟相救うよき隣人、よき友人、よきパートナーとなることを願い、さらに手を携えてより緊密な中国・ＡＳＥＡＮ運命共同体を構築し、双方と地域の人々により多くの福祉をもたらすことを願っている。

〔前略〕中国・ＡＳＥＡＮ運命共同体とＡＳＥＡＮ共同体、東アジア共同体は切っても切れない関係にあり、それぞれの強みを生かし、多元的共生、包括的共進を実現し、共に地域の人民と世界各国の人民に幸せをもたらすようにすべきである。

いっそう緊密な中国・ASEAN運命共同体は、平和を求め、発展をはかり、協力を促し、ウィンウィンをはかるべきである。

⑤アジア安全観を積極的に樹立し安全協力の新局面を共に創出しよう――二〇一四年五月二十一日、アジア相互協力信頼醸成措置会議第四回サミットでの演説。

アジアでは多様性という特徴が鮮明で、各国の大小・貧富・強弱はそれぞれ異なっている。歴史も文化伝統も社会制度も千差万別で、安全保障上の利益や要請も多種多様である。皆さんはアジアという大家族の中で暮らしており、利益が互いに融合しあい、安全と危機を共にし、〔中略〕運命共同体としての性格が日増しに強まっている。

安全は普遍的なものであるべきである。一国の安全のため他国の安全が損なわれるようなことがあってはならず、一部の国家の安全が別の一部国家の安全を損なうようなこともあってはならない。

4　夢を実現するインフラ建設のために

関根栄一「運営段階に入ったアジアインフラ投資銀行（AIIB)」[*12]によると、二〇一六年六月二十四日第一回年次総会が開かれたが、この総会に合わせて発表された融資案件第一陣は四件、合計五億九〇〇万ドル、九月二十九日に発表された第二陣は二件、合計三億二〇〇〇万ドルであった。[*13]

六件中、単独融資は一件のみで、他はすべて協調融資であった。創始メンバーは五七カ国だが、さらに二四カ国が参加の意向を表明している。その加盟が実現した暁には参加国は八一カ国となり、アジア開発銀行ADBの六七カ国・地域（香港・台湾を含む）を超える。

職員数を見ると、二〇一六年末時点で一〇〇名であり、ADBの職員数三〇九八人（二〇一五年末）との差は大きい。AIIBの融資案件は、人的制約からして国際開発金融機関などとの協調融資の形をとらざるをえないであろう。

アジアインフラ投資銀行AIIB問題は、気がついたら日米だけが蚊帳の外にいたことが判明し、二〇一五年三~四月にかけて大騒ぎとなった。このような投資銀行の構想はどのようにして生まれたのか？　その背景を整理しておきたい。日本では因果関係を取り違えた曲論が横行して、人々を混乱させているからだ。

一例を挙げよう。中国経済の減速が明らかになり、中国は過剰産品の捌け口を探している。それを陸のシルクロード、海のシルクロードで売り捌こうとしている。要するに、中国の過剰産品処分対策にすぎないのだ。また曰く、中国のシャドウ・バンキングはいまやバブル破裂寸前だ、外貨準備は三・九兆ドルといわれているが、実際には資本流出、資本逃避のために空っぽなのだ。だから外貨が欲しくて外国の資金を狙う。日本は騙されるな！

図４　日本の中国嫌いと中国の日本嫌いは瓜二つだ

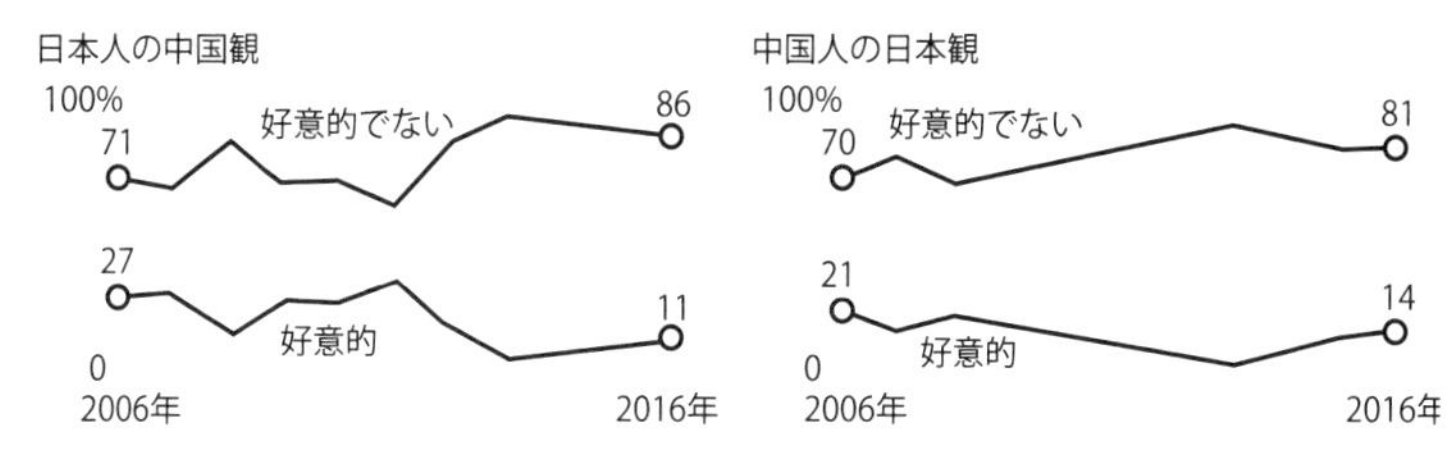

（出所）Spring 2016 global attitudes survey. Q10b& Q10h.　PEW RESERCH CENTER

中国封じ込めの世論操作

安倍内閣とともに始まった時代遅れの中国封じ込めの世論操作に幻惑されて、日本の世論はいま極度に歪められている。ニューヨークに本部をもつ世論調査機関ピュー・リサーチセンター（Pew Research Center）の二〇一六年夏の調査によると（図４）、日中の相手国嫌いは、鏡に映した相似形であることがわかる。図５は、日本の中国嫌いが世界的にも突出していることを示す。

中国によるＡＩＩＢの設立構想は、二〇一三年十一月に開かれた第十八期三中全会で採択された改革構想六項の「開放型経済の新体制の構築」の中に「開発性金融機関を設立し、周辺国・周辺地域のインフラとの相互接続、相互交通建設を加速し、シルクロード経済ベルトと海上シルクロード路を建設し、全方位開放の新局面を形成する」という方針が盛り込まれたところからスタートした。

前者は陸地のシルクロード、後者は海上のシルクロードであり、「一帯一路」（One Belt, One Road）と略称された。金総裁は年次総会直後に開かれた天津サマーダボス会議（スイスのダボス会議の中国版）の席上、融資対象国は「一帯一路」沿線・沿岸国に限定されず、幅広い利益を共有できるかどうかで判断していくとしている。

図5　日本ほど親米嫌中の国はない

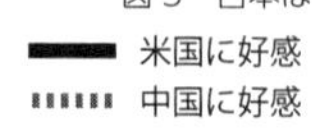

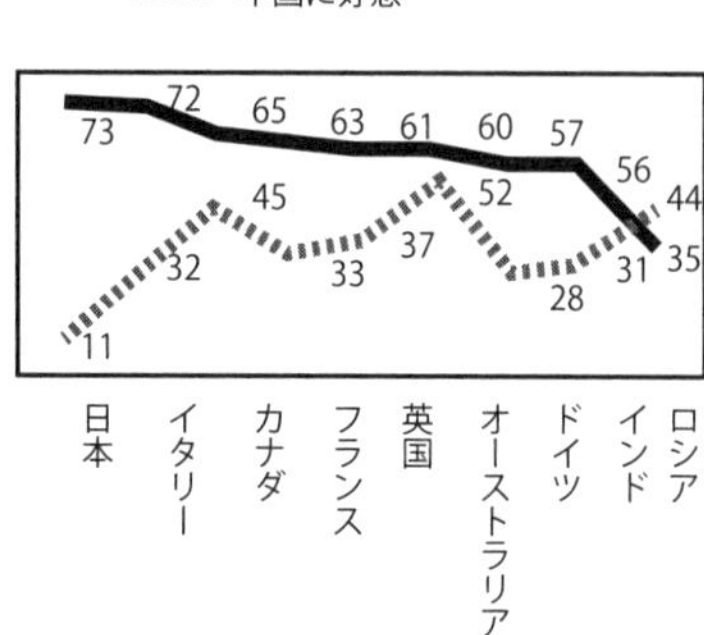

（出所）PEW　Spring 2016 global attitudes survey.

「一帯一路」に直結する案件について、中国政府としてはシルクロード基金や既往の国家開発銀行、中国輸出入銀行などの機関も活用していく方針と見られる。中国の開発金融機関がＡＩＩＢの融資案件に参加することで、国際開発金融機関並みの基準とルールに従った融資行動を中国国内の他の案件についても適用するようになれば、国内金融の歪みを是正するうえでも役立つと関根栄一は展望している。[14]

ＡＩＩＢ融資案件第1陣

ＡＩＩＢは、二〇一六年六月二十五～二十六日の第一回年次総会を前に、融資案件第一陣を発表した（表1）。四件で合計五億九〇〇万ドルであった。

①バングラデシュの配電網の拡張と地中化プロジェクトに対して一億六五〇〇万ドル供与。

②インドネシアの貧困地区再開発向けに世界銀行との協調融資で二億一六五〇万ドル供与。

③パキスタンの高速道路向けにアジア開発銀行との協調融資で一億ドル供与。

④タジキスタンの高速道路向けに欧州復興開発銀行（ＥＢＲＤ）との協調融資で二七五〇万ドル供与。

この例から察せられるように、四件のうち三件は既存の機関との協調融資であり、既存機関との役割分担の姿勢が明らかになった。

ちなみにＡＩＩＢは、世界銀行との間で二〇一六年四月十三日に、アジア開発銀行との間で同年五月

表1　アジアインフラ投資銀行（AIIB）の融資案件

	融資形態	借入国	対象事業	英文名	融資金融（百万ドル）	協調融資先	協調融資金額（百万ドル）
第1陣（2016年6月24日発表）	単独融資	バングラデシュ	配電網の拡張・地中化	Power Distribution System Upgrade and Expansion Project	165.0	—	—
	協調融資	インドネシア	貧困地区の再開発	National Slum Upgrading Project	216.5	世界銀行	—
	協調融資	パキスタン	高速道路建設（64km）	National Motorway M-4(Shorkot-Khanewal Section) Project	100.0	アジア開発銀行（ADB） 英国国際開発省（DFID）	100.0 34.0（無償援助）
	協調融資	タジキスタン	首都ドウシャンベとウズベキスタンとの国境を結ぶ高速道路	Dushanbe-Uzbekistan Border Road Improvement Project	27.5	欧州復興開発銀行（EBRD）	27.5
	合計				509.0		161.5
第2陣（2016年9月29日発表）	協調融資	パキスタン	水力発電所拡張	Tarbela 5 Hydropower Extension Project	300.0	世界銀行	—
	協調融資	ミャンマー	ガス焚きコンバインドサイクル発電所	Myingyan 225 MW Combined Cycle Gas Turbine (CCGT) Power Plant Project	20.0	国際金融公社（IFC） アジア開発銀行（ADB） 商業銀行	—
	合計				320.0		—

（出所）中国財政部、アジアインフラ投資銀行（AIIB）より野村資本市場研究所作成

二日に、同年五月十一日には欧州復興開発銀行との間でそれぞれ協力覚書に調印している（表2参照）。世界銀行は、中央アジア、南アジア、東アジアでの運輸、水、エネルギーなどの分野で、約一〇案件について協調融資案件を審査中の由だ。EBRDは、コーカサス、トルコ、ヨルダン、エジプトでの協力案件の検討を進めていると報じられた。[*15]

二〇一六年九月二十九日、AIIBは以下の融資案件第二陣二件、計三億二〇〇〇万ドルを公表した。

⑤パキスタンの水力発電所拡張向けに世界銀行との協調融資で三億ドル供与。

⑥ミャンマーのガス焚きコンバインドサイクル発電所向けに、国際金融公社（IFC）、ADBとの間で協調融資二〇〇〇万ドルを供与。

表2　設立の経過年表　アジアインフラ投資銀行（AIIB）の動き（特に2016年以降）

年	月	出来事
2014年	10月24日	アジアインフラ投資銀行の設立覚書に21カ国が調印
2015年	3月12日	英国が参加表明、G7で初
	3月31日	創設メンバーの申請期限
	4月15日	創設メンバー57カ国が確定
	6月29日	設立協定調印式（中国・北京市）、50カ国が調印、習近平国家主席も出席
	12月25日	設立協定発効、アジアインフラ投資銀行発足
2016年	1月16～18日	アジアインフラ投資銀行開業式典（中国・北京市）、総務会設立総会および第1回理事会開催（同左）
	2月5日	5名の副総裁を任命。Corporate Secretary（英国）、Chief Risk Officer（韓国）、Chief Investment Officer（インド）、Policy and Strategy（世界銀行）、Chief Administration Officer（インドネシア）
	4月13日	世界銀行（World Bank）との間で協力覚書に調印
	5月2日	アジア開発銀行（ADB）との間で協力覚書に調印
	5月11日	欧州復興開発銀行（EBRD）との間で協力覚書に調印
	5月30日	欧州投資銀行（EIB）との間で協力覚書に調印
	6月13日	General Counsel（ニュージーランド）、Chief Financial Officer（CFO、フランス）を任命
	6月24日	融資案件第1陣を承認・公表（単独融資1件、協調融資3件、計5.09億ドル）
	6月25～26日	第1回年次総会開催（中国・北京市）
	6月25日	中国政府が拠出する「プロジェクト準備特別基金」（5,000万ドル）を設立
	9月29日	融資案件第2陣を承認・公表（協調融資2件、計3.2億ドル）
	9月30日	追加メンバーの加盟申請期限
2017年	1月初め	追加メンバー（24カ国・地域を予定）が加盟
	6月16～18日	第2回年次総会開催（韓国・済州島）

（出所）中国財政部、アジアインフラ投資銀行（AIIB）より野村資本市場研究所作成

ＡＩＩＢと中国との関係

中国はＡＩＩＢの授権資本のうち最大の二九七億八〇四〇万ドルの応募済み資本を引き受け、議決権全体の二六・〇六％を占めている。習近平は、二〇一六年一月十六日に開催されたＡＩＩＢの開業式典で、発展途上国のメンバーが実施するインフラプロジェクトを支援するため、ＡＩＩＢ内に五〇〇〇万ドルのプロジェクト準備特別基金を設定する方針を示している。六月の年次総会ではＡＩＩＢと中国政府との間で協定が締結され、ＡＩＩＢの加盟メンバーのうち低中所得国のソブリン案件の準備業務を行うことになった。このソブリン案件準備には、当該国の政府プロジェクトに対して、環境、社会、法定、調達、技術面の評価と分析や助言サービスに関して中国が費用負担を行うことが想定されている。

二〇一六年次総会後の記者発表によれば、総務会の一期主席を務めた中国財政部は次期主席の韓国と交代する。二〇一七年の第二回総会は韓国の済州島で六月十六〜十八日に開催される予定だが、その後ＴＨＡＡＤ配備をめぐって中韓関係に緊張が走ったが、済州島総会は予定通り開かれる。

他方、アジア開発銀行の設立五〇周年総会は日本政府のホストの下、横浜市で六月四〜七日開催された。ＡＩＩＢとＡＤＢの関係のもち方は、今後の成り行きが注目される。

5　「世界の孤児」となる日本

日本の進路は、いま大きな岐路にさしかかっている。

二〇一五年三月初めに主要七カ国（G7）で初めて英国が参加を表明したことによって参加メンバーが雪崩を打って膨らんだことは、決定的な出来事であった。

オズボーン財務相声明は「世界で最も急速な成長を遂げているアジア・太平洋地域との連携強化は、英国企業にとって事業や投資の絶好の機会」と強調した。「英国企業にとって事業や投資の絶好の機会」となりうる組織に参加しない法はない。中国の軍事力や外交方針には疑問がないわけではないが、まずは「事業や投資の機会」を優先させたわけで、どこかの国の硬直したスタンスとは大違いである。

また二〇〇九年以来毎年休まず開かれている米中戦略・経済対話（S&ED）のチャネルは、二〇一六年六月に八回目を迎えた。時間をかけて着実な対話を続けてきた。なにしろ中国は米国債 the Treasury bills の世界最大の買い手なのだ。人民元の支持なしには米ドルは紙屑になるほど堅い絆で結ばれている。

哀れなのは、日本だ。二〇一四年秋の安倍・習近平対話の横向き、笑顔なしの冷たい関係は、大方の記憶に新しい。「地球儀を俯瞰する外交」によって「中国封じ込め」をはかると豪語してきた安倍対中外交は、完全に終わった。

表向きの理由としては、AIIBの①運営に不透明さが残る、②融資の審査が甘ければ焦げ付く、③中国のアジアでの影響力拡大を助長する、④独裁政権や環境に悪影響を与える、⑤米国との関係悪化の懸念あり、等々を「参加見送り」の口実としてきたが、これらの口実がほとんど子供騙しの煙幕にすぎないことは、当初から明らかであった。日本がこれらの煙幕で中国無視を続けているうちに、米国を除く主要七カ国がすべて参加表明を行い、アジアに位置する日本だけが一人取り残され、完全に孤立した。

この誤算は、何を意味するか。

ＡＤＢと癒着する財務省の読みが外れた

歳川隆雄「現代ビジネス」（二〇一五年四月四日）によると、「ＡＩＩＢは「中国外交の完全勝利」。間違った安倍首相は、官邸で財務省、外務省幹部を怒鳴った」（https://gendai.media/search?fulltext= 中国外交の完全勝利 &media=gb）という。

騒ぎの口火を切ったのは、「維新の党」の江田憲司代表である。二〇一五年四月二日の記者会見で、中国主導によって発足するアジアインフラ投資銀行（ＡＩＩＢ）参加国・地域が五〇カ国・地域を超えたことについて、「中国外交の勝利、日本外交の完全敗北だ」と述べた上で「今からでも遅くないので（日本政府は）参加して欲しい」と要求した。あてが外れたのは、安倍首相も同じであった。三月三十一日午後、首相官邸で財務省の山崎達雄財務官（一九七九年・旧大蔵省入省）、淺川雅嗣国際局長（八〇年・同）、外務省の長嶺安政外務審議官（経済担当・七七年外務省入省）と会った際、「聞いていた話と違うじゃないか。君たちは、いったい何処から情報を取っていたのか」と怒鳴りつけた由である。

ＡＩＩＢ構想について、外務省（斎木昭隆外務事務次官・七六年入省）では、アジア大洋州局中国・モンゴル第二課が所管している。同省は英国の参加を誤算と反省した。しかし、キャメロン首相は二〇一三年十二月に訪中しており、さらに二〇一五年三月のオランダ・ハーグで開催された核サミットの際も習近平・キャメロン会談が行われている。歳川のいうように、情報収集・分析力が〝甘かった〟のは明らかだ。財務省の淺川国際局長は中国財政当局に独自の人脈をもつと自任していた由だが、何の役にも立っていないことが暴露された。アジア開発銀行（ＡＤＢ、本部マニラ）副総裁経験がある金立群ＡＩＩＢ総裁にも通じていると見られていたが、これは見かけ倒し。同省には、勝栄二郎元財務事務次官（現ＩＩＪ社長・七五年入省）のような自称中国通も少なくないと見られてきたが、これも通じていなかった。

実は、同省内ではＡＩＩＢ発足で「ＡＤＢの存在感が希薄になる」ことから参加消極論が支配的だったことが大きいという。ＡＤＢ歴代総裁は、初代の渡辺武総裁（一九三〇年入省）から中尾武彦総裁（八〇年入省）まで、九人が全て財務省（旧大蔵省）出身者であり〈二〇年就任一〇人目の浅川雅嗣総裁も八一年大蔵省入省〉、安倍のお気に入り、黒田東彦日銀総裁も前ＡＤＢ総裁である。ここからわかるように、ＡＤＢ総裁ポストは財務省の既得権益なのだ。こうしたことから、ＡＩＩＢを軽視し、読み違いを犯した。

類似の事情は、日米同盟を金科玉条とする外務省にも当てはまる。「中国主導の新経済圏づくり」と見る米国への過剰配慮が根っ子にある。それに基づくＡＩＩＢ軽視の情報を優先し、判断を誤り、「日本外交敗北」をもたらした、と見られている。

歳川隆雄の解説は、安倍官邸と霞が関官僚との責任のなすり合いを紹介して興味津々だが、国民の目から見たら、ほとんど「目クソ鼻クソを笑う」の類ではないか。そもそもは安倍官邸が「中国封じ込め」などとはしゃぎまくるので、これに迎合しつつ、財務官僚はアジア開発銀行の既得権益擁護の私利私欲からＡＩＩＢを軽視、無視し続けた。外務省は日米外交しか脳裏になく、徹底的な対米追随こそが国益と錯覚するトラウマにとらわれてきた。

ここから浮かび上がるのは、安倍官邸の外交オンチぶりだけではなく、これに迎合するのみで、何ら積極的、建設的な役割を果たし得ない霞が関特権官僚の極度の劣化ぶりだ。政治の劣化を支える官僚の劣化、両者の相乗作用が今回の大失敗の原因ではないか。

繰り返される外務省の失態

著者はここで四五年前の沖縄返還とニクソン・ショック（そしてこれに触発された田中角栄訪中による日中国交正常化）を想起する。いわゆるニクソン・ショックには、ドルが金との兌換停止に陥ったという国際金融の側面と、ニクソンが日本の頭越しに北京を訪問して米中首脳会談を行う前夜まで、日本外務省は、国連安保理常任理事国としての「台湾（中華民国）の地位」を守るために最後まで努力し、「中華人民共和国の国連復帰」を妨害し続けた愚策であるという側面がある。これは佐藤栄作外交の大失敗として特筆すべき事件と著者は見ているが、今回繰り返されたＡＩＩＢ無視事件もこれに並ぶような大きな失敗である。

ここで当時の外務官僚の無責任の事例を挙げておきたい。沖縄返還と田中訪中は、戦後外交を画する大きな転換点であった。両者に外務省条約局法規課長、条約課長としてキーパーソンの地位にいたのが、二〇一五年三月に死去した栗山尚一（元次官、駐米国大使）である。

沖縄返還交渉の最後のツメは一九七一年六月十日、パリの米国大使館大使室で行われた。その席でロジャース国務長官は、愛知外相に対して、「返還協定の調印前に中華民国と協議すること」を求めた。何を協議するのか。当時米国と外交関係を保持していた蔣経国が米国に求めていた件だ。すなわち、

「尖閣の最終的地位が決定されていないこと、この問題はすべての関係国によって決定されるべきことを明確に断言すること」を返還協定の調印時に求めていた。

米国はこの蔣経国の要求を受け入れて、マクロフスキー報道官をパリに派遣し、愛知・ロジャース会談に立ち会わせている。返還交渉の最終段階を正確に全世界に向けて発表することが台湾側の要求であった。

ほとんどの日本人がいまは忘れているが、当時の中華民国は国連安保理の常任理事国の一員、すなわち戦勝国連合の一員であり、その国際的地位は敗戦国日本よりも高かったのだ。栗山尚一条約課長はこのパリでの交渉経過を知りながら、真実の証言を怠ってきた。この事実は米国務省の情報公開（FRUS資料）と中華民国による蔣経国総統文書の公開によって明らかになり、また民主党政権当時の沖縄密約情報公開によって明らかになったにもかかわらず、外務省は虚偽発言を続けている。

もう一つ。栗山尚一条約課長は田中角栄首相訪中（一九七一年九月）にも同行しており、田中・周間で尖閣についてどのような対話が行われたかも熟知している。にもかかわらず、事実上「〝暗黙の了解〟が存在した」と尖閣国有化騒ぎのあとに語るのみで、交渉経過について真実の証言を行わないまま死去した。

田中・周会談については、当時の中国課長・橋本恕（元アジア局長、駐中国大使）も同罪で、尖閣棚上げ問題の核心について、虚偽証言を続けたまま二〇一四年四月に死去した。日本の主流マスメディアは、橋本や栗山の「貢献ぶり」を称賛する御用追悼記事を掲げたが、どれ一つとして、彼らの失策・史料隠蔽に言及したものはない。橋本に至っては会談記録そのものを抹殺する暴挙さえ行っている。これらの証拠隠滅と虚偽証言こそが今回の日中衝突の直接的原因であることを私は四冊の本で分析した。[*16]

要するに、右翼政客・石原慎太郎の挑発に始まり、これに軽々と乗せられた野田佳彦政権の尖閣国有化、抗議する中国海警による公船派遣、対抗する海上保安庁の警備艇派遣といった一連の疑心暗鬼エスカレーションを通じて、両国の相互不信は空前に高まり、二〇一二～一七年の日中関係は、武力衝突必至かといわれるほどの緊張に達した。両国政府の対外強硬策は、それぞれが国内ナショナリズムを支えとしつつ、これを煽動してさらなる強硬策へという悪循環をたどったことで、その様相は酷似している。

ビジネスチャンス／劣等感

この文脈では両国ともに反省しなければならない点が多い。ここで、両国のスタンスの違いは決定的に大きい。「没落する日本経済」と「勃興する中国経済」という下部構造が人々の心理に与える劣等感と優越感だ。

不安定な世界経済構造の中で、大方の国々は、経済成長を牽引し続ける中国に目を向け、そこにビジネスチャンスをつかもうとしている。その姿勢を端的に示すものが、ＡＩＩＢへの参加表明にほかならない。これに対して、主として安全保障あるいは国際政治面の配慮から、米国頼り、中国敵対路線を公言してきたのが安倍反動政権である。著者はこのような安倍対中外交に大きな疑問を感じて「中国経済が米国を抜いて世界一になるとき、中国封じ込めに動く安倍ドンキホーテ政権に未来はあるか[*17]」を書いて、批判してきた。遺憾ながら著者の危惧は的中し、日本が世界の孤児への道を歩む姿が誰の目にも明らかになりつつある。

二〇一五年三月末は、ＡＩＩＢ創設メンバーとしての参加資格の締め切り日であった。創設メンバーになることによって始めて運営に発言権をもつ。発言権をもつ形での参加を自ら拒否しておきながら、運営に難癖をつけるのは、負け犬の遠吠えそのものだ。

ＡＩＩＢの創設メンバーの地位を放棄した日本が、対照的に追求を続けているのは、国連安保理の常任理事国ポストである。国連の創設過程とその後の運営を見れば明らかなように、安保理常任理事国ポストとは、由来「連合国の五大国」に与えられた特権ポストである。戦後国際政治の大枠は連合国すなわち戦勝国連合が決定したのであり、「敗戦国としての日本」が多少国連の分担金を過大に支出したところで、敗戦国が戦勝国の地位を得ることが不可能なことは、二〇〇五年の失敗が示している。

にもかかわらず、この失敗から何も教訓を学ばない。失敗を率直に認めず、依然可能性があるかのごとき虚偽宣伝を政府外務省は続けている。このような白日夢願望とＡＩＩＢの無視とは、メダルの表裏である。このような白日夢から覚めて、今日の世界経済、アジア経済の現実を知るには、やはり虚心坦懐に、中国の姿を見つめる必要がある。

日本政府の財務官僚たちはアジア開発銀行をあたかも既得権益と見てきたので、当初からＡＩＩＢをライバル視してきた。外務省の親米一辺倒外交の病根は周知の通りだが、ＡＩＩＢ問題で特に目立ったのは、経産省の安倍追随だ。経産省幹部が安倍の首相官邸を支えているからだ。商社筋によると、ＡＩＩＢは失敗する、日本に不利だ、と「民間から声を上げて欲しい」と経産省幹部が依頼した一幕もあった。あきれてものが言えない。「省利省益」どころか私利私欲のために政権に媚を売る堕落官僚の身勝手そのものだ。これでは「省益あって国益なし」どころか、私利私欲あって、省益さえも無視していると言わざるを得ない。

安保法制と日中関係の行方

さて、二〇一五年五月二十三日、習近平は二階俊博総務会長が率いる三〇〇〇名の訪中団を人民大会堂で接見し、自らの日本体験を折り込みながら対日政策の基本構想を語った。そのキーワードは「戦略的互恵関係の構築」の一語に尽きる。これに対して二階は「日中関係を支えるのは政治に左右されない民間の深い人的関係だ」と応じた。

与党の要職にある現役政治家が「政治に左右されない民間の人的関係」を語るとは、どういうことか? 「政治家が政治に左右されない」とは、自縄自縛のマンガ的な構図に見える。しかしながら「未来を読む政治家は安倍政治に左右されない」というメッセージならば、その含意は深い。その後二階幹事長は二〇一七年五月十六日にも習近平と会談している。

二〇一五年九月三日には天安門広場の前で大規模な軍事パレードが計画され、抗日戦勝、反ファシズム戦勝七〇周年記念キャンペーンも各地で行われた。安倍談話はこうした動きを鎮静化させるのではなく、煽り立てる役割を果たして、衆愚政治のシンボルと化した。安倍内閣は「切れ目のない安保体制の整備」を強調しているが、筆者には「切れ目のない」とは、どういう意味か理解できなかった。

その後、リチャード・アーミテージ元国務副長官とジョセフ・ナイ元国務次官補（ハーバード大学教授）が二〇一二年八月十五日に発表した「第三次レポート[*18]」を読んで、「切れ目のない」とは、シームレス・ストッキングのシームレス（seamless）の訳語であることを知ってあきれた。

マッカーサー占領軍のもとで平和憲法を制定し、軍備を放棄したのが敗戦日本であるから、その防衛が隙間だらけなのは当たり前だ。そこをこれからどう変えるかは、国民にとって大きな課題である。

しかしながら、安倍改革案が悪名高いジャパン・ハンドラーたちの作文の直訳とは、いかにも情けない。しかもこのような安直な防衛論を声高に主張する内閣が「戦後体制からの脱却」を語るから、いよいよ話がおかしくなる。

北朝鮮については拉致問題の解決を一方的に繰り返し迫り、核開発の脅威を煽り、中国については尖閣諸島国有化以後の中国公船派遣を挙げて、「安保環境の根本的変化」を説くのも、実に説得力に乏しい。

北朝鮮問題の解決は、終章で詳論するように、「国交正常化」交渉が本筋であり、これを棚上げして脅威を煽るのは本末転倒だ。尖閣問題は、中国にもそれなりの言い分のあることを認め問題を棚上げすれば、緊張は一挙に解消する。いま国会において北朝鮮との国交正常化問題がまるで議論にならず、中国を「仮想敵扱い」することの是非を問わずに、もっぱら対米従属の再強化と共謀法なる治安対策のみが論じられているのは、政治劣化の極み、ポスト・トゥルース現象を絵に描いたものというほかない。

二　「党の核心」に大化けした習近平

1　習近平の文化大革命体験

下放の経験

　習近平の経歴は、二〇一二年十一月に第十八回党大会が開かれ、トップ指導者に選出された際に発表されたものと、その後、中国当局の書籍[19]で解説されたものを合わせて描くと、以下のごとくである。

――一九五三年六月生、陝西省富平人、一九六六年に文化大革命が始まったときは十三歳、北京一〇一中学[20]の一年生であった。一九六八年「初中三年」（日本の中学三年級）のとき、北京二五中学という普通校に転校させられ、それから陝西省延川県に下放したときは十五〜十六歳であった。

一九六九〜一九七五年、十六〜二十二歳を「下放青年、知識青年」として陝西省延川県文安駅公社梁家河大隊の「知識青年、党支部書記」として生活した[21]。一九七五〜一九七九年（二十二〜二十六歳）、推薦により、大学閉鎖から復活した清華大学に合格し、化学工業系基本有機合成を専攻した。

――まだ幼かった習近平は、一九六二年（九歳）から、中国共産党元老のひとりだった父親・習仲勲氏の冤罪事件（後述）に巻き込まれ差別された。「文化大革命」中に、吊るし上げられ、飢えを経験し、あちこちをさまよい、拘禁されたことさえあった。一九六九年の初頭、十六歳にも満たなかった習近平は陝西省北部農村の生産隊への下放を自ら志願して、延川県の文安駅人民公社梁家河生産大隊にやって来た。[*22]

――山の崖に掘った洞穴式住居（窑洞）には、特にノミが多く、刺されて全身が水泡だらけになり、オンドルに敷いたアンペラの下に農薬を撒き、ノミを退治するしかなかった。この数年間、ほとんど休まずに野良仕事をし、石炭を運び、土嚢を積み、堰を作り、肥え桶を担ぐなど、どんな仕事もし、どんな苦労もいとわなかった。

――村人たちは、五〇キロ、一〇〇キロの麦を片方の肩で担いで五キロの山道を何時間も歩く習近平を見て、「苦労にもつらさにもよく耐えるいい若者だ」と感じた。「力を惜しまず働く」「知識があり、アイデアに富む」。習近平は次第に農民たちに信用され、中国共産主義青年団（以下、「共青団」と略す）と中国共産党に相次いで加入し、生産大隊党支部の書記にも選ばれた。

陝北の黄土高原の生活は苦難に満ちていたが、自らを鍛え、才能を発揮する初舞台となった。耕地を増やすため、寒い冬の農閑期に、習近平は村民を率いて土留めのダムを修築したが、率先して裸足で氷の中に立って氷に穴を開け、ダムの基盤をきちんと整理した。また、村の鍛冶屋に声を掛け、鉄業社を設立し、農機具を自給自足できるようにしたばかりか、付近の村へ売ることで村全体の収入を増やした。

――新聞で四川省ではメタンガスを利用していることを知ると、経験を聞くために駆け付け、村に戻ると、陝北初のメタンガス備蓄池を作り、村民を率いて陝西省初のメタンガス利用村として、村民たちの炊事、照明の困難を解決した。また、村に下放されていた知識青年に分け与えられた白い小麦粉のマントウを村民に譲り、自分はヌカ（糠）などを混ぜてつくった粗末なものを食べていた。習近平は先進的知識青年として、北京から荷台付きのオート三輪車を奨励品として支給された。

――当時、地元では非常に珍しいものだったが、習近平はこれを手動トラクターや製粉機、モミガラ吹き上げ機、吸い上げポンプなどの農機具と取り換え、村人に使ってもらった。学業は中断されたが、習近平はずっと知識を渇望し、本を読み独学を続けた。梁家河村に下放されたとき、重たい一箱の本を運んできた。昼間は働き、休憩時間に本を読み、羊を放牧するときも、黄土高原の坂の上で本を読んだ。夜になると、暗い灯油の灯りのもとで、深夜まで本を読み続けた。村人たちの記憶によると、習近平は食事のときも食べながら「レンガのような厚さの本」を読んでいたそうだ。

――四三年前、習近平は知識青年として陝北農村の生産隊に下放され、そこで七年働いたが、最初の「公務」は中国共産党組織体系の「細胞」である生産大隊（行政村）の党支部書記だった。陝西省から北京市へ、河北省から福建省へ、浙江省から上海市へ、西部の貧困地区から国家の政治・文化中心地へ、東部の立ち後れた地区から沿海の先進地区へ、その政治経歴は村・県・市（地区）・省（直轄市）と中央の党・政府・軍隊の主要ポストすべてに及んでいる。

七年間にわたる農村生活

――黄土高原の純朴な村人たちとつらい仕事の苦労を分かち合い、一緒に食べ、一緒に住み、一緒に働いた歳月は、習近平にとって、現地の民衆と深い友情を結んだばかりでなく、何が中国の農村なのか、何が一般大衆の喜怒哀楽なのか、何が「中国の基本的な国情」なのか、それを理解するよい機会となった。習近平は人民に対する深い愛、足元の担当地区に対する責任感を習近平の人生の目標の中に深く刻み込んだ。

習近平は自分の人生で最も力になってくれたのは「革命の大先輩と陝北のあの村人たちだ」と率直に話したことがある。十六歳足らずで黄土高原に来た当時は、途方に暮れ、いろいろな迷いがあった。二十二歳でここを離れたとき、習近平は揺るぎない人生の目標をもった。「人民のために地道に働く」、これが彼のモットーになった。

以上の経歴紹介は、習近平が中国共産党のトップ指導者に選ばれた二〇一二年前後に、本人が語った回顧談を中心に当局が「民に親しまれる指導者イメージ」を作るために描かれたものであり、多かれ少なかれ、誇張があり、若干の修飾語は正確さを欠くことは免れないであろう。

たとえば「五〇キロ、一〇〇キロの麦を片方の肩で担いで五キロの山道を何時間も歩く習近平」の原文は、「能挑一二百斤麦子走十里山路長時間不換肩的習近平」であり、これは「刻苦に耐える若者」（是个吃苦耐労的好后生）を示す形容句であり、必ずしも、「一〇〇キロの麦を片方の肩で担いで五キロの山道を何時間も歩いた」という事実の描写ではあるまい。都会育ちの若者にそのような体力があるとは想定しにくい。

とはいえ、①基本的には事実を踏まえて、②そして、「有名歌手彭麗媛の夫」程度にしか認識されていなかった習近平像を浮かび上がらせるために描かれたことは確かと見てよい。③さらにより重要なことだが、父親・習仲勲が文革前夜の一九六二年十月の第八期十中全会から、反党集団の一味と認定され、国務院副総理の職務を事実上停止されていたので、六六年初夏に文革が始まった時期にも、習近平が紅衛兵運動に参加して、つるし上げや闘争大会で「加害者」の役割を演ずることはなかった。反党集団の父親の子として、紅衛兵になる資格を奪われていた。

文革期の若者たちは紅衛兵運動としての「加害者」[*23]の立場、その後、下放させられ貧しい農村生活を体験する「被害者」の立場が交錯するために、文革の評価においてアンビバレントな立場に置かれるが、習近平の場合、紅衛兵としての「加害者」体験を欠くことは、注目すべきであろう。彼は文革期にうしろめたい体験をもたないことで自由なのだ。

総書記・習近平の記者会見

二〇一二年十一月十四日、私は党大会を終えて中国共産党のトップに選ばれたばかりの習近平記者会見をインターネットで凝視していた。数十分の記者会見を聞いているうちに、私は一昔前にタイムスリップした錯覚に陥った。習近平の口から次から次へとナツメロのように毛沢東語録が飛び出したからだ。曰く、大衆路線、曰く、人民のために奉仕する、等々。私はテレビ画面に釘付けになりながら、習近平とはどんな男か、あれこれ考えた。

清華大学を出て、最初にやった仕事は、職業軍人ではなく、文民の立場で初めて国防部長を務めた耿(こう)飈(ひょう)国防部長の秘書であった。これはおそらく父親・習仲勲が旧知の耿飈に息子を預けたものか。彼が軍事委員会の周辺を知っていることは重要かもしれない。前述の経歴に「中央軍委弁公庁秘書(現役)」の一句が見える。

彼は国防部長・耿飈の秘書を務めたのち、耿飈が中央軍事委員会弁公庁主任となったときに、その秘書を務めたが、これは「軍籍のない者」は就任できない重要ポストだ。それゆえ、この時期に習近平は「軍籍」に登録されたわけだ。大学卒業直後の若い時期に彼が軍事委員会弁公庁という枢要な部門に一時属したことは、のちに中央軍事委員会主席として「虎退治」を断行するうえで、大いに役立ったであろうと推察してよい。

一九九七年九月、第十五回党大会で習近平は中央候補委員に選ばれ、中央幹部としての歩みを始めたが、皮肉にも、その印象はマイナスイメージとして強烈であった。得票順に発表された序列は、一五一名中のビリであった。中央委員一九三名は筆画順に並べるので、得票数はわからない。しかし候補委員は得票順を明らかにしておく必要がある。中央委員に欠損が生じた場合に「繰り上げ当選させる」必要があるためだ。

このとき習近平は、辛うじて候補委員に当選はしたものの、序列はビリ。これは何を意味するのか。ちなみにビリから二番目が鄧小平の長男・鄧樸方であり、いま習近平の片腕として虎退治を進めている王岐山はビリから七番目であった。

三人の太子党はなぜかくも評判が悪いのか。それはおそらくは三人の「個性や能力のため」ではない。当時は鄧小平の没後まだ半年、「太子党を政治権力の中枢に加えるなかれ」という鄧小平ら革命第一世代の良識、自制が働いていた。文革期には実権派子弟は肩身が狭かった。その後名誉回復は行われたが、「文革の遺風」はまだ残り、習近平ら太子党は肩をすぼめて生きていた。

長老・陳雲の長男・陳元に至っては、習近平より八歳年上だが、習近平より五年遅れて二〇〇二年にようやく候補委員になった。そしてその序列はビリから六番目であった。薄一波の息子薄熙来は、一九九七年には候補委員にさえ選ばれず、二〇〇二年に候補委員を飛び越えて直接中央委員に選ばれた。年下の習近平に追い越された薄熙来の敵愾心がやがて身を滅ぼす。これが薄熙来事件の底流にある。

いずれにせよ、十五回大会（一九九七年）、十六回大会（二〇〇二年）当時は、まだ中国共産党が自らの権力乱用を自制する良識が働いていた。この自制心を次第々々に解いて、ついには誰憚ることなく権力を乱用したのが江沢民と江沢民人脈だ。軍の制服組トップや政法委員会書記（政治局常務委員）が処分される今日とは大違いではないか。私はテレビを見ながら習近平＝「プチ毛沢東」のあだ名をつけた。

習近平の虎退治と権力固め作戦

二〇一五年三月、習近平は名実ともに「プチ毛沢東」ぶりを発揮する。一連の全人代がらみの報道について「ピラミッド型の権力モデル」と呼ぶ評論も現れた。[*24]

習近平はどう変身したのか？　二〇一二年秋、党大会でトップに就任した直後の記者会見の写真では七名の常務委員の真ん中に並ぶ一人であったが、それから二年を経て、テレビカメラの焦点は、習近平の「標準写真」像にズームインされ、他の六名がどんどん後景に退いた。

このイメージの変化を象徴するニュースが一月十六日に報じられた。この日、トップセブンからなる中央政治局常務委員会議は終日会議を開いた。日本の国会に当たる全人代常務委員会（委員長・張徳江）、内閣に当たる国務院（総理・李克強）、参議院に擬せられる全国政協（主席・兪正声）、最高裁に当たる最高人民法院（院長・周強）、最高検に当たる最高人民検察院（院長・曹建明）の五大国家機関における「共産党フラクションの代表」すなわち「党組書記」の参加を求めて、それぞれの代表から当該部門の「活動報告」を行わせた。それを聞く役割は総書記・習近平だ。

ここで張徳江、李克強、兪正声はもともと常務委員会のメンバーだから、一見特に問題はなさそうに見える。周強と曹建明とは、ヒラの政治局委員でさえなく、中央委員級にすぎないから、この政治局常務委員級の会議に対しては、呼び出しを受けた際にのみ「列席」できる。周強と曹建明とは、召喚を受けて報告した形だ。これが「この会議の類別」になる。

ここから張徳江、李克強、兪正声ら正規の常務委員もまた「それぞれの分担をもつ常務委員としての出席」というよりは、事実上、周強と曹建明の例のように、習近平の呼び出しを受けて列席した形にならざるをえない。これは巧みに計算された習近平格上げのイメージ作りに見える。江沢民時代（一九九二〜二〇〇二年）、胡錦濤時代（二〇〇二〜二〇一二年）の二〇年間、常務委員会議は、メンバー九名がそれぞれの担当分野に全責任を負い、他の分野の担当者は、他部門について口出しをする権限が事実上なかった。これは「九竜による治水」などとも呼ばれる「分担責任制」であった。

江沢民や胡錦濤は、自らを除く八名からそれぞれの担当分野の報告や提案を受ける形で議事が進み、総書記はいわば会議の「単なる司会役」にすぎなかったと評しても言い過ぎではない。江沢民の場合は、基本的に自らの腹心を配置できたので、思惑通りに処理できたが、問題は胡錦濤のケースだ。胡錦濤時代の人事は江沢民が自らの影響力を極力残すように仕組まれた人事体制のゆえに、「胡錦濤カラー」を打ち出すことはほとんどできなかった。このような江沢民リモコン＝院政体制のもとで、空前の腐敗現象が現れた。それを大掃除することによって習近平は一挙に権力を固めたのであるから、まさに禍福はあざなえる縄のごとし、である。

著作に見る習近平の思想　その一

習近平はすでに著作集を四冊書いているので、その政治思想をとらえやすい。すなわち次の四冊である。

①習近平『擺脱貧困』福建人民出版社、一九九二年（一九八八〜一九九〇年の演説など）。

②習近平『之江新語』浙江人民出版社、二〇〇七年（二〇〇〇〜二〇〇七年の演説など。「之江」は「銭塘江」の別名）。

③習近平『幹在実処走在前列』中央党校出版社、二〇〇六年（二〇〇二〜二〇〇六年の演説など）。

④『習近平談治国理政』第一巻、外文出版社、二〇一四年（二〇一二〜二〇一四年の演説など）。

まず、習近平の地位が確立しつつある姿を④『習近平談治国理政』[*25]で確認してみよう。この習近平講演集は、二〇一二年の発言一一篇、二〇一三年の発言五一篇、二〇一四年前半の発言二四篇、計八六篇からなる。索引を開くと、毛沢東は一八回、毛沢東思想は六回、鄧小平は二九回、鄧小平理論は一七回、江沢民は七回、江沢民の「三つの代表」は一七回、胡錦濤は八回登場する。

「プチ毛沢東」としての習近平の面目は、たとえば「大衆路線」を一三回語るところに現れる。鄧小平時代、江沢民時代、胡錦濤時代にはこのキーワードはほとんど死語扱いで、代わって知識分子の英語力、数学力やＩＴ技術者の先進的知識に光が当てられていた。科学技術を重視する点では、清華大学卒の学歴の習近平も前任の総書記たちと同じだが、彼が「反腐敗」のスローガンで虎退治に邁進するとき、その支えは大衆の支持であり、これを「大衆路線」と呼びながら推進し、大衆の喝采を得ている。

「反腐敗」や「虎・ハエ」のキーワードで習近平講話を調べて見ると、初出は、二〇一三年一月二十二日「第十八期中央紀律検査委員会第二回全体会議における談話の要旨」である。そのタイトルは「権力を制度のオリに閉じ込める」と題され、「たとえ誰であろうと、職務がどれだけ高かろうと、党の規律と国の法律を犯しさえすれば、必ず厳しく取り調べ処罰される」と語った。

> これ〔この言葉〕が決して、ただの空談ではないことを〔私＝習近平は〕全党、全社会に表明している。厳しく党を治めるため、処罰は決して緩めてはいけない。「虎」（大物）も「ハエ」（小物）も一緒にたたき、指導幹部の規律違反・法律違反案件を断固として厳しく取り締まるだけでなく、大衆の身の回りの不正の風潮や腐敗行為も着実に取り除かなければならない。党の規律、国の法律の前に例外はないことを堅持し、それが誰の身に及ぼうとも、徹底的に調べ、決して見逃してはならない[*26]。

と強調した。

筆者が傍点を付した「職務がどれだけ高かろうと」の一句がキーワードになる。これまでは政治局常務委員級以上の高官は「刑ハ大夫ニ上ラズ」の慣行からして訴追されることはないと広く見られてきたことを踏まえて、高位高官でも「党の規律、国の法律の前に例外はない」と宣言した。これは習近平が党大会でトップに昇格して二カ月後のことであり、虎退治の盟友・王岐山は、この習近平指示に基づいて、調査に着手していた。

習近平の虎退治二回目の発言は、二〇一三年四月十九日「第十八期中央政治局第五回グループ学習会を主宰した際の談話の要旨」である。習近平はここで戦国時代中後期の商鞅と法家学派の学説をまとめた『商君書・修権』から「商鞅の変法」の必要性を解いたキーワードを引用した。

習近平の三回目の発言は、二〇一四年一月十四日、中央紀律検査委員会第三回全体会議における談話の要旨である。

腐敗分子に対しては、見つけ次第断固取り調べ、処分する。早い段階、軽い段階で押さえ、病気なら早急に治療し、問題を見つけたら直ちに処理する。腫れ物をそのまま放置して、命にかかわる重病になってはいけない。

と語ったあとで、習近平は解放後に初代上海市長を務めた陳毅〔元外相〕の言葉を引用する。

「〔金銭に〕手を伸ばしてはならず、手を伸ばせば必ず捕まる」という道理を幹部一人一人に銘記させなければならない。

これは『陳毅詩詞選集』[*27]からの引用だ。習近平も一時期上海市書記を務めたが、上海市を解放して初代市長を務めた陳毅元帥の言葉を引用しているのは、太子党の面目躍如だ。

もう一つの引用は、「善を見ては及ばざるが如くし、不善を見ては湯を探るが如くす」という『論語・李氏篇』の言葉である。「善を見れば、とても達成できないかもしれぬと謙虚に努力するとともに、不善を見れば、あたかも熱湯に触れたかのように、即座に離れる」態度をもって「不善を憎むべし」の意である。

習近平はこのような言葉で中央紀律検査委員会の委員たちを激励し、腐敗摘発を呼びかけた。これらの一連の行動は、大衆からの支持を狙うものであるとともに、同時により重要な役割は、習近平の敵陣営を破壊し、直ちに自らの政治的基盤を強化する役割をもっていた。

著作に見る習近平の思想　その二

次に③習近平『幹在実処走在前列』というタイトルは、「現場で実務をこなし、大衆の前に立って歩く」の意である。この本は、習近平の浙江省書記時代（二〇〇二年副書記、二〇〇三〜〇七年同書記）の演説などからなる。この本から文革期のキーワードを拾うと、**表3**のごとくである。

これらの語彙調べから、「人民に奉仕する」「大衆路線」の立場から、「腐敗現象」や「腐敗分子」を批判する習近平のスタンスを読み取ることができよう。反腐敗のスローガンで、政敵を打倒することは、そのまま習近平政権を固めることになるのは明らかだ。

習近平虎退治をどう読むか

江沢民の「執政一〇年、院政一〇年」期に中国では、途方もない汚職が蔓延し、習近平は「虎もハエもたたく」汚職追放作戦に就任直後から取り組んだ。

その皮切りに選ばれた教材が、なんとフランス革命前夜のエピソードであった。一九世紀フランスの政治学者トクヴィルが『旧体制と大革命』という著書で、革命前夜のフランスを描いた一文を示す。

「この政府がこれだけ侵略的であり専制的であったにもかかわらず、最も微小な犯行や軽微な批判でも極度な不安に陥ってしまう」「人々の拝金的な欲望を刺激してはそれを挫折させ、恰も相反する二つの方向から自らの破滅を促している」。

表3 『幹在実処走在前列』に登場する文革期のキーワード

キーワード	回数	備考
腐敗	50回	目次、見出し等を含む、「腐敗」という2文字の総数
（腐敗現象）	（9回）	
（予防腐敗システム）	（8回）	
（腐敗分子）	（6回）	
（腐敗問題）	（2回）	
（反腐敗闘争）	（2回）	
人民に奉仕する	19回	
毛沢東同志	13回	
大衆路線	8回	
毛沢東思想	8回	
文化大革命	3回	ネガティブな文脈で文革を捉えたもの
10年動乱	2回	
大民主	1回	

この本は習近平指導部のキーパーソンである李克強首相と汚職追放に取り組む紀律検査委員会書記・王岐山が愛読し、周辺に薦めていると報じられたとき、現代中国の独裁権力の腐敗ぶりは承知していたから、やはり「革命前夜のフランス」か、腐敗政治を怠るならば、中国の独裁政権が危ういとする警告と理解した。

同時に、愛読書推薦の担い手がナンバー2の李克強とナンバー6の王岐山である事実に私は特に着目していた。それはマスコミでは、太子党と共青団との権力闘争が語られすぎて、「李克強首相の地位が王岐山によって奪われる」と見るような軽薄ウォッチャーの間違いを修正する動きと解したからだ。

その後、二年余、現在に至るも、「太子党が共青団を脅かす」、「李克強の地位を習近平が脅かす」、「王岐山が脅かす」と見る誤解を繰り返す軽薄専門家があとを絶たない。習近平はあたかも「プチ毛沢東」のように権力を固め、独裁権力をもつに至ったが、それによって「李克強や王岐山の地位が弱くなった」のではない。習近平を支える「助手としての李克強や王岐山の地位」には何ら変化がない。

この「党高政低」という構図は、前述のように、毛沢東対周恩来、江沢民対朱鎔基、胡錦濤対温家宝、すべてに共通する「党務優先システム」にほかならない。ちなみに王岐山は党務として紀律検査委員会書記を務め、政務として国務院監察部を指揮しているが、その任務は習近平の指揮のもとで、虎退治作戦を「実行する任務」であり、実践面で、監察部の行政機構を駆使して、摘発チームを派遣し、汚職調査を展開している。これは基本的に紀律検査委員会という党機構を通じて行う「政務」レベルへの橋渡し活動なのだ。

江沢民政権下での「汚職の高度成長」

江沢民の指導体制は、一九八九年の天安門事件を契機としてスタートしつつ、一切の政治改革を封印して市場経済への道を歩み、「世界第二の経済大国」(購買力平価ベース)になったことは誰もが知る。

その裏面は「汚職と腐敗」の高度成長期でもあった。日本の列島改造期にも似た不動産開発ブームと証券市場の急速な発展が不公正取引の温床と化した(たとえば未公開の「原始株」操作等々)。開発の許認可に関わる贈収賄の弊害が解放軍所有の不動産を管理する兵站部門に及び、ひいては大将・中将・

少将のポストまで「買官売官」の対象となる始末だ。一説では将官級の買官疑惑者は二〇〇名にのぼるというからすさまじい。政治改革を封印したまま「荒っぽい資本主義(ワイルドキャピタリズム)」を加速した結果が「汚職の高度成長」という苦い結果をもたらしたことになる。

極め付きは軍の制服組のトップ徐才厚副主席が「買官売官」の嫌疑でまず党から除名され、次いで徐才厚の情実人事提案に「副署」してきたもう一人の副主席・郭伯雄の責任も追及されるに至ったことだ。長男・郭正鋼少将(浙江省軍区副政治委員)が全人代の開会前夜の二〇一五年三月二日北京に護送された。江沢民によって四七軍軍長から副主席のトップまで引き上げられた父親・郭伯雄の罪状固めの一環にほかならない。江沢民軍事委員会主席を支えた二人の副主席が揃って「買官売官」がらみで失脚とは、空前の事態なのだ。江沢民の提起した「三つの代表」を薄めるために習近平流の「四つの全面」を前面に押し出す必要性はここにある。

現状を放置するならば、民心は中国共産党や党の指揮する軍から離れ、党による統治の崩壊は必至である。すなわちフランス大革命に類似した中国大革命の再到来だ。習近平の虎退治はそのような危機意識に基づいて着手された。習近平が否応なしに、虎退治に乗り出した直接的契機は、二〇一二年の党大会前夜の人事抗争にあると見てよい。

習近平は、胡錦濤、温家宝の力を借りて、まず自らの政治的ライバルと目されていた薄熙来(重慶市書記、政治局委員)の処分に成功した。ついで二〇一四年七月初めに徐才厚(二〇〇七～一二年、軍事委員会副主席、政治局委員)を処分し、七月末に周永康(二〇〇七～一二年、政治局常務委員)を処分した。[*28] そして二〇一五年十二月には令計画(二〇〇七～一二年、中共中央弁公庁主任)を「組織調査」

処分に付した。ここで「組織調査」とは、政法委員会が犯罪の嫌疑で「処分含みの調査」を決定した意である。

　薄熙来事件が摘発された当時、一部の先読みメディアは、「新四人組」として、「薄熙来、徐才厚、周永康、令計画の結託」を指摘していたが、結果的にはその通りであった。「新四人組」とは、習近平が中国共産党のトップ指導者に就任する際に、これを妨害し、あるいは「棚上げ」をはかった勢力を指す。江沢民時代に、「経済改革優先、政治改革停止」の政経「股裂け戦略」を強行した結果、市場経済への移行過程の間隙に乗じた腐敗が生まれ、全面的な腐敗に発展した。

　ここで鄧小平時代と江沢民時代との太子党処遇に関わる大きな違いを一つ挙げておく。鄧小平時代には、太子党の子女は中央委員レベル止まりであり、経済活動のみしか許さなかった。しかし江沢民時代には、この制約が解かれ、太子党の政治局入りを容認した。これによって政治権力と経済権力、そして軍事権力との癒着、結託の構造が定着し、中国版の軍産複合体（ミリタリーインダストリーコンプレックス）がビルトインされた。

周永康、出世の裏側

　では、誰が大泥棒・周永康を権力の座に引き入れたのか。曽慶紅前常務委員兼国家副主席である。「第十五～十八期中国共産党中央常務委員会委員一覧」（図6）を見ると、一目瞭然である。二〇〇二年秋、引退する江沢民は後継者として曽慶紅を常務委員に昇格させるとともに、常務委員ポストを二つ増やした。七名から九名に増やすことによって、江沢民派を五名（曽慶紅、呉邦国、賈慶林、黄菊、李長春）に増やした。常務委員会の多数派をつくるために恣意的な配置を行った。

図6　第15期〜第18期中国共産党中央政治局常務委員会委員一覧

第15期　1997〜2002年

1. 江沢民　2. 李鵬　3. 朱鎔基　4. 李瑞環　5. 胡錦濤　6. 尉健行　7. 李嵐清

第16期　2002〜2007年

1. 胡錦濤　2. 呉邦国　3. 温家宝　4. 賈慶林　5. 曽慶紅　6. 黄菊　7. 呉官正

8. 李長春　9. 羅幹

第17期　2007〜2012年

1. 胡錦濤　2. 呉邦国　3. 温家宝　4. 賈慶林　5. 李長春　6. 習近平　7. 李克強

8. 賀国強　9. 周永康

第18期　2012〜2017年

7. 張高麗　5. 劉雲山　3. 張徳江　1. 習近平　2. 李克強　4. 兪正声　6. 王岐山

五年後の二〇〇七年秋、引退する曽慶紅が自らの後継者として常務委員に選んだのは周永康である。しかもその担当分野としては、汚職摘発を握りつぶす権能をもつ紀律検査委員会書記であった。汚職を摘発すべき機能をもつ党務の系統が汚職もみ消しを旨とする腐敗官僚に牛耳られた結果、汚職は摘発を免れ、汚職が汚職を呼ぶ構造となる。こうして空前の腐敗が横行した。

さてこのような体制を放置したならば、フランス大革命の二の舞、すなわち中国共産党の支配体制の崩壊だ。どこから手をつけるか。核心は、周永康の子分たちからなる政法委員会を解体し、再編することだ。手順としては、常務委員を二名減らして「7名体制」（トップセブン）とし、政法委員会書記を常務委員級からひとまずヒラの政治局委員レベルに格下げする。そのうえで、新たな十八期常務委員のなかから王岐山を抜擢して、紀律検査委の再建を任命する。この特別な措置を通じて王岐山はようやく周永康の妨害を排して紀律検査委の再編と虎退治を進めることができた。

「大清〝裸官〟慶親王的作風問題」

二〇一五年全人代前夜の二月二十五日中央紀律検査委員会のホームページに登場した「影射史学」エッセイは、歴史に仮託した時評として、波乱を呼んだ。筆者は中央紀律検査委員会の幹部・習驊である。エッセイのタイトルは「大清〝裸官〟慶親王的作風問題」（二〇一五年二月二十五日）である。

周知のように、裸官とは、中国には資産や家族を置かず、すぐに海外逃亡を可能にしている状態の高官を指す。慶親王奕劻（えききょう）（一八三八～一九一七年）は、西太后（慈禧）のもとで、首席軍機大臣や内閣総理大臣を務めた政治家だが、「宴会大好き、麻雀大好き」人間であった。「中級幹部の段芝貴が銀一〇万両を贈呈したところ、ただちに黒竜江代理巡撫のポストを与えた」。英国『タイムズ』の有名記者モリソンによると、「慶親王の預金は七一二・五万ポンドの巨額に上る。ちなみに作家ジェイン・エアが家庭教師で得た年収は三〇ポンドにすぎず、ダーウィンが購入した豪邸も二〇〇〇ポンドだから、慶親王の預金の大きさがわかる」。

慶親王はとりわけ英国系の香港上海銀行が好みで、国内の民族金融機関には一銭も預けなかった。もし一〇〇年後に生まれていたならば、慶親王は「裸官」といわれたであろう。モリソンは少しも気兼ねなくこう書いた。「慶親王のやることは、まるで国家を生き埋めにするようなものだ。ナベの湯が沸騰しているのに、魚自身はそれに気づかない」（まさに日本流なら「茹で蛙」の図柄か）。それゆえ「慶親王のケースは、平和時にリスクを思う（居安思危）格好の教訓ではないか」。

「影射史学」（あてこすり史学）とは、古に仮託して現代の政治を風刺し、人物を揶揄するものだ。文化大革命期の有名な例としては「批林批孔」がある。「批林」が林彪批判であることは誰にもわかる。「批孔」は、孔子を批判する意だが、ここでは「周恩来を孔子になぞらえて」批判したもので、これは江青夫人ら四人組が行ったキャンペーンの一つである。

この種の「影射史学」は、鄧小平時代になると文化大革命の忌まわしい記憶とともに忘れられた。そのような、文化大革命期を思わせるあてこすりが、王岐山の率いるホームページに掲げられたので、大騒ぎになった。「慶親王」とは誰をあてこするものか。「慶」の文字から、賈慶林、曽慶紅説が現れ、いなこれは裸官批判の一般論にすぎまいといった論評が続いた。

「裸官慶親王」ショック

　このエッセイは、明らかに曽慶紅を風刺したものと読むべきだ。キーワードは外国銀行への巨額の預金である。モリソンは英国『タイムズ』の特派員として北京に駐在したが、国籍はオーストラリア人である。外国銀行に預けた巨額の預金と、息子・曽偉をキャンベラに移住させたことから曽慶紅の意図は容易に想起できる。曽慶紅は一九三九年生まれだから、「もし一八三八年の一〇〇年後に生まれたら」という年齢もほぼ重なる。

　このあたりが巷間で語られている最中に、米国紙『ウォールストリート・ジャーナル』がD・シャンボー教授（ジョージワシントン大学）の「中国絶縁声明」を発表した。[*29] 曰く。

①中国のエリートは片足を中国から出して、外国への逃亡を準備している。
②「九号文件[*30]」に端的に示されるような政治的引き締めが習近平の統治下で深まっているが、これは政権崩壊に対処するためだ。
③体制に忠誠心をもつ者でさえも、党活動はやるふりをするのみ。
④腐敗が蔓延している。
⑤経済発展が減速し、行き詰まっている。

　これらの五カ条を挙げて、かつて旧ソ連が解体したように、中国共産党の支配も崩壊が近づいていると見る。これらの条件を指摘して「明日にも中国が崩壊する」と語り続けるオオカミ少年は、枚挙にいとまのないほど大勢いるから、この種の理由づけ自体は珍しくない。ただし、彼のエッセイには大きな特徴が一つある。

それは曽慶紅のリーダーシップに対して最高度の評価を行う。その「曽慶紅が処分され、影響力を失うとすれば、もはや中国に希望はない」と分析した。元祖太子党として既得権益を擁護する人々の利益代表を中国発展の担い手とする評価は、どう見ても唐突な内容であり、人々を驚かせるに十分であった。シャンボーの宗旨替えは何を意味するのか。近年しばしば訪中し、中国の要人や研究者らと交流し、米国のいう「責任をもつパートナー作り（Responsible Stake-hoder-ism）のために努力してきたシャンボーに何が起こったのか。それが「裸官慶親王」ショックにほかならない。

著者は腐敗の根源が江沢民その人にあることをだいぶ前から見抜いていたので[*31]、江沢民の大番頭役・曽慶紅への批判に驚くことはなく、摘発にむしろ拍手を送りたい気分だ。

ところがシャンボーは、曽慶紅一派に望みをつなぎ、米中対話のカウンターパートの黒幕と認識していたという事実には、少なからず驚いた。シャンボーと曽慶紅との交流がどのようなものであったかは知らないが、「米中戦略・経済対話」は数年続いており、しかも対話を止められない事情が双方にあるから、曽慶紅失脚に接して、あわてるのはチャイナ・ウォッチャーとしては、未熟といわざるをえない。

いわんや曽慶紅とのパイプ断絶をもって、中国全体の未来を語るのは、軽率と評するほかはない。とはいえ、シャンボーの絶縁声明は反響が大きく、その後まもなく『ニューヨーク・タイムズ』がバックリーによるインタビューを掲げた[*32]。ここで重要なことは、ワシントンという政治都市では、政策作り優先ですべてが動いている事実だ。近年の米中対話の中心にあった「シャンボーの変心」がワシントンの

表4　文革期の太子党

氏名	生年	1966年当時の年齢と高校、大学	父親	父の地位
曽慶紅	1939	27歳、北京第101中、北京工業学院	曽山	内務部長
鄧樸方	1944	22歳、北京第13中、北京大学物理	鄧小平	副総理
兪正声	1945	21歳、北京第81中、ハルピン軍事工程学院	黄敬	第1機械工業部長
陳元	1945	21歳、北京第4中、清華大学	陳雲	党副主席
王岐山	1948	18歳、北京第35中高2年のとき、すなわち1969年1月に延安県康坪生産大隊に下放し、姚依林の娘姚明珊と知り合う。西北大学73～76年、子女なし。	姚依林	副総理（岳父）
薄熙来	1949	17歳、北京第4中高1年、北京大学	薄一波	副総理
李源潮	1950	16歳、上海・華東師範大学	李幹成	上海副市長
劉源	1951	15歳、北京第4初中2年、北京師範大学	劉少奇	国家主席
習近平	1953	13歳、1968年北京第81初中3年、第25中に転校後に延川県に下放、清華大学	習仲勲	副総理

対中政策にどのような影響を与えるのか、注視しておく必要がある。ポスト・シャンボーの政策プランナーは誰なのか、曽慶紅に対する批判は何を意味するか。すでに引退した曽慶紅に対する批判は何を意味するか。

このあてこすり批判は、多分、江沢民旧体制の復活によって既得権益を守ろうとする人々への警告であろう。彼らが江沢民体制の大番頭たる曽慶紅の名を用いて蠢動する動きに対する警告と読むべきであろう。

習近平の反腐敗闘争は、権力を固めるための手段の側面をもつことは当然だが、権力闘争のための反腐敗ではない。反腐敗を進めることがみずからの体制強化に役立つのだ。浙江省書記時代から彼はこれに取り組もうとしていた。ここで習近平と王岐山の年齢を見ると（表4「文革期の太子党」）、習近平と比べて王岐山は五歳年上だ。追放された薄照来は習近平より四歳年上である。

習近平・王岐山 vs. 曽慶紅の政治力を頼む薄照来らの闘争は、いわば「太子党内部」の内ゲバである。江沢民旧体制のもとで既得権益を享受して腐敗した者たちに対して、習近平と紀律検査委の王岐山、そして軍の劉源（劉少奇の長男）らは、太子党のいわば正統派を自任しているように見える。この立場から太子党内の既得権益擁護層に対して、果敢な権力闘争を挑んで、これに勝利しつつあるのが現状と見てよいであろう。

習近平の父、習仲勲の冤罪事件

ここで習近平の父習仲勲の冤罪事件をスケッチしておく。ウィキペディア日本語版が「反党小説劉志丹事件[*33]」を要領よく解説しているので、それを読む。

反党小説『劉志丹』事件は、1936年に戦死した劉志丹を題材に書かれた小説『劉志丹』が〔陰謀家康生（一八九八～一九七五年。没後の一九八〇年十月十六日林彪江青集団の一員として党から除名された）によって〕反党文書だとされた事件。

劉志丹は1920年代から活躍した軍人で、長征の先頭に立ち高崗らと共に中国西北部の陝甘辺ソビエト政府（陝北省ソビエト政府）の確立に尽力した。1936年2月21日、毛沢東の「北上抗日」という指示で東征を行い、山西省に入ったところで同地を支配していた国民党の閻錫山軍に敗北し、4月14日に退却の途中に射殺されている。この一件で彼の故郷である保安県は志丹県と名を変え、追悼大会が盛大に行われた。

1954年、中央宣伝部の指示で、〔中略〕小説『劉志丹』が弟・劉景範の妻で、自身も陝北で活動していた李建彤によって執筆が始められ、〔中略〕その後、〔中略〕習仲勲の助言を得て、1962年までに完成した。だが既に失脚していた高崗や1930年代に共産党で極左偏向路線を主導した王明に関わる内容であったことから、陝北地域の党責任者だった賈拓夫は中央宣伝部の審査を仰ぎ、周揚副部長は問題なく出版は可能と結論。出版にこぎつけた。

ところが光明日報、工人日報、中国青年報などに連載されると閻紅彦（雲南省委第一書記）が、内容は党中央の評価が必要だと発表に反対し、その報告を受けた康生が「政治問題であり、処理を求める」と楊尚昆に命じた。

8月、第8期中央委員会第10回全体会議予備会議で小説『劉志丹』は高崗の名誉を回復し、党を攻撃する文書と指摘、9月24日に開催された第8期10中全会で毛沢東は「小説を書いて反党反人民をするとは、これは一大発明だ」と批判した。これを口実に習仲勲、賈拓夫、劉景範らが反党集団と認定され、習仲勲は党内外の職務からすべて解任された上に下放され、賈拓夫は北京鉄鋼公司の副経理に降格された。

1966年に文革が始まると、康生、江青、林彪らは小説『劉志丹』に関わった人間に対して手を伸ばし始める。1967年、人民日報で出版許可を出した周揚を「反革命両面派周揚を評す」と題された〔中略〕文章を発表して党と国家を簒奪する陰謀を進めていたと批判し、拘束した。李建彤は1970年に党から除名され、労働改造処分となるなど、西北反党集団として6万人が被害を受けたとされる。またかつて毛沢東に英雄と評された劉志丹自身もその手からは逃れられず、記念碑が紅衛兵によって破壊された。

1978年の第11期3中全会以降、冤罪事件の再評価が始まり、翌1979年には「小説劉志丹の名誉回復に関する報告」ですばらしい革命文化作品であり、〔中略〕高崗の再評価問題など存在しないと評価され、10月には再出版された。しかし、一部の古参同志が事実と異なると指摘したため、1986年に習仲勲が調査した結果、「党の歴史的人物の描写は歪曲してはならない」と決定され、胡耀邦の指示で再度発禁となった。

少し著者のコメントを加える。高崗はスターリンに「内通」していた事実が『フルシチョフ回想録』(タイムライフ社、一九七二年)などで明らかになっており、毛沢東はスターリンの死を待って高崗を処分した。高崗事件は建国初期の中国共産党を揺るがす大事件であった。習近平の父習仲勲はこの事件に巻き込まれ、辛酸をなめた。その父の過酷な運命を、習近平は幼少のときから身近に体験しつつ成長した。習近平は幼少期から中国党内政治のウラオモテを十分に知り尽くしていたと見てよい。

2 「党の核心」になる習近平——集団指導制から個人独裁制への鮮やかな転換と反発する公開状

習近平個人崇拝 その一

二〇一六年春、米国の『タイム』誌は、毎年恒例の「世界で最も影響力のある100人」[*34]を発表し、中国からは習近平国家主席とノーベル医学生理学賞を前年に受賞した中国の屠呦呦を選んだ。

日本からは前衛芸術家の草間彌生だけだ。このほかリストには、米アップルのティム・クック最高経営責任者(CEO)、ローマ法王フランシスコ、米フェイスブック創業者のマーク・ザッカーバーグC

ＥＯ夫妻、ブラジルのセルジオ・モロ判事、北朝鮮の金正恩第一書記、ロシアのウラジーミル・プーチン大統領、バラク・オバマ米大統領、また、米大統領選に向けた共和党と民主党の候補指名争いに参加する、不動産王ドナルド・トランプ氏、テッド・クルーズ上院議員、ヒラリー・クリントン前国務長官、バーニー・サンダース上院議員も含まれる。

ここで習近平について短いプロフィールを書いたのは、大著『文化大革命の起源』で有名なハーバード大学教授マックファーカー（Roderick MacFarquhar）である。タイトルは『習近平――毛沢東の後継者（Heir of Mao）」である。曰く。

習近平は毛沢東以来最も力のある指導者だ。共産党の総書記に選ばれるや経済と安全保障に関わる重要な新たな委員会のトップになった。「習近平叔父さん」［習大大］という歌を作り、『習近平談治国理政』（邦訳『習近平　国政運営を語る』）を内外に広く発行するなど「個人崇拝」が容認されている。無慈悲な汚職追放運動によって党内をおそれおののかせているが、民衆はこれに喝采している。人権派弁護士を逮捕し、報道を弾圧し、キリスト教会を攻撃しているが、これは民衆からあまり歓迎されていない。

習近平の語る「中国の夢」とは、民族復興であり、そこには南シナ海占領や、中国のリーダーシップ下のアジアインフラ投資銀行のような新国際機構創設が含まれる。もし習近平が経済改革に成功し、軍への信頼感を保持できるならば、世界に大きな姿として現れることになろう。

トップセブンという枠組み——周永康子飼いの常務委員昇格を阻む

二〇一四年七月末に処分された周永康は、政法委員会書記として、警察・検察・裁判など司法部門の全権力を握っていた。ここで胡錦濤は周永康の腐敗問題に気づいたとしても、それに「口出しできない慣例」に縛られていた。これが「江沢民執政一〇年、院政一〇年を含めて二〇年」の間に次第に劣化を加速した「集団指導体制」の内実であった。

この制度・慣行という縛りに悩まされてきた胡錦濤は、政法委員会書記の地位を常務委員会レベルからヒラの政治局委員レベルに格下げすることを習近平への「置き土産」とした。すなわち常務委員数を九名から七名に減員して、前任政法委員会書記・周永康が「子飼いの代理人」を常務委員会に残す道を塞いだ。

王岐山紀律検査委員会書記の辣腕

さて十八回党大会以後に形成された新たなトップセブンの分担体制において、それまでは副総理として国際国内金融を統括していた王岐山に畑違いの紀律検査委員会書記のポストを担当させた。この措置は、その後の経過が明らかに示すように、敏腕の王岐山にしか前任者・周永康の腐敗問題を処理できないことを的確に把握した上での人事であった。[*35] 新たに紀律検査委員会書記を担当した王岐山は、前政法委員会のトップ周永康の後継者が常務委員会に不在である事実を奇貨として、存分に辣腕を振るうことができた。

「プチ毛沢東」になった瞬間

こうして江沢民の「執政一〇年、院政一〇年」期に異常増殖した腐敗問題を果断に処理することによって、習近平は一挙にトップセブンの「集団指導制」の内実を習近平「個人独裁制」に転化した。

いまやあたかも毛沢東のような個人独裁権を掌握し、他の六名のメンバーがすでに従属的地位に転落したことを象徴的に示すセレモニーこそが二〇一五年一月十六日会議の「報告」スタイルにほかならないと著者は分析している。これは六名の他の常務委員は、担当分野について「報告する側」であり、習近平ただ一人がこれを「聞きおく側」の立場に、事実上昇格していることを見せつけるセレモニーなのだ。まさに習近平が「プチ毛沢東」に大化けした瞬間というべきだ。

日本の少なからぬメディアが、習近平の実力について、「共産党史上最も弱い総書記」と軽視しているうちに、本人は大変身した。日本のメディアは、なぜ事態を見誤ったか。取材源が基本的に習近平に敵対する「江沢民人脈に限られていた」ことで致命的弱点をさらけだしたように見える。

習近平個人崇拝　その二

英『エコノミスト』（二〇一六年四月二日号）「習近平の個人崇拝に警戒せよ」は、習近平がすでに毛沢東以来の権限を習近平個人に集中した事実を指摘し、習近平のリーダーシップに潜む問題を検討している。毛沢東の個人独裁に悩まされた中国が一九八二年の歴史決議において個人崇拝の禁止を決定したが、いまやこの決定が破られ、党の公認メディアが「習近平叔父さん」〔原文＝「習大大」は西北方言で叔父の意〕、習近平夫人・彭麗媛を「彭ママ」〔原文＝彭麻麻〕と呼び、毛沢東讃歌の「東方紅」を「東

表5　習近平替え歌

習近平を讃える替え歌	東方紅（原曲）
東方又紅　太陽重昇 東はまた朝焼け、赤い太陽が昇る	東方紅　太陽昇 東は朝焼け、太陽が昇る
習近平継承了毛沢東 習近平は毛沢東を継承し	中国出了個毛沢東 中国の大地に毛沢東が現れた
他為民族求復興　呼児咳呀 民族復興のために働く、 ハイヨー（掛け声）	他為人民謀幸福　呼児咳呀 毛沢東は人民の幸福のために策を練る ハイヨー（掛け声）
他是人民大福星 習近平は人民を幸せにする星だ	他是人民大救星 毛沢東は人民の救い星だ

方又紅」とする替え歌がネットで出回るのを容認している。歌詞対照は表5のごとくである。

毛沢東への個人崇拝こそが「狂乱と暴力の文化大革命」をもたらしたとする個人崇拝批判は鄧小平時代の初期に全国を覆う風潮であったが、「文革発動五〇年」に当たる二〇一六年に習近平個人崇拝が一部の習近平ファンクラブの間で流行しているのは、注目に値する。

同時にこのような風潮に対する反発も最近目立つ。

中国や香港で人気のコラムニスト・賈葭が三月一五日午後以降、連絡が取れず行方不明となる。賈葭事件は全人代（全国人民代表大会）開幕前日に「無界新聞」のネット上に掲載された「習近平引退勧告」公開書簡に絡むと見られている。香港を拠点にするラジオフリーアジアによれば、賈葭は十五日午後、北京国際空港で北京市公安当局に連行された。彼の弁護士が北京市公安局首都空港分局から得た情報だという。アムネスティインターナショナルは十九日に、中国政府に対して、賈葭に関する状況を公開するよう声明を出した。

賈葭は新華社『瞭望東方週刊』や香港『鳳凰週刊』の編集

者を歴任したあとコラムニストとして独立した。香港に在住しながら、中国や香港の雑誌に寄稿、またウェブマガジンなどの編集にも携わってきた。最近は『我的双城記』(北京・三聯書店出版)を上梓し、中国国内外にファンが多い。賈葭行方不明事件は、三月四日に「忠誠の党員」という匿名で新疆ウイグル自治区主管のニュースサイト「無界新聞」に「習近平引退勧告」公開書簡が掲載された件に関わっていると見られている。インターネット「無界新聞」のCEOはかつて賈葭の同僚であった欧陽洪亮であり、賈葭はくだんの公開書簡をいち早く見つけて、すぐに削除するように欧陽に知らせたのだという。

引退勧告騒動――公開状第一信

全人代会期中の中国を騒がせた習近平引退勧告の公開状は第一信(三月)と第二信(三月二十九日付)がある。分量を比較すると第二信は前者と比べて文字数が五割程度多く、内容的には、より具体的な指摘を増やしていることがわかる。第一信は以下の通りである。

習近平同志が党と国家の領導職務を辞することを要求する公開状(第一信、全人代開会に際して)。

習近平同志よ、こんにちは。われわれは忠実な共産党員である。全国「両会」[全人代と全国政協委員会議]が開かれるに際して、われわれはあなたにこの手紙を書いて、あなたが党と国家の領導職務をすべて辞任されるよう要求する。

この要求を提出するのは、党の事業を考慮し、国家と民族の前途を考慮してのことだ。同様に、あなたとご家族の安全をも考慮してのことだ。習近平同志よ、あなたは二〇一二年に党の十八回大会で新中央委員会総書記に当選して以来、立志を立てて反腐敗闘争と虎退治を行い、党内の汚職腐敗など、不正の風をいくらか好転させた。あなたは自ら中央全面深化改革領導小組等々、多くの小組組長として、経済発展でも大量の工作を行い、一部の庶民から支持されたことは、われわれの眼中にもある。

しかしながら習近平同志よ、われわれが指摘しないわけにはいかないのは、あなたが用いた方式のゆえに、すなわち権力を全面的に自らの手に掌握し、直接意志決定を行ったことによって、政治・経済・思想・文化などの各領域において、前代未聞の問題と危機がもたらされたことである。

政治上では、あなたは党の優れた伝統を放棄し、とりわけ最も顕著なのは各級領導者に対してあなたが核心となることを支持するよう態度表明を要求して、民主集中制を核心とする政治局常務委員会の集団指導原則を放棄し、権力を過度に集中したことである。あなたは全人代・全国政協・国務院の党組織の役割を強化することによって、国家権力機関の独立性を弱体化させたので、国務院総理李克強同志を含む指導者たちの職権は、大きな影響を受けている。同時に、中央紀律検査委員会が各機関単位と国有企業に巡視組を派遣して新たな権力体系を設けたことによって、各級党委と政府の職務権限は曖昧になり、意志決定が混乱している。

外交上では、あなたは鄧小平同志の「韜光養晦(とうこうようかい)」(自身の能力をできるだけ隠して米国と付き合う)という一貫した方針を放棄して、デタラメに手を出して、良好な周辺の国際環境を作れないだけでなく、朝鮮が核兵器とミサイル実験で成功することを許し、わが神州国家の安全に巨大な脅威を与えている。米国がアジアに回帰するのを許し、南朝鮮・日本・フィリピンと東南アジア各国で統一戦線を作り、手を携えて神州（中国）を包囲する企図を許している。

香港マカオ台湾問題では、鄧小平同志の英明な「一国両制」の構想に従う路線を放棄した結果、民進党が台湾政権を獲得し、香港に独立勢力の台頭をもたらした。とりわけ香港問題では、不正常な方式で香港商人が内地に帰ることを許したために、「一国両制」に対して直接的障害をもたらした。

経済上では、あなたは中央財政経済領導小組を通じて、マクロ・ミクロ経済政策の制定に直接干渉して、神州の証券市場に激動を与え、老百姓（庶民）は数十万元の財富を失い、哀鴻（災禍に流浪する民）は野に満ちている。サプライサイド改革と過剰生産対策によって、国有中央企業の職員労働者は大量に失業し、民営企業の倒産は流行し、大量の人員が失業している。「一帯一路」戦略により、大量の外貨準備が投入され、混乱した地方や地区では、投資が無駄になっている。外貨準備を過度に消耗し、人民幣は元切下げの悪循環に陥り、大方の信頼感は日に日に落ちている。国民経済は崩潰の境地に陥り、人心は変革を求めている。

思想文化上では、あなたはメディアに対して「党のメディアたれ」と要求して、メディアの人民性を否定し、挙国愕然たる情況をもたらした。あなたは花千芳※、周小平のごとき、水準の低い者を文芸戦線の代表とみなし、広範な文芸工作者の心を寒からしめている。あなたは文化単位が直接あなたを讃える賛歌を作り、令夫人・彭麗媛の妹〔彭麗娟〕が中央電視台の春節聯歓晩会の制作主任となることを容認し、みなが楽しみにしている春節晩会をあなた個人の宣伝工具として利用した。

あなたはこれらの個人崇拝を許し、「妄りに中央が議する」ことを許さず、「一言党」(習近平の一言が党の方針となる)をやり、われわれ「文化大革命」を体験した者をして暗澹たる気持ちにさせる——わが党・国家・民族はもはや新たな「十年の大災害[*36](原文＝浩劫)」に堪えられない!

習近平同志よ、あなたの進める高圧的反腐敗には、党の不正風を改める役割がないとはいわないけれども、関連措置が伴わないので、客観上、各級政府の消極的サボタージュ現象を招き、官員は事を恐れるあまり仕事をせず、老百姓の怨嗟の声は満ちており、ひいては経済情勢を悪化させている。現在、反腐敗運動の目標は、権力闘争に集中されている。われわれが憂慮するのは、党内権力闘争を激化させるこのやり方が、あなたとあなたのご家族に人身安全上の事故をもたらすことだ。

それゆえわれわれは、習近平同志は党と国家を導いて未来に向かう能力を欠いており、総書記の職を担当するに不適だと考える。党の事業の旺盛な発展、国家の長久な安定のため、あなたとご家族の安全のため、党と国家のあらゆる職務を辞して、党中央および全国人民が別の賢者を選び、われわれを導いて積極的進取の未来に向かうことを求める。

忠実な共産党員　二〇一六年三月

※　花千芳は一九七八年生まれ、本名は寧学明。遼寧省撫順市清原満族自治県出身の中国人インターネット作家であり、現在、撫順市作家協会副主席を務める。『晨報』は彼を「中国ブロガー中の『四大書き手』の一人」と名付けた。花千芳は、自分は「自帯乾粮的五毛(おかみのカネをもらわないインターネット評論家、略称「自乾五」)」を自称している。

二〇一四年十月十五日、花千芳と周小平はネット作家の身分で、北京で開かれた全国文芸工作座談会に出席したところ、中共中央総書記習近平から指名され、「君たちがもっと多くの前向きの作品を創作するよう希望する」と励まされた。二〇一四年十一月十九〜二十一日、世界インターネット大会が浙江省烏鎮で開かれ、花千芳は「烏鎮ネット名人論壇」で発言を紹介された。全国文芸工作座談会後、中国ネットには周小平、花千芳に対するさまざまな悪評が書かれた。香港『信報』二〇一四年十二月十日は、周小平と花千芳は「民間草根力量」を代表して座談会に出席したとされるが、実際には官方が事前に二人の背景を知らず、マイナス面を理解していなかったと論評した。

周小平は一九八一年四月二十四日四川省自貢市生まれ、本名は周平。ブロガー兼ネット評論家。周小平は初中を卒業してブロガーとなり、初期には「水木周平」の筆名を用いた。三〜一〇年内に中国不動産バブルは崩壊すると予言して有名になる。報道によれば、二〇〇九年彼のネット公司がセックス産業に関わったとして逮捕された。二〇一〇年、環球時報、党建網、新華網など、中国共産党の主要メディアで発言し、新浪微博はネットの有名人と紹介した。二〇一四年十月十五日、北京で開催された全国文芸工作座談会に参加して習近平から激励を受けた。[*37]

公開状第二信

第二信は以下の通りである。

第二信（二〇一六年三月二十九日）

われわれは一七一名の忠実な中国共産党員[38]であり、党・政・軍・社会集団など、各機関部門に属している。習近平同志の個人独裁および個人崇拝がいま極めて不正常な党内組織生活をもたらしているひどい現状に鑑みて、われわれはしばし無署名により全党、全軍、全国人民に宛てた書を公開状として発信する。われわれはこの公開状の形で、党と人民の事業が当面する厳しい危機に対して深い憂慮を表明する。とともに、党中央、政治局、中央軍委および全人代常務委員会が直ちに緊急会議を開いて、習近平がほしいままに進めている個人崇拝、法治を破壊しておこなっている個人独裁を辞めさせるべきだ。

国内民生を顧みずに対外援助を行い、軍隊を乱し自ら長城〔軍を指す〕を破壊した問題、個人生活が乱れ、党と国家のイメージが著しく損なわれている問題について討論を展開し、ただちに習近平同志の党内外の一切の職務を解任し、もって党と人民の事業を救うべきである。習近平同志は十八回大会で就任して以来、反腐敗において若干の成果を挙げたとはいえ、不断に重大な誤ちを繰り返して、党と人民の事業に巨大な損失をもたらし、巨大な脅威を与えており、いまや解決すべきときが到来した。

習近平同志の重大な誤ちは、以下の五点である。

(1)公然と党規約に違反し、個人崇拝を容認し、支持した。

「中国共産党党規約」第一〇条六項は明確に「党はいかなる形式であれ個人崇拝を許さない」と

定めている。

習近平はインターネットに功徳を讃える数十の歌曲をアップさせた。曰く「習おじさんのような人になろう」、「習主席が言葉を寄せる」、「習おじさんは彭ママ〔彭麗媛〕を愛する」、「領袖・習近平について行く」、「習おじさんのような人に嫁ぎたい」、「東方又紅」等々、歌詞は歯の浮くようなお世辞で聞くに堪えない。甚しきは「東方又紅」のように「東方はまた紅くなり、太陽はまた昇り、習近平が毛沢東を継承した」と党の歴史をまるで顧みない歌詞を許している。

習近平を個人崇拝するこの歌曲がネットで大いに行なわれているのは、習近平自身が容認し、支持していることと不可分である。なおさら重大なのは、湖南衛星テレビが流している歌曲「あなたをどう呼ぶべきか、わからない」では、公然と習近平を頌揚する歌曲をテレビ媒体という主流メディアに持ち込んだことだ。そして全人代・全国政協の期間に湖南省委書記[※1]がこの歌曲を持ち上げたときに、習近平は欣然と受け入れさえした。

なおさら容認しがたいのは、今年の中央電視台「春節聯歓晩会」で、習近平夫人・彭麗媛の妹[*39]が制作主任となって、今年の春節晩会を習近平の個人崇拝を宣伝するパーティ化したことだ。今年の春節晩会では、億万人民の非難や冷笑にもかかわらず、ＣＣＴＶなどの宣伝機関は批判を顧みず、大いに持ち上げた。

習近平は追従者が「習大大」と持ち上げたことを容認している。これは改革開放の総設計師鄧小平同志が自らを謙遜して、自分は「中国人民の子ども」にすぎぬと謙遜したのと比べて、何たる狂妄、何たる党内倫理にもとる行為であろうか。習近平は花千芳のような取り巻きが最近文章を公開して「いま国家領導人の終身制を実行すべきだ」と述べているが、これは党内の同志を深く憂慮させる。

まさか習近平は晩年の毛主席の過ちをまねようとしているのか？　習近平は朝から晩まで党内同志は政治規範を守るべしと説いているが、自らは公然と「党規約」という党内最大の政治規律を破っている！

⑵法治を破壊して、個人独裁を実行する。

習近平は党の民主集中制を核心とする常務委員会による集団指導原則を放棄して、大権を独占している。習近平は各種の中央領導小組を作り、自ら組長となり、現行の党政行政体制の運用を破壊して、法治精神を破壊している。「文革領導小組」という「前車の鑑」は、眼前に明らかなはずなのに、習近平の「小組長」治国が氾濫している。国務院総理李克強[*40]を含めて、同志たちの合法的職権は大きな影響と制約を受けている。各級党政幹部はどの上級に従うべきかわからなくなっている。改革開放後に樹立された法治環境は、習近平個人の権力欲によってほしいままに踏みにじられている。

⑶国内民生を顧みず、ほしいままに外国援助を行う。

習近平は執政以来、国内民生を顧みず、ほしいままに外国援助を行い、国内民衆の怨嗟の声はあふれ、罵声は絶えず、はなはだしきは「人民元ばらまき〔原文＝大撒幣〕」のあだ名さえある。わが国には百万単位の貧困未就学児童がおり、百万に上る復員軍人の生活が困窮しており、数百万の賃金未払いの鉄鉱炭鉱労働者がおり、千万に上る貧困家庭があり、老百姓は病を治せず、老後を養えず、住宅を買えない現象が普遍的に存在する状況のもとで、国際上で虚偽の声望を得ようとして、党中央全体会議の討論を経ることなく、全人代の批准を得ずに、大いなる外国援助[*41]を行い、勝手に国家債務を免除し[※2]、民の怨みは沸騰している。

習近平夫婦はこれ以上出国してカネをばらまくなかれと求める投書がネットを席捲している。人民は習近平の訪問の特徴は、「小切手の裏書き〔原文＝背書単〕、恩愛ショー〔原文＝秀恩愛〕、元のばらまき〔原文＝大撒幣〕」にあると指摘した。習近平が退休人員に医療保険金を納めさせ、公務員の退休年限を延長するなど、同胞へのでたらめ政策を行いつつ、数十億、百億ドルを超える外国援助を行うのは、もはや精神分裂症ではないだろうか？

(4)軍隊を混乱させ、自ら長城〔ここでは「軍」を指す〕を破壊した。

習近平同志は個人が軍権を掌握するために、軍隊の現状、歴史を顧みず、党中央全体会議の討論を経ずに、勝手に七大軍区を廃止して、五大戦区[※3]に改めた。軍隊は国家安定の保障であり、軍隊改革は党中央全体会議の充分な討論と批准を経るべきだ！　習近平は独断専行で、軍隊内部の規律を散漫にし、軍内同志の矛盾を複雑化させた。軍歴豊かな徐才厚[*42]、郭伯雄[*43]による一〇年の混乱と比べてさえ、習近平の軍事改革のもたらした問題はより重大である。中国人民解放軍は党の軍隊であり、人民の軍隊であり、習近平個人の武装力、「習家の軍隊」ではないはずだ。習近平は軍隊改革の名において親戚知人を抜擢するなど、随意に人事任免を行っている。最近は軍隊の反腐敗行動で大功のある劉源同志を強いて退役させ、軍内同志はもはや軍隊の幹部任免、昇進異動が結局いかなる原則に基づくのか、わけがわからない有様ではないか？

(5)個人生活が乱れ、党と国家のイメージを汚している。

習近平同志は福州で工作したとき、福州電子台のキャスター・夢雪と親密な関係をもったことは、福州当地では誰もがよく知ることだ。これは個人の私生活だが、香港の書店から出た『習近平と六人の女（原題＝習近平和他的六個女人）』[*44]に書かれたところ、国家公安機関を動員して書店の株主と従業員を誘拐した。うち二人は英国籍〔李波〕、デンマーク国籍〔桂民海〕なので、国際世論が騒然となった。国際社会は中国政府が「一国両制」の原則を踏みにじったことを非難し、外交トラブルが生じた。[*45]香港の親中国の各政治団体は面目を失した。習近平個人のただれた生活が党と国家のイメージを汚すことは、もはや容認できない！

総じて、われわれは直ちに中共中央の緊急会議、全人代の緊急会議を開き、習近平の上述の五大過ちを討論し、党・政・軍のあらゆる職務からの解任を求める。

最後にわれわれは声明する。党内の現行制度が習近平のような無徳・無才・無能の者を総書記にしたという重大な教訓に鑑みて、一九回党大会[*46]では八〇〇〇万党員の一人一票により、総書記、党中央、党代表を選びたい。八〇〇〇余万の党員の民主権利を永遠に剥奪することはできない。八〇〇〇万党員の直接選挙なしに総書記、党中央を選ぶことには合法性がない。われわれは八〇〇〇万党員の直接選挙で党中央を選ぼう。

一七一名の中国共産党員　二〇一六年三月二十九日[*47]

※1　徐守盛を指す。一九五三年一月生まれ、江蘇如東出身。一九七三年十月中国共産党入党。

東南大学哲学・科学系、中共江蘇省党校政治経済学専業研究生班で学ぶ。高級経済師。中共第十六期中央候補委員、第十七期、第十八期中央委員。甘粛、湖南省長を経て、湖南省党委書記、湖南省人大常務委員会主任。

二〇一六年の両会期間中、徐守盛は習近平の参加した湖南代表団のグループ審議に際して、こう述べた。「とりわけ総書記が親しく視察された湘西花垣県十八洞村では、「ほんとうに貧しい者を扶助し（原文＝扶真貧）、貧しい者をほんとうに扶助する（原文＝真扶貧）、このやり方を繰り返し（原文＝可復制）、このやり方を推し広める（原文＝可推広）」という方針に従い、短い二年で全村一三六戸の貧困戸を豊かにした。春節前、総書記が十八洞村を訪問したことを讃える「あなたをどう呼ぶべきか、わからないほどだ（原文＝不知該怎麼称呼妳）」という「扶貧歌曲」は、苗（ミャオ）族の村が素朴な言葉と深い感情のメロディーで幸福を歌ったものだ」と言われる。

※2　二〇一五年九月二十六日、米国を公式訪問中の習近平国家主席は、国際連合の発展サミットで、「中国は最も発展の遅れた国、内陸の発展途上国、小島嶼発展途上国に対し、二〇一五年末に返済期限を迎える未償還の政府間無利子融資の債務を免除する」ことを明らかにするとともに、「『南南協力援助基金』を設立し、第一期資金として二〇億ドル（一ドルは約一二〇・三円）を提供する」と発表した。中国のこの決定を、国際社会の各界は高く評価した。

だが、インターネット上では中国の債務免除の決定について異なる意見も見られた。「債務を免除し、また資金を出す。中国自身がまだ多くの貧困人口を抱えているのだから、まずは資金を自国の貧困人口に投入するべきだ。債務免除をしたり対外支援をしたりしている場合ではない」。

※3　習近平は中央軍事委員会主席として二〇一六年二月一日、従来の軍の地方区分「七大軍区」を「五大戦区」に再編することを宣言、北京で「戦区発足大会」を開催した。「五大戦区」は東部、南部、西部、北部、中部の各戦区で、瀋陽、北京、済南、南京、成都、蘭州、広州に置かれた「七大軍区」は廃止された。戦区は、陸・海・空軍などを統括する「統合作戦指揮体制」を敷く、とされている。

軍の大規模改革を展開する習主席はこれまでに、第二砲兵（戦略ミサイル部隊）を「ロケット軍」に改編したほか、サイバー・宇宙戦略などを担う「戦略支援部隊」を新設。従来の総参謀部など四総部体制を転換させ、習氏がトップの中央軍事委員会の直轄で一五部門の新体制を発足させた。

第一信と第二信を比較すると、基本的な趣旨には変わりはないが、後者は内容がより網羅的、具体的であり、かつ文章もより推敲され、氏名は伏されているが一七一名の署名を得たと明記されている。察するに第一信は発起人の呼びかけ文に近い。この呼びかけに呼応し署名した文書が第二信と思われる。徐才厚や郭伯雄を褒めているのは、書き手はその仲間であることを示唆するであろう。この第二信がどのように扱われたか、その後のニュースはない。ただし現実の中国党内政治は、十月の六中全会で習近平を「党の核心」と明記する方向へ動いた。公開状による批判はまったく無視された形であり、これは毛沢東以来の個人崇拝体制成立の瞬間である。

『習近平と六人の女』

二〇一六年五月に香港から言論出版の自由にかかわるニュースが伝えられた。『サウスチャイナ・モーニングポスト』[*48]が『漢和防務評論』編集長・平可夫が事務所を香港から東京に移すと発表した。

平可夫の本名は張毅弘で、雲南出身だが、かねてカナダや香港を拠点として、中国の軍事問題を論評するニュースを発信してきた。日本のメディアがしばしばこれを引用してきたことは周知の通りだ。彼は雑誌を創刊した当時、蒼蒼社を訪ねて日本での需要などについて中村公省社主と懇談したことがある。平可夫は二〇〇四年以来、香港をベースとしてきたが、今回香港を離れる決意をしたのは、むろん銅鑼湾書店事件が関わっている。

二〇一六年一月、英国のフィリップ・ハモンド外相が訪中し、王毅外相と会談した際に、ハモンドは銅鑼湾書店の株主李波が英国パスポートをもつ事実を指摘し、英国公民の人権を尊重するよう求めたのに対して、王毅は「〔李波は英国パスポートをもつとしても〕何よりもまず中国公民だ」と主張した。このやりとりを見て、平可夫は自分がカナダ国籍をもち、香港の永住権をもつことは、身分保障の点では役立たないことを知り、香港を離れる決意をしたのであった。

平可夫の雑誌は解放軍にかかわる報道が中心であり、近年は軍内部の腐敗などを報道してきた。軍事関係の情報が「敏感なもの（sensitive）」であることはいうまでもあるまい。

さて話は後先になるが、銅鑼湾書店の株主李波は二〇一五年十二月に香港で失踪し、その後、「自ら内地に行き、禁書販売事件の調査に協力した」と記者会見で語った。これが李波の本心であると見る者はいない。大陸の公安の圧力のもとで、このような発言を余儀なくされたことは容易に理解できる。李波が失踪したあと、倉庫に保管されていた四～五万冊の在庫も廃棄された由だ。銅鑼湾書店のもう一人の株主桂民海はスウェーデン国籍を得ている。しかしながら英国国籍が身分保障にならないとすれば、スウェーデン国籍も役立たないであろうことは明らかだ。こうして平可夫は銅鑼湾書店が習近平の強圧政策のもとでつぶされた前者の轍を見て香港撤退を決意した。

では、銅鑼湾書店はなぜ狙われたのか。多くのメディアは、大陸で政治的に禁書扱いされている書籍を出版し、大陸に持ち込んだと書いている。これ自体は当たっているようだ。だが、今回、習近平が公安要員を香港まで送り込み、書店関係者を拉致したのは、政治禁書一般ではない。台湾の政治評論家桑普によると、『習近平と六人の女（原題＝習近平和他的六個女人）』あるいは『習近平の情婦たち（原題＝習近平与他的情人們）』と呼ばれた本が直接的根拠だという。[*49]

この本によると、習近平の初恋の相手は小紅であった。彼が陝西省延安に下放した時期にこの「女知識青年」と知り合い、恋愛は三カ月続いた。小紅の父親は解放軍軍事科学院の軍官で娘も紅色貴族の気質をもっていた。習近平は当時梁家河、小紅は樊家溝にいたが、一九六九年春節に小紅がチベット族の舞踏を踊ったのを習近平が見初めたという。習近平が清華大学に入学した一九七七年に二人は北京で偶然再会したが、小紅はすでに部隊の軍官の人妻であった。[*50]

習近平の初婚相手は英国大使柯華の娘・柯小明であり、習近平より二歳年上であった。二人は一九七九～一九八二年の四年間夫婦関係にあったが、柯玲玲が父親とともに英国に赴任した際に、正定県委員会書記の習近平は同行せず、離婚した。

習近平の第三の女は福建東南テレビのキャスター夢雪であった。彼女の主宰する「熱線点播」という番組は人気が高かった。習近平は当時福州市党委員会書記、すでに結婚していた彭麗媛は軍歌舞団のリーダーとして外出が多く、長期別居の状態であった。

こうして習近平の女として具体的な名が判明しているのは、小紅、柯玲玲、夢雪の三名であり、これに彭麗媛を加えても四名である——。これが日本の週刊誌で書かれるようなゴシップの内容である。

パナマ文書騒ぎ

「パナマ文書」といわれるデータは、パナマの法律事務所「モサック・フォンセカ」から流出した電子メール、契約書、パスポートのコピーなど約四〇年分、一一五〇万件のファイルだ。『南ドイツ新聞』が匿名の人物から約一年前に入手した。同紙のバスチアン・オベルマイヤー記者が暗号化されたチャットを受信し、機密文書の存在を知った。

だが、あまりに膨大なデータのため一社では歯が立たず、米非営利組織「国際調査報道ジャーナリスト連合[*51]（ＩＣＩＪ）」に公開し、共同で解析を進めた。「ＩＣＩＪ」は世界七六カ国、一〇七の報道機関に所属する約一九〇人のジャーナリストが共同で調査報道を行うためのネットワークだ。

二〇一六年四月五日、北京発共同電は「中国主席親族も租税回避地利用か姉の夫がペーパー会社オーナー」と題したニュースを報じた。曰く。

習近平国家主席の姉の夫が、タックスヘイブン（租税回避地）として有名な英領バージン諸島のペーパーカンパニー二社のオーナーになっていたことが四月五日までにわかった。共同通信も参加する「国際調査報道ジャーナリスト連合」が入手した内部文書を基にウェブサイト上に図解とともに発表した。習近平は反腐敗運動で官僚や政敵を摘発して民心や権力の掌握を進めてきた。会社の実態は不明だが、親族が租税回避地で資産管理していた可能性が浮上したことで、中国のインターネット上では「他人を摘発しておきながら自分の家族は同じことをしている」と批判の声が上がっている。

この記事でいう習近平の姉とは、斉橋橋である。ネットで話題の「姉の夫」とは、鄧家貴である。ウィキペディアによると、鄧家貴は一九五〇年九月五日生まれ、国籍不詳だが、パナマ文書には香港居民身分証の写真がある。[*52] 中国内地居民である。現在北京中民信房地産開発有限公司総経理であり、上場公司「合康変頻（北京合康億盛変頻科技股份有限公司）」の董事〔役員〕である。

英『エコノミスト』は、薄熙来夫人・谷開来のマネーロンダリング事件を報じた際に、習近平の姉の夫についても言及したことがある。[*53] 曰く。

ブルームバーグの調査によれば、習近平の親族は巨大な富に恵まれている。習近平の姉・斉橋橋の夫・鄧家貴は数十億ドルの資産をもつ。それは不動産の株式と通信事業、レアアースのビジネスからなる。

それから四年後、パナマ文書は、次のように書いた。

流出文書は薄熙来夫人・谷開来の海外取引について新しい詳細を提供するとともに、他の有力な指導者たちの富についても暴露した。中国の万事を掌る主席・習近平の姉の夫・鄧家貴も租税逃避のペーパーカンパニーを利用していた。習近平は反腐敗闘争を進めているが、鄧家貴はパナマのモサク・フォンセカ社を通じて二〇〇四年に一社を設立し、二〇〇九年にはさらに二社を設立した。[*54]

三社のうち、Supreme Victory 社は二〇〇七年に解散したが、他の二社が二〇一二年に習近平が総書記に就任するまでに休眠したか、明らかではない。
李鵬元総理の娘・李小琳とその夫も一九九四年に英領バージン諸島に Cofic Investments を設立した。賈慶林の孫娘・李紫丹は二〇一〇年に Harvest Sun Trading Ltd. を設立しオーナーになった。当時彼女はスタンフォード大学に入学したばかりであった。張高麗常務委員の義理の息子・李某も、英領バージン諸島に会社を設けている。[*55]
劉雲山常務委員の義理の娘・賈立青は二〇〇九年にバージン諸島に設立した会社[*56]の社長・株主である。曽慶紅は二〇〇二～〇七年に国家副主席であったが、弟の曽慶淮は China Cultural Exchange Association Ltd. を設立した。故胡耀邦の息子・胡徳華は Fortalent International Holdings Ltd. の社長兼株主である。

彼は会社の登記に北京の自宅住所を書いた。

経過を顧みて、いま明らかなことだが、西側のメディアが騒ぐようになった二〇一六年春には、習近平の虎退治は、少なくとも大虎に関しては、ほとんど終わっていたのだ。スキャンダル情報をより早く握り、これを活用した者が権力闘争に勝つ。パナマ文書事件は、典型的なケースに見える。

三 当面の展望

当面の展望 その一――米中経済関係と日本

著者は本稿で習近平の横顔を毛沢東に似せて描かれるイメージとして紹介してきたが、いうまでもなく二一世紀の中国は、鎖国を続けていた毛沢東時代とは、中国内外の環境が著しく異なる。中国の政治経済はグローバル経済の中に深くビルトインされている。それゆえ市場経済の発展を基軸として政策を進めることにならざるをえない。この文脈では、習近平は「プチ鄧小平」の役割を演じるべき運命を甘受しなければならない。文革期のような鎖国政策にはもはや戻れない。私は旧著『チャイメリカ』[*57]で詳論したが、米国の国債を保有する最大の債権国が中華経済圏であり、二〇一七年二月現在、約一兆四四三五億ドルだ。ちなみに米国追従派の日本は一兆一一五一億ドルで中華経済圏よりも三二八四億少ない[*58]。

米中貿易は日米貿易の約三倍であり、米国から見た「日本の地位」に昔日の面影はない。図7は、トランプ政権のもとで米国議会はどのような対中政策を選ぶべきか、その資料として Congressional Reserch

Service の専門家が執筆した『米中貿易問題』（二〇一七年三月）から、印象的な図として一枚選んだものだ。日米貿易の衰退と中米貿易の猛烈な発展とを鮮やかに示している。転換点は二〇〇二～二〇〇三年だ。米国の輸入に占める日本のシェアは九〇年代の二三％から二〇一五年の六％に激減し、代わって中国のシェアが四％から二四％に激増した。これが「ソ連解体以後、今日までの四半世紀」の変化である。米国から見て日本の地位は、ここまで落ちている現実を日本人は容易に認識できない。かつてジャパン・アズ・ナンバーワンと褒められた幻影、幻覚から未だに目覚めることができない。

中国国内の社会情勢も高度成長を経て大きく変わりつつある。内外の情勢が激変する中で、習近平が毛沢東の作風を真似するだけでは、マンガになってしまう。とりわけグローバル経済の潮流は、中国経済を深く包摂している。そこで鄧小平流の沿海地区発展戦略をグローバルに発展させた構想こそが「一帯一路」という海陸シルクロード構想にほかならないのである。[*59] 二〇一七年五月十四～十五日、北京で開かれた初めての首脳会議には、世界各地からリーダーが参集した。日本からは二階俊博自民党幹事長が出席したが、ＡＩＩＢへの参加を拒否しているので、居心地はよくなかったであろう。

当面の展望　その二――十九回党大会

二〇一七年秋の党大会を準備する六中全会（二〇一六年十月二十四～二十七日）は、「四つの構想」を討議した。すなわち①中共中央政治局の中央委員会への活動報告、②全面的で厳格な党内統制の重大な問題の研究、③新情勢下の党内政治生活の若干の準則の策定、④「中国共産党党内監督条例（試行）」の改正である。①は通例の報告であり、③の「若干の準則」と④の「党内監督条例」を説明する。②

図7　米国経済から見た日中貿易シェアの逆転

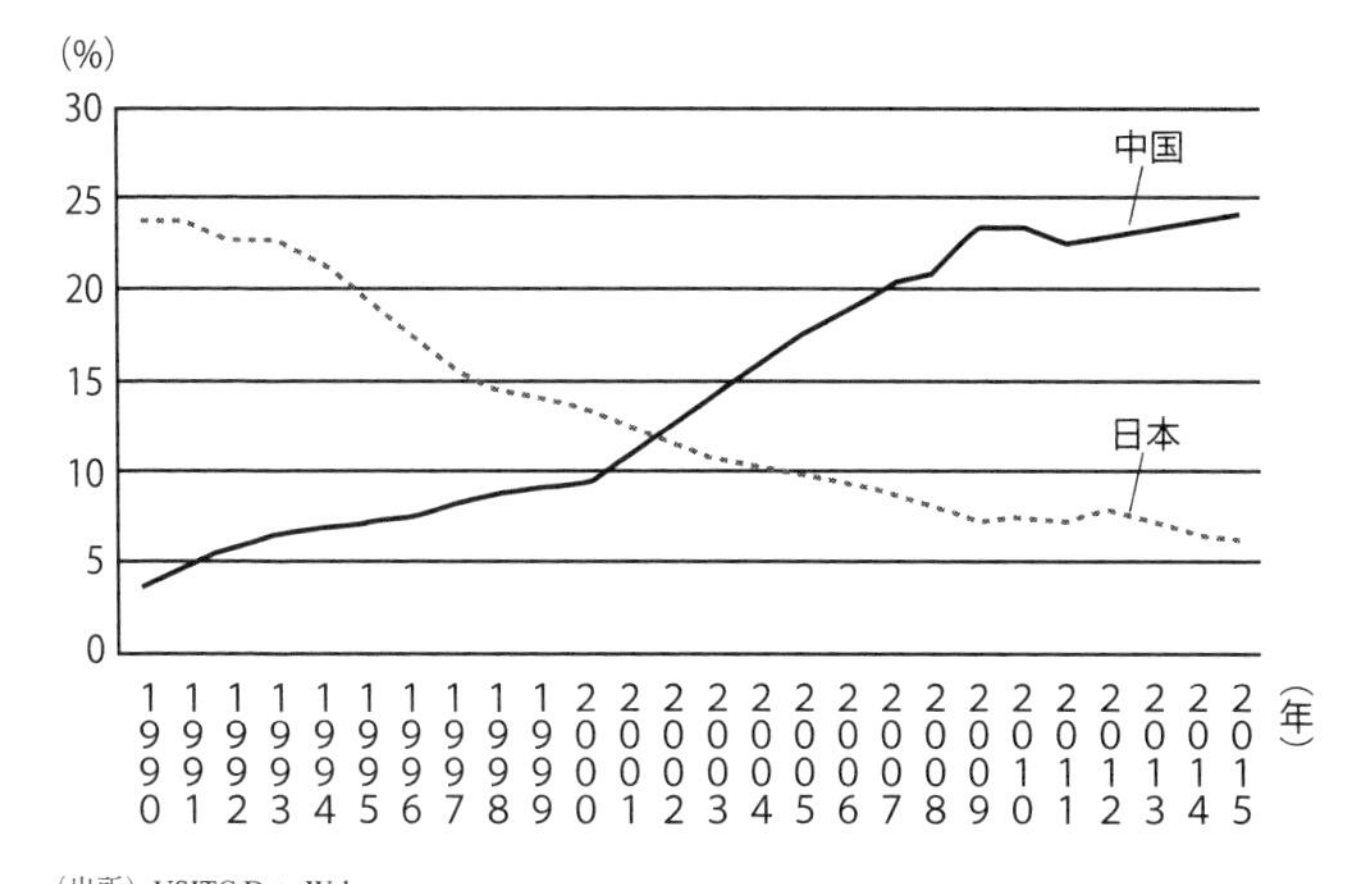

（出所）USITC Data Web.
米国が中国と日本から輸入する商品の米国輸入全体に占める比率。日本のそれは 1990 年には 25% 弱をしめたが、いまはピーク時の 5 分の 1 に減少した。中国のそれは 5% 台から 25% 弱まで拡大した。
（資料）Congressional Reserch Service, *China-U. S. Trade Issues*, by Wayne M. Morrison, March 3, 2017.

「厳格な党内統制」がこの会議の主題であった。中国共産党は由来、各級ごとに「紀律検査委員会」を設けて、党員の規律を点検してきたはずだが、規律を最も重んじてきた解放軍内で空前の腐敗が生じていたことは、旧来のシステムが制度疲労に陥り、機能していなかったことを含意する。

その文脈で、党内の組織改革は喫緊の課題であり、同時に党内改革の結果を中国全体の官僚機構に波及させる必要がある。

このため中共中央紀律検査委員会は、国務院（政府）と同格の強い権限をもち、あらゆる公職者を対象に腐敗行為を取り締まる「国家監察委員会」を二〇一七年三月に新設した。中央紀律検査委員会の公式ホームページは、新機構設立について、最高指導部メンバーの王岐山の発言を掲載する形で伝えた。王岐山は報告の中で、二〇一七年三月全人代で国家監察委員会の新設計画を明らかにするとともに、その法的根拠となる国家監察法を可決し、幹部の任命など本格的な組織作りを行うと説明した。

新しい国家監察委員会は、これまで政府や検察機構内に分散して設けられていた公務員の汚職や規律違反、職務怠慢などを取り締まる複数の部門を統合して、政府の高級幹部をも含めて取り締まることができる強力な「反腐敗」機関を設立する目論見だ。習近平が進めてきた「反腐敗」政策を今後も継続していく体制づくりの象徴ともいえる組織にほかならない。

ここで取り締まりの対象は「公権力を行使するすべての公務員」とされている。この新たな反腐敗組織が思惑通りに機能するとすれば、中国共産党の支配は延命の可能性が強まるが、かつての各級紀律検査委員会と同様に、腐敗を隠蔽する組織に変質する危険性も小さなものではない。中国では古来、「水は船を浮かべるが、船を覆すのも水だ」という。人民が共産党政府という船を浮かべることを容認するか、それとも覆すか。それは権力者たちの腐敗をどこまで自浄作用によって浄化できるかにかかっている。

中長期展望　「北京のアダム・スミス」[*60]の教訓

ジョヴァンニ・アリギ（一九三七〜二〇〇九年）は、イタリア生まれ、米ジョンズ・ホプキンス大学[*61]教授として活躍しつつ突然死去した、著者と同世代の経済学者である。『北京のアダム・スミス』は、西洋と東アジアの経済発展の径路を比較検討し、米国の凋落と東アジアの経済復興の歴史的意義を説いている。特に第12章「中国の台頭の起源と原動力」は、ＧＮＰが米国を越える「中国の勃興」の分析として出色だ。ポイントは、アジアにおける市場経済の発展をどう解するか、である。アリギは、二〇世紀の後半になぜアジアが「奇跡的に再興」したのかを問い、非資本主義的市場経済が答えだという。スミスは資本主義的発展よりむしろ市場の発展を重視して自然的発展と規定した。現代アジアにおいては、ヨーロッパ的発展とアジア的発展という、二つの発展径路のハイブリッド化が進行中と説く。マルクス主義史観は、現代アメリカ合衆国にこそ最も妥当すると論じて、「マルクスの正しさは、デトロイトという自動車工場の廃墟で発見された」というすばらしい警句を発している。

米国の世紀はなぜ衰退したのか。二〇世紀前半、英国から米国へ、ヘゲモニーが転換した。第二次世界大戦後、米国のさらなる資本蓄積・金融資本主義への転換が行われ、金融資本主義が米国を侵食した。米国政府はケインズ主義による戦争国家・福祉国家（warfare-welfare state）により共産主義封じ込めを旗印にした。しかし、ケインズ主義的な国家主導による経済・軍事戦略は、力をつけた日本・ドイツなどによる利益の侵食、および国内の労働者勢力からの賃上げ圧力にさらされた。加えてベトナム戦争による米国の威信低下と戦費拡大により、戦争・福祉国家は危機に陥った。

この危機を米国は「通貨主義者（マネタリスト）の反革命」（アリギの表現）によって乗り切ろうとして、変動相場制を導入した。これにより通貨が「商品としての価値」をもち、国境を越えて流れる通貨が「現実の物流」をはるかにしのぐ事態が生まれた。米国多国籍企業は海外に資本投下し、米国資本は海外に流出した。同時に通貨の投機的売買が進み、ドル価値が下落した。

過剰蓄積された資本が、国内市場に還流されず、さらなる自己増殖のためにグローバル規模で投下され、金融資本主義は労働者の生活を悪化させ、米国製造業の国際競争力の低下を招いた。国内製造業は衰え、空洞化し、企業はより効率的な生産を求めて、グローバル・ネットワーク的生産に移行した。これがアジアの経済成長を促し、米国の資本力・金融力を弱め、ヘゲモニー低下を促進した。トランプが非難してやまない米国経済の現実、とりわけ「雇用の喪失」はこうして生まれたのだ。

東アジア中心の世界市場の形成が現実になってきた中で、米国は「未知の長城（The Great Wall of Unknowns)」を築き、封じ込めようとした、とアリギは批判する。アジアこそが、スミス的な非資本主義的市場経済を中心的に発展させてきた地域である。アジアは、ヨーロッパ型の海外領土獲得、軍事力拡大依存型の資本蓄積とは異なり、国内市場優先の立場から短距離、周辺国との交易を重視する道を選んできた。

両者の相違点は、何か。欧米型は、地理的拡大と国家間戦争を伴うのに対し、アジア型は一五世紀来の五〇〇年の平和を維持し、スミスの言う「自然な」発展径路としての国内市場の維持成長を優先したことだ。

世界経済の未来についてのハンドルを握っているのは、もはや西洋、米国ではなく、東アジア、中国であることを認識すべきであるとアリギは訴える。同時に中国に対しても、環境に配慮し、持続可能な経済発展の道を追求されよ、と強調している。その理論的土台は、①西洋と東洋の経済発展径路の違いの再確認と②ハイブリッド化の可能性の追求、である。アリギは、過去五〇〇年間の、西欧資本主義システムにおけるヘゲモニーの移行、すなわちヘゲモニーの新旧交代において、金融の重要性を指摘した。アリギは伝統的市場経済（C―M―C´）と資本主義経済（M―C―M´）とを峻別して、前者を肯定して、後者を否定する。前者は、人々が市場において必要な商品を交換し合う関係であるから、人間にとって自然な関係を取り結ぶことになる。しかしながら後者は、資本をもって資本を増殖する行為、資本のあくなき自己増殖をはかるものであり、近代以前の市場経済、商品交換とは異質だ。資本主義の発展は軍事力を用いた植民地獲得を不可避としたが、スミスの説いた市場経済は軍事力と無縁であった。マルクスの資本家的生産には、より有用な商品との交換を意図した商品交換が想定されていたが、スミスは、「貨幣には購買力のほかに目的はない」と論じた。マルクスの資本主義的発展を放棄せよ。スミスの歴史社会学に戻るべし。アリギの主張は明解このうえない。

アリギの所説を日本に適用してみよう。日本はアジア型とヨーロッパ型の二つの顔をもち、それゆえ両者の接点に位置していた。その歴史的位相を正しく認識して、日本にしかできない役割を発揮するのか、それともアジアにありながら米国の敗れた夢を追い続けるのか、いま大きな岐路に立つ。マルクスやシュンペーターは資本の発展を論じたが、これを放棄せよ。スミスの歴史社会学に戻るべし。これがアリギの遺言だ。[*62] しかしながら中国の勃興と米国の衰退との狭間で、安倍晋三政権は愚劣にも、敗れた夢に未練を抱き続けている。

＊1　2011 International Comparison Program Summary Results Release Compares the Real Size of the World Economies.
＊2　The US has been the global leader since overtaking the UK in 1872.
＊3　Broomberg, April 30, 2014, China Set to Overtake U.S. as Biggest Economy Using PPP Measure.
＊4　WSJ, April 30, 2014, China's Economy Surpassing U.S.? Well, Yes and No.
＊5　Maybe China's Currency Isn't Undervalued After All.

*6 Conference on Interaction and Confidence Building Measures in Asia. 略称ＣＩＣＡ、中国語では「亜洲相互協作与信任措置施会議」。

*7 人民網（日本語版）二〇一四年五月二十一日。

*8 人民網（日本語版）二〇一四年五月二十一日。

*9 人民網（日本語版）二〇一四年五月二十二日。

*10 人民網（日本語版）二〇一四年五月十六日。

*11 Japan's diplomacy must always be rooted in democracy, the rule of law, and respect for human rights.

*12 『野村資本市場クォータリー』二〇一六年秋号。

*13 本書六三頁の表1アジアインフラ投資銀行ＡＩＩＢの融資案件。

*14 関根栄一「運営段階に入ったアジアインフラ投資銀行ＡＩＩＢ」『野村資本市場クォータリー』二〇一六年秋号、八頁。

*15 EBRD, AIIB look at new joint projects, European Bank（24 June 2016）http://www.ebrd.com/news/2016/ebrd-aiib-look-at-new-joint-projects.html

*16 『チャイメリカ』『尖閣問題の核心』『尖閣衝突は沖縄返還に始まる』『敗戦・沖縄・天皇』、いずれも花伝社刊。『チャイメリカ』（序に代えて・第1〜5・10章）、『尖閣問題の核心』（第1・3・8章）、『尖閣衝突は沖縄返還に始まる』（第1・3〜5章）は本著作選集第4巻に所収。

*17 21世紀中国総研編『中国情報ハンドブック ２０１４年版』蒼蒼社、二〇一四年七月、所収。

*18 The U.S. Japan Alliance-anchoring stability in Asia

*19 『習近平 国政運営を語る』第一巻、北京・外文出版社、二〇一四年十月、付録「人民大衆はわれわれの力の源泉である」。

*20 この学校は一九四六年設立、一九五五年に「北京市一〇一中学」と改称された。主な卒業生

に曽慶紅、李鉄映、劉洪、劉鶴などが含まれる。
＊21　延川県文安駅公社梁家河大隊の北京知識青年は一五人で、習近平のほか、王翠玉・徐晶・趙華安・雷平生・佟達寧・楊京生・王燕生・戴明・梁万生・慕豊安・慕愛平・斉麗梅・李京鮮・張春富だった。
＊22　習近平の下放中については『人民日報』二〇一三年五月六日付で解説している。出所：大公網（「習近平親述当年在陝西梁家河村挿隊経歴」http://news.takungpao.com/mainland/zgzq/2013-05/1590913_2.html）。
＊23　極端な場合は、殺人の加害者であった。たとえば土屋昌明「中国の「民間ドキュメンタリー」とはなにか――胡傑監督へのインタビュー」『専修大学社会科学研究所月報』No.５９８、二〇一三年四月、五七～五八頁。
＊24　たとえば牟伝珩の論評「中南海で、集団指導制を覆す」香港『争鳴』二〇一五年第三期。
＊25　邦訳『習近平　国政運営を語る』第一巻、北京・外文出版社、二〇一四年十月。
＊26　邦訳四三二頁。
＊27　北京・人民文学出版社、一九七七年。
＊28　二〇一五年六月十一日に天津市第一中級法院は周永康被告に対して、無期懲役、財産没収を言い渡した。
＊29　The Coming Chinese Crackup, *WSJ* 2015.3.6
＊30　「当面のイデオロギー状況についての通報」（略称、「九号文件」）は、二〇一三年四月二十二日に中共中央弁公庁が出した文件であり、メディアの主導権を習近平総書記の党中央と一致する者に掌握させよと指示したもの。『明鏡月刊』（二〇一三年八月号）がスクープした。この文件は、「市級、地区級、師団級」までしか伝達しないよう指示されていることから、秘密文書としての性質が

わかる。二〇一四年四月下旬、フリーの記者・高瑜はこれを漏らしたことで逮捕された。
＊31　たとえば『激辛書評で知る中国の政治・経済の虚実』日経ＢＰ社、二〇〇七年、第2章、および『中共政権の爛熟・腐敗――習近平「虎退治」の闇を切り裂く』蒼蒼社、二〇一四年、一四二～一四五頁。
＊32　Shambaugh on the Risks to Chinese Communist Rule, *NYT* By Chris Buckley March 15, 2015.
＊33　反党小説劉志丹事件（https://ja.wikipedia.org/wiki/反党小説劉志丹事件）。
＊34　ロイター電二〇一六年四月二十一日。The 100 Most Influential People　http://time.com/collection/2016-time-100/leaders/
＊35　この人事内定を受けて、王岐山自身は、自らの財政金融部門の後継者ポストを周小川に決定し、周小川を全国政協委員の副主席の一人に据えた。これによって閣僚級の周小川の定年は六十五歳から副総理級の六十七歳に延びた。腐敗摘発は金融面にも波及するが、周小川に実務レベルの最高意思決定を委ねる措置にほかならない。
＊36　「十年浩劫」とは、文化大革命の別名である。
＊37　維基百科「周小平」（https://zh.wikipedia.org/wiki/%E5%91%A8%E5%B0%8F%E5%B9%B3）。
＊38　第一信には一七一名の共産党員という署名者数はない。
＊39　彭麗媛の妹とは彭麗娟である。彼女は二〇一六年春節前夜の人気番組「中国中央電視台（ＣＴＶ）春節聯歓晩会」の制作主任に抜擢された。
＊40　国務院総理李克強は政治局常務委員七名中、習近平に次ぐ地位にあるが、「皇帝毛沢東に仕える宰相周恩来」のパターンが形成されつつあることは、すでに指摘した。
＊41　たとえばパキスタン南西部のグワダル港建設やチョリスタン砂漠の太陽光発電所建設はその一例である。グワダル港はアラビア海の入り口に位置し、中国の南下戦略の拠点と見られている。

チョリスタン砂漠はインドとの国境近くに位置し、中国の通信大手「中興通訊」系列の「中興能源」が建設する。

＊42　徐才厚上将（一九四三〜二〇一五年）は前軍事委員会副主席、汚職のかどで共産党を除名され、病死した。

＊43　郭伯雄上将（一九四二年〜）は前軍事委員会副主席、汚職のかどで起訴され、共産党を除名された。

＊44　グーグルの広告では『習近平与他的情人們（習近平の情婦たち）』のタイトルになっている。

＊45　二〇一六年一月、訪中した英国のフィリップ・ハモンド外相と王毅外相とのやりとりを指す。

＊46　第十九回党大会は二〇一七年秋に開催され、この公開状はまにあわず、次の党大会に照準を当てることになる。

＊47　第一信、第二信とも来源は香港本土新聞網。

＊48　二〇一六年四月二十八日付、以下ＳＣＭＰ。

＊49　「万雅博客」二〇一六年一月十三日。

＊50　『博訊』二〇一三年三月。

＊51　この組織はパナマ文書を広く紹介した功績により、二〇一七年のピューリッツァー賞を得た（https://www.icij.org/）。

＊52　Twitter @ICIJorg, 20:59 - 6 April 2016. https://twitter.com/ICIJorg/status/717924649644990464/photo/1?ref_src=twsrc%5Etfw

＊53　Wealth and power It's a family affair *The Economist*, Jun 30th 2012. http://www.economist.com/blogs/analects/2012/06/wealth-and-power

＊54　Supreme Victory Enterprises Ltd., Best Effect Enterprises Ltd. Wealth Ming international Ltd.

＊55　Zennon Capital Management, Sino Reliance Networks Corporation and Glory Top Investments Ltd.

＊56　Ultra Time Investments Ltd.

＊57　花伝社刊、二〇一二年。

＊58　中華経済圏ではなく、中国大陸だけでは、一兆五八四億ドルで、日本をわずかに下回る。二〇一六年九月までは中国大陸だけでも日本を上回っていたが、二〇一五〜一六年の「新常態」以後、中国経済は調整局面を迎えている。

MAJOR FOREIGN HOLDERS OF TREASURY SECURITIES　http://ticdata.treasury.gov/Publish/mfh.txt.

＊59　「中国経済が米国を抜いて世界一になる時、中国封じ込めに失敗した安倍ドンキホーテ政権に未来はあるか――ＡＩＩＢ問題で世界の孤児となった日本」ちきゅう座、二〇一五年四月六日（http://chikyuza.net/archives/52164）。

＊60　GIOVANNI ARRIGHI, *ADAM SMITH IN BEIJING: Lineages of the Twenty-First Century*, First published by Verso 2007（邦訳・ジョバンニ・アリギ／中山智香子監訳『北京のアダム・スミス――21世紀の諸系譜』作品社、二〇一一年）。

＊61　この大学は矢吹の旧友スチーブン・ハーナーの母校であり、スチーブンは矢吹著『チャイメリカ――米中結託と日本の進路』（花伝社、二〇一二年）への書評をこの大学の紀要 *SAIS Review* vol. XXIII, no.2 Summer-Fall 2003）Realliances and the Future of U.S. Interests in China and Japan Stephen M. Harner Yabuki Susumu, Chimerica--U.S.-China Collusion and the Way Forward for Japan, Tokyo, Kadensha, 2012, 315 p. に書いている。

＊62　アリギの所説のような大きな文脈で説いたものではないが、「アジア型経済発展モデル（Asian Path of Development）」というキーワードを用いて、著者はかつて以下のように書いた。「一九九三年春、英国のオックスフォード郊外でディッチリー国際会議が開かれ、著者も招かれてこれに出席し

た。対独戦争中にチャーチルが司令部を置いたという由緒正しい貴族の邸宅で開かれたこの会議のテーマは、［ソ連解体以後の］西側の対中国政策を検討するものであり、そこで提起された「アジア型経済発展モデル（Asian Path of Development）」というアイディアは、近年著者（矢吹）が考えてきたものと同じであることを確認した」（『変貌するアジアの社会主義国家』佐藤経明（総論）・白石昌哉（ベトナム）・丹藤佳紀（北朝鮮）・矢吹晋（中国）の共著、三田出版会、一九九五年六月、九六頁に所収）。

（初出：『習近平の夢――台頭する中国と米中露三角関係』花伝社、3章・4章・結びに代えて、二〇一七年六月）

習近平二期体制の展望

第二次大戦後に生まれたパックス・アメリカーナの世界（＝ブレトンウッズ体制）は一九七一年の金兌換停止によって大きな曲がり角を迎える。その後、中国の経済発展は米国を追い抜く勢いを示すようになり、国際通貨としてのドルの終焉過程が始まる。二〇一七年、二期体制に入った習は「社会主義初級段階」の認識を新たにする。社会主義の教義と明らかに矛盾する「資本に対する配分」「株式配当」「不動産等財産」への配当といった政策をいつまで容認するのか。目覚ましい経済発展がもたらした不均衡な、不十分な発展にどう対処するのかという新しい課題に挑むことになる。

1　トップセブンの陣容

二〇一七年一〇月一八〜二四日、中国共産党は第一九回党大会を開き、二〇〇〇名余の中央委員と二五名の政治局委員を表1のごとく選出した。

常務委員七名の顔触れを見ると、七名中五名は筆者の予想通りであり、穏当な選択と見る。筆者の予想が食い違ったのは、王滬寧、韓正の代わりに、陳敏爾と胡春華の昇格を予想した点である。その理由を筆者は二つだと解している。ポスト習近平のリーダーとして党務の陳敏爾と政務の胡春華が想定されているが、彼らはおそらく五年後に昇格するのではないか。しかも複数の政治局常務委員候補のなかから「差額選挙によって選択する」ことで「選ばれた常務委員に正統性を付与する」形をとる。二一世紀の中国共産党においては、前任者が指名して信任投票を行う形式では全党の支持を獲得することが難しいと判断していると筆者は解している。もう一つは、王滬寧、韓正が選ばれたことの意味である。王滬寧は習近平の主な外国訪問にすべて随行して、現場で習近平に入れ知恵する姿は、たとえば二〇一七年四月のトランプとの会談の映像から明らかだ。複雑な国際情勢を冷静に分析しつつ、即席の対応を求められる今日の情勢分析の難しさが、元来「黒子の役割」の王滬寧を表舞台に引き上げたのではないか。韓正の実務処理能力は上海書記時代から実証済みだ。

要するに、この七名の顔触れは、二〇一七〜二〇二二年の習近平二期政権の直面する困難な課題を解決して、二〇四九年の建国一〇〇周年への道を切り開くための人事配置と見てよい。日本の主要メディアは、六〇歳前後の次世代の欠如を指して、「習近平が三選を狙うもの」と解釈したが、これは間違いだろう。幹部の「二期一〇年」制はいまや固い「潜規律」として全党の人事任用基準なのであり、「党

表１　第１９期中央政治局常務委員および政治委員

氏名	地位	2022年　年齢	2022年常務委員昇格可能性
習近平	常務委員	69歳、引退	
李克強	常務委員	67歳、引退	
栗戦書	常務委員	72歳、引退	
汪　洋	常務委員	67歳	再任
王滬寧	常務委員	67歳	再任
趙楽際	常務委員	65歳	再任
韓　正	常務委員	68歳、引退	
許其亮	委員	72歳、引退	
孫春蘭	委員	72歳、引退	
楊潔篪	委員	72歳、引退	
張又俠	委員	72歳、引退	
王　晨	委員	71歳、引退	
劉　鶴	委員	70歳、引退	
楊暁渡	委員	69歳、引退	
陳　希	委員	69歳、引退	
郭声琨	委員	68歳、引退	
李　希	委員	66歳	昇格可能
李鴻忠	委員	66歳	昇格可能
陳全国	委員	66歳	昇格可能
蔡　奇	委員	66歳	昇格可能
黄坤明	委員	65歳	昇格可能
李　強	委員	63歳	昇格可能
陳敏爾	委員	62歳	昇格可能
丁薛祥	委員	60歳	昇格可能
胡春華	委員	59歳	昇格可能

※ 2022 年引退 13 名、昇格可能 9 名

の核心」たる習近平でさえ例外ではない。習近平はむしろその制度化（差額選挙を含む）に努力している。その根本を日本メディアは誤解している。

国際情勢で喫緊の対応を要する課題は、北朝鮮の非核化問題である。二〇一七年九月三日北朝鮮は大型水爆実験を行うことによって、新たな衝撃を与え、非核化―平和協定問題はいよいよ差し迫っている。トランプの示唆する「あらゆる軍事行動」への対応を含めて、北京当局は重大な意思決定を迫られている。最も強硬な見解は、張璉瑰（中央党校教授）のものであり、たとえ米国がどんな行動をとるにせよ、中国は一切関与するなかれ、これが朝鮮戦争以来の苦い教訓だと説く。他方、北京大学国際関係学院の賈慶国院長の見解は、East Asian Forum なる英文サイトに「北朝鮮の最悪の事態に備えるべきとき（Time to prepare for the worst in North Korea）」と題した文から知られる。彼は韓国に招かれて九月一一日、これを語った。賈慶国提案に対してブルッキングズ研究所のジェフリー・ベーダー（前ホワイトハウス・アジア部長）がこれに呼応したコメントを同研究所のホームページに発表し、中米両国のシンクタンク間の阿吽の呼吸を示唆している。賈慶国が九月九日、「北朝鮮が弾道ミサイルを発射したにもかかわらず、中国外交部は「北の挑発と南の演習の同時停止」（①北朝鮮の核・ミサイル挑発と②韓米合同軍事演習）および「非核化と平和協定の同時進行」（①朝鮮半島の非核化と②米朝平和協定）を主張し続け、糊塗している」と中国政府を批判した。「北朝鮮は中国の努力を無視して核開発を加速化している。①米国の先制攻撃を招くか、②北朝鮮の政治危機を招く」と分析しつつ、「中国は半島における戦争の可能性を認め、米・韓と協議を進めよ」と強調し、北京政府の対北政策の転換を要求したものである。

政策転換に慎重な保守派のイデオローグ朱志華（浙江省国際関係学会副会長）が、早速これに対して、「（賈は）半島の危機の責任が北朝鮮と中国にあると言っているようなものだ」と反論した（九月一一日）。これに対して賈慶国は九月一五日、「北朝鮮の核兵器開発は中国の安全保障に深刻な脅威である。にもかかわらず、朱は北朝鮮を無条件に擁護するのか」と反論した。この対立は根深い。表面化するのは、二〇一七年九月だが、これは朝鮮戦争以来続いている懸案だ。賈慶国のほか、①沈志華・上海華東師範大学教授らは北朝鮮の核開発を非難し、中国政府の対韓THAAD報復を批判した。中央党校の②張璉瑰教授や南京大学の③朱鋒教授なども、「THAADで中韓関係が悪影響を受けてはならない」と し、中国政府を暗に牽制した。このような識者の批判を踏まえて中韓間で交渉が行われ、THAAD問題で合意がなり、中韓の外相会談が生まれ、文在寅大統領の訪中が協議されるに至った。

現在、中国と北朝鮮の関係が極度に悪化している事実が外部世界、とりわけ日本では的確に分析されていない。中国との関係が深かった張成沢（金正恩の叔父）が粛清され、金正男（金正恩の異母兄）が暗殺され、中国は交渉のパイプ役を一方的に破壊されて今日に至る。これら一連の事実の意味が的確に理解されず、中朝の朝鮮戦争以来の血で結ばれた友誼、名存実亡の中朝同盟条約などの「神話」に捕らわれているので、両国関係の真相がまるで見えない。これは日中断絶の結果でもあるが、こうした情報欠落を埋める努力を放棄したまま、一方でJアラートなる警報システムで北朝鮮の脅威を煽りながら、陸上イージス兵器の買い入れに利用し、選挙対策に利用するというチグハグな対応に終始したのが日本政府である。日本海に林立する原子炉への警戒は忘れたふりをして、再稼働を急いでいる。冷静に観察するならば、日本の安全保障にとって最も危険なのは、原子炉が自然災害あるいは人為的行為によって冷却電源を停止されることだ。それへの対策を怠り、ミサイル迎撃といった空想的対策で世論をミスリードしているのが日本の安全保障政策の現実の姿である。

2　ロシア革命一〇〇年、中国革命六八年

世界史を顧みると、二〇一七年はロシア革命百周年である。東アジアのリージョナル世界を見ると、日中国交正常化四五周年を迎える。ロシア革命は百周年を待たずに崩壊し、東アジアの二大経済大国の相互関係は、経済的連携の緊密化とはウラハラに悪化の一途をたどる。第一次世界大戦が終わるまで、パックス・ブリタニカの世界が長く続いた。戦争で疲弊した英国は、戦争で力をつけた米国に覇権を譲った。こうして第二次大戦後にパックス・アメリカーナの世界が生まれた。それから約七〇年、米ドルを基軸通貨とするブレトンウッズ体制は、いまや中国の外貨準備をもって米国債を買い支えることなしには継続できなくなっている。一九四五年のブレトンウッズ協定を契機としてスタートしたパックス・アメリカーナの歴史は、一九七一年の金兌換停止で大きな曲がり角を曲がった。それでも当時のドルは、金の裏付けは失ったとはいえ、米国経済は圧倒的な生産性の高さをまだ保持していた。

ソ連解体に伴って、グローバル経済は旧計画経済諸国の安価な労働力と、そこに広がる市場とを頼りにして、発展を続けた。そして臥薪嘗胆の中国が三〇年にわたる高度成長を続けた結果、ドル支配体制に挑戦するほどの経済力を蓄えるに至った。中国の経済発展は米国経済を追い抜くほどの量的拡大を示すようになったが、人民元を基軸通貨にできるほどの実力からはほど遠い。しかしながらパックス・アメリカーナを支えた国際通貨としてのドルの終焉過程はすでに始まっている。かつての金に裏付けられ

たドルの威光はなく、また軍事革命による近代兵器の威力も、もはや人々を驚かすことはない。このような現実が異端のトランプを大統領に選んだ背景である。

トランプを取り巻く世界がこのような諸条件に規定されているとするならば、切り札を持たないトランプに何が可能か。掛け声の割には地味な結果に落ち着くほかはあるまい。ただ、危惧されるのは、局面の打開を謀るために、戦争という禁じ手——最後の手段に訴えることだ。ポスト・トルースなるあやしげな価値観がまことしやかに語られる風潮には警戒を怠るべきではない。フェイク・ニュースだとマスメディアを批判するものが自らトルースを発信している保証はない。いまこそ「事実と論理」に基づいて世界を分析すべき時代である。

3 「米中もたれあい」構造に挑戦するトランプ

二〇一七年一月一四日の記者会見で、「一つの中国」というニクソン訪中以来の四十数年の慣行もまた「交渉のテーマだ」と挑発しつつ、他方、テリー・ブランスタド アイオワ州知事を駐中国大使に指名すると発表した。新華社は前者については触れずに、後者について「両国関係にとって前向きなサイン」とコメントした。トランプは大統領選挙戦で何を訴えたのか。トランプは選挙戦において、「中国が米国の雇用を奪ってきた」と非難し、「不公正な為替操作や敵対的な貿易方法を用いている」と告発し、これに対して米国は「中国の商品に高い輸入関税を課す」と脅迫してきた。たとえば二〇一六年九月、ヒラリー・クリントンとの論戦で「中国が米国に対して何をやっているか、それを見よ」と語り、「中国再建のために、米国を自分の貯金箱のように使っているではないか」と煽動した。「米国は雇用を盗まれるのをストップしなければならないのだ」。中国が米国の市場を席捲して米国の雇用を奪い、外貨準備を増やしてきたのは、その通りだが、これは不公正な方法によるものなのか。米国の多国籍企業が中国で米国人に好まれる消費財を作り、米国市場で勝利した、ということではないのか。

二〇〇八年のリーマンショックまで、中国では資本流入が基調であり、資本流出は年末の季節調整分に限られていた。しかしながら、習近平体制への権力移行が行われた二〇一二年半ば以後、二〇一三年は若干の揺れ戻しが見られたけれども、二〇一四〜一六年は四半期ごとに一五〇〇〜二〇〇〇億ドル程度の資本流出が起こった。この動きに対して中国当局はあらゆる措置を動員した。たとえば①企業の外貨購入について計画と実績を定期的に報告させる、②高額な海外送金は事前に報告させる、③外貨建て債務の繰り上げ返済を禁止する、④企業買収など海外投資を事前に審査する、⑤個人の外貨両替に申請書を提出させ、資金使途を申告させる、⑥香港など海外で運用目的の保険商品の購入を制限する、などの措置を用いた。こうした必死の努力によって、外貨準備高は二〇一七年初めにようやく三兆ドルの大台を回復した。

4　趙紫陽から習近平まで三〇年の模索

表2は第一三回党大会（一九八七）から今回の第一九回党大会（二〇一七）まで、三〇年間七つの政治報告中の「社会主義の初級段階」と「初級段階の主要矛盾」という二つのキーワードについて、その出現頻度を調べたものである。言うまでもなく社会主義の発展にはいくつかの段階がある。中国は生産力の発展の遅れた状況下で革命を行ったので、何よりも生産力の発展に努めなければならない。生産手

表2　趙紫陽政治報告から習近平政治報告まで30年の試行錯誤

			文字数	初期段階の主要矛盾	社会主義の初期段階
1987年	第13回	趙紫陽	3.2万字	8	26
1992年	第14回	江沢民	2.6万字	2	4
1997年	第15回	江沢民	2.8万字	3	29
2002年	第16回	江沢民	2.8万字	1	3
2007年	第17回	胡錦濤	2.8万字	1	7
2012年	第18回	胡錦濤	2.9万字	1	6
2017年	第19回	習近平	3.2万字	5	3

段の私有制に対する社会主義改造を経て、中国はすでに社会主義国になったが、人々の生活の需要を十分に満たすことはできない状況にある。それゆえ、中国は社会主義の初級段階に位置しており、この初級段階における主要矛盾とは、日々増加する人民の需要と生産力の発展の立ち遅れとの矛盾（主要矛盾）である。趙紫陽報告は、初級段階を二六回語り、主要矛盾を八回語ることによって、「生産力発展の立ち遅れ」という矛盾が解決された暁に、初級段階から次の段階に移行する、政治改革の道筋を提起した。しかしながら、趙紫陽の失脚後、総書記のポストに就任した江沢民と胡錦濤は、ソ連解体に象徴される「ポスト冷戦期」という国際情勢の大変化もあり、中国の行方について明解な展望を打ち出すことができなかった。すなわち初級段階の先に何を想定するのか、①資本主義市場経済か、それとも②社会主義高級段階か。

江沢民は一九九二年、一九九七年、二〇〇二年の三つの党大会で「初級段階を語り、その主要矛盾を説いた」が、その説き方はますます「主要矛盾から逃走する自信喪失の道」であった。「主要矛盾の解決」へ議論を進めるのではなく、二〇〇二年には「三つの代表」なる曖昧路線が提起された。①先進的な生産力の発展の要求、②先進的文化への要求、③広範な人民の利益、これら三つの需要を満たすために中国共産党は活動すると、到達目標を曖昧化した。これが三期におよぶ江沢民長期腐敗政権の迷路である。それは趙紫陽が提起した「初級段階を経て政治改革へ」という展望を否定することでしかなかった。その帰結が汚職腐敗の蔓延、習近平の虎退治を必要とした背景にほかならない。胡錦濤執政の二期一〇年には「科学的発展観」という方法論についての提起は行われたが、具体的には地球環境の制約条件のもとで経済成長を構想すべきだという認識が提起された程度であり、「調和社会の建設」が政策として実現されることはなかった。要するに、江沢民は過渡期の指導者にすぎなかったが、この俗物政権を無理に延命させた結果、その桎梏のもとで「胡錦濤の一〇年」が失われ、結局中国は三〇年にわたる遠回りを余儀なくされた。この彷徨のさなかで「初級段階の終焉」という明確な展望を提起したのが習近平政治報告の功績にほかならない。あえて率直に評すれば、習近平二〇一七年報告でようやく趙紫陽の政治報告に直結する「社会主義初級段階」の認識を回復したことになる。すなわち生産手段の社会主義改造を終えたあとの主要矛盾は、社会主義的生産関係を支えるにふさわしくない遅れた生産力の状況である。①低い生産力の水準と②人民の増大する需要との矛盾が主要矛盾だ、生産力の発展こそが主要矛盾だという、古典的命題への復帰である。

5　習近平思想の登場

社会主義認識の枠組みは、党規約を読むとより明確である。二〇一七年規約は約一・九五万字である。これは約一・七三万字の二〇一二年規約と比べて、一割強長い。主として規約前文（総綱）が修正されたことによる。習近平という三文字は一一箇所に書き込まれた。人民の生活手段への需要と、これを保障する生産力の不均衡発展、不十分な発展との矛盾という認識は、一九五六年の第八回党大会で規定された構図と基本的に同じだ。そして階級闘争は一定の範囲内で残存し、時には激化することもありうるが、すでに主要矛盾ではない。これも第八回党大会当時と同じ認識である。あれから半世紀以上を経ているが、生産手段の資本家的所有を社会主義的改造によって改革したあとでは、階級闘争はすでに主要矛盾ではなくなり、そこでの新しい矛盾は、「人民の需要」に「生産力が追いつかない」ことだ、と認識したのが一九五六年の中国共産党の認識であった。その後、毛沢東はこの認識に大きな修正を加えて、階級闘争は依然、中国の主要矛盾だとする認識を一九六〇年代前半の、いわゆる社会主義教育運動の過程で提起し、これを実践するために、文化大革命を発動した経緯はよく知られていよう。そして、文化大革命の終了宣言以後四〇年を経て、ふたたび「増大する人民の需要と遅れた生産力の発展」を主要矛盾とする認識に戻ったわけだ。

ただし、この間の中国の経済発展はめざましいものがあり、生産力の面ではドイツを追い越し、日本を追い越し、ついに米国をも追い越した。この文脈では、単に「遅れた生産力」を指摘するだけではすまない。その部分は「不均衡な発展、不十分な発展」と表現を改めている。要するに、人民の増大する要求を満たすには「不十分」な側面を残し、かつ「不均衡」が残るという認識だ。

筆者は二〇一七年九月末から一〇月にかけて三週間、北京の街をぶらついて、スマホ決済の便利さを堪能した。日本経産省の調査報告『FinTechビジョン』によれば、中国のキャッシュレスは六割に迫り、世界一の水準だ。「愛客仕」によるスマホ決済を普及させたアリペイ、タクシー「滴滴出行」の配車サービス、モバイク社（シェアバイク）の使い勝手の素晴らしさ。他方、中国の経済成長は地球環境の制約にぶつかり、生態文明（生態を守る文明）の建設が大きな社会問題と化してきた。PM二・五が中国の大地を覆い、健康被害も現実の脅威となり、対策を迫られている。こうして中国はいま、一方では生産力の発展の需要に迫られ、他方では、その生産力の発展が生み出す地球環境の壁にぶつかり、生態文明を強調せざるをえない局面、段階に逢着している。これが生産力の側面から見た中国の矛盾である。ここでピッチを上げているEV化シフトは、一挙にエンジンやクランクシャフトの伝統技術を陳腐化させる可能性を秘めている。

こうして中国経済はいまや工業技術、IT技術においても世界の最前列に立つ。かつては経済学者顧準や孫冶方は経済計算制（ロシア語＝ホズラスチョット）に基づく計画経済を提起して、毛沢東から弾圧された。しかしいまや中国経済は、キャッシュレスの物流革命が金融構造を変え、庶民の生活が生産構造を変えるシステムをビルトインした。顔認証によるキャッシュレスの新段階も実用段階に入った。中国はすでにジョージ・オーエルの描いた管理社会に突入しつつある。北京の街角をぶらつきながら、私の友人は、「あれもカメラ、これもカメラ、こちらは隠しカメラ」と街道や居民社区をカバーする監視網に首をすくめてみせた。コンピューターによる顔認識管理や監視がこのまま進行すれば、コンビニや街角の露天のすべての売買がスキャン決済化している今日、「需要に応じた生産計画の体制」はすでに現実の姿である。

株式会社が容認され、証券取引所が容認され、膨大な株式所有者の階層が誕生して、中国経済に占める非公有経済の比重は、毛沢東時代とは比較にならないほど増大した。これは「労働に応ずる分配」のみを配分基準とすべき社会主義の教義と明らかに矛盾する。すなわち初級段階なるがゆえに認められるとした「資本に対する配分」「株式配当」「不動産等財産」への配当をいつまで容認するのか、という新しい課題に習近平は直面しているのだ。いまや人々の生活需要に応じて生活手段および生産手段の再生産が行われ、それがコンピューターによって管理されているから、脱税や漏税対策は、きわめて容易である。労働に対する配分と資本に対する配分をどのように分けるか、その計算もコンピューターソフトをどのように使うか、それ次第だ。生産力の発展水準がここまで到達したからには、初級段階を規定した前提はすべて覆る。初級段階はすでに飛び越えられているのだ。

6　初級段階の終焉と習近平思想

今回、党規約のなかに、「中国共産党はマルクス・レーニン主義、毛沢東思想、鄧小平理論、『三つの代表』という重要思想、科学的発展観、習近平の、新時代の、中国の特色をもつ社会主義の思想」（原文＝習近平新時代中国特色社会主義思想）を自らの行動指針とする、と書き込まれた。この長い形容句は、冗長だ。顧みると一九五六年の第八回党大会で党規約改正を報告したのは、鄧小平であった（政治報告は劉少奇）。当時、中国共産党の「行動指針」とされたのは、マルクス・レーニン主義だけであった。一九六九年第九回党大会で林彪が初めて、マルクス・レーニン主義と並べて毛沢東思想を書き添えた。一九九七年二月に鄧小平は死去し、江沢民が「鄧小平理論」を行動指針に加えた。江沢民はさらに二〇〇二年に「三つの代表という重要思想」を書き加えた。二〇一二年胡錦濤は自らの見解を「科学的発展観」と呼び、これを挿入した。こうして二〇一七年の習近平政治報告は、①馬克思列宁（マルクスレーニン）主義、②毛沢東思想、③鄧小平理論、④〝三つの代表〟重要思想、⑤科学的発展観、⑥習近平新時代中国特色社会主義思想を「行動指針」とする長いものとなっている。これはいかにも長たらしい悪文であり、五年後には簡約された表現になる可能性が強い。すなわち①馬克思列宁主義、②毛沢東思想、③鄧小平理論、④習近平の新時代思想であり、中間の①三つの重要思想、②科学的発展観は消えるのではないか。今回の党規約において毛沢東一三回、鄧小平一二回に対して習近平は一一回だが、江沢民、胡錦濤は各一回にすぎない。これは「三つの重要思想」と「科学的発展観」というキーワードが五年後に消える運命を示唆しているように筆者には見える。すなわち、①マルクス・レーニン主義、②毛沢東の「革命」思想、③鄧小平の「発展」理論、④習近平の「新時代社会主義」の思想、これを党規約に政治的遺言として残し、政治の舞台から去るならば、習近平の名は中国共産党史に残るはずだ。すなわち、毛沢東の革命思想と鄧小平の発展戦略を止揚したものが、習近平の名を冠した「中国的特色をもつ社会主義思想」として、二一世紀の中国を導く。

（初出：『情況』二〇一八年冬号、「中国観照 第一七回」、二〇一八年一月）

中国の夢——電脳社会主義の可能性

中国の夢とは、習近平によれば社会主義現代化を実現し、社会主義現代化強国を実現することだという。もはや途上国ではない中国に、社会主義の初級段階の終焉という明確な進路を指し示したのである。この夢の背景を分析した著者は「夢」を電脳（＝デジタル）社会主義の実現と読み替える。「習独裁」は党を革新できるのか、政府・市場・社会の三者によるガバナンスに移行できるのか、巨大化するビッグデータ（＝デジタル・リヴァイアサン）を飼いならせるのか、「五・七指示」に拠って文革の理念を再生できるのか……、国内外の所論も紹介しながら多岐にわたる論点を整理し、電脳社会主義の可能性を展望する。

一　現実化する電脳社会主義——ビッグデータとデジタル・リヴァイアサン

1　電脳社会主義の可能性

習近平のデジタル中国化構想、「電脳社会主義」

いまドイツの中国研究者ハイルマン（Sebastian Heilmann）の「デジタル・レーニン主義」（これは「電脳社会主義」あるいは「デジタル社会主義」と名付けるのが妥当である）という新語が世界中の話題になっている。ハイルマンはベルリンのメルカトル中国研究所（略称ＭＥＲＩＣＳ）の前所長だが、ハーバード大学フェアバンクセンターで発表した『レーニン主義の変革：習近平のもとでの復活と革新』[*1]が習近平のデジタル中国化構想を的確にとらえたネーミングとして話題になったものだ。

この見解は、『ウォールストリート・ジャーナル』紙にブラウン記者（中国担当コラムニスト）が二〇一七年秋の党大会における習近平「政治報告」を解説する文脈で紹介して大きな話題となり（アンドリュー・ブラウン「習近平はビッグデータ独裁の中国を目指す」ＷＳＪ日本語版、二〇一七年十月十八日）、日本でも紹介されるようになった。[*2]ハイルマンは習近平が江沢民や胡錦濤とどのように異なるかについて、二〇一三年以来進めてきた「改革開放の深化」において習近平は「権力の再集権化」を優先させているが、それは「古典的レーニン主義者の処方箋の復活」であり、二一世紀の課題に適合するように「中国共産党を革新させるため」であると分析した。

「頂層設計」（トップレベルのデザイン）を強調し、「党政分担」（党務と政務の分離）ではなく、「党務による政務領導」を貫徹しようとする習近平の新しい作風を、日本では「習近平独裁」や「毛沢東個人崇拝の復活」等々否定的に論評されているが、ハイルマンはそこに古典的レーニン主義の復活を見て、それが「二一世紀の課題に適合したもの」と再解釈して見せたわけだ。

では、二一世紀の課題とは何か。ハイルマンを紹介したブラウン記者によれば、これはズバリ「ビッグデータ独裁」の一語である。むろんジョージ・オーウェルの『1984年』における「ビッグブラザーの独裁」のもじりである。いわゆる「習近平独裁」の本質とは、「ビッグデータ独裁」にほかならないと核心を衝いたものだ。

西側でハイルマン流の解説が行われているとき、中国内部ではどのような議論が行われていたかを知るうえで、張志安らによる「インターネットに対する管理と国家治理」[*3]という論文が、注目すべき論点を提起した。張志安は広州中山大学に新設された「インターネットおよび治理研究センター主任」兼中山大学教授である。論文は、百度（バイドゥ）、アリババ、テンセントなどのインターネット企業の作り出す「新世論」が既存の世論に挑戦を始め、インターネット世論が国家治理（ガバナンス）に対して大きな圧力になっている現状をどう改善するかを論じたものだ。張教授は、政府は権力を大胆に「下放」し、市場と社会（世論）に「治理主導」権を与えよと主張する。[*4]

張教授曰く、インターネット空間は大衆に意見発表の場を与え、世論を監督する「簡便なプラットフォーム」（平台）を提供した。これまで行われてきた「ネット管理」を「ネット治理」に、「政府主導の権威主義的管理」を「政府・市場・社会の三者協議による多元的治理（ガバナンス）」に改めるべきである。要点は政府による「上からの管理」（コントロール、マネジメント）をやめて政府・市場・社会三者の協議による「治理（ガバナンス）」方式とせよ――これが張らの主張だ。

「治理」とは「禹の治水」から類推できるように、水を治めることだ。治水ができれば物事は安定し、整った状態になる。社会を混乱させ、国家統治を危うくする恐れのある電子情報の洪水を治水して、逆に社会や国家の安定に役立たせること、これこそがインターネットに対する治理を通じて、国家の治理を図るという発想であろう。

管理に対して「自主管理」というツイ（対）概念があるが、「国家統治」に対して「国家治理」を対置したのは、旧来の統治が「上から目線」であるのに対して、新しい治理概念は、「市場による決定」と「世論監督」という二つの要素を加味して「国家・市場・世論」の三者協議によるガバナンスを構想したものと見てよい。三つの要素のうち、市場が決定的な役割を果たすのが現代資本主義であり、世論が決定的な役割を果たすのが現代のポピュリズム政治である。国家がすべてを決定しようとするのは全体主義的統治である。三要素の力関係によって、一方では「強権国家を市場と世論で補完する」だけの国権主義に帰結するかもしれないし、他方では市場と世論が重んじられ、国家の役割は暴力とエログロ取締りだけに限定するような、現代的「夜警国家」論まで、さまざまの色合いを帯びるであろう。

さらに張教授は公民の「情報自由権」〔原文＝信息自由権〕、「プライバシー」〔原文＝隠私権〕の保護をネット立法の重点とし、「忘れられる権利」〔原文＝被遺忘権〕をビッグデータから削除することにも言及している。*5

最後に二〇一四年浙江省烏鎮で開かれた世界インターネット大会に触れて、インターネット治理の分野における中国の「話語権」を主張し、あわせて「柔性治理」(soft governance)を呼びかけていることが注目される。ここで話語権とは、近年の流行語である。「発言権」が発言の機会確保を求めるのに対して、「話語権」は相手に聞いてもらう力、すなわち「発言力、影響力、宣伝力」の意で用いられる。

もう一つは、ネット主権という新語である。ネット社会は生まれながらにして国境を越えており、国家主権とは区別されるネット(国家)主権はまったく新しい問題提起になる。この種の課題に対して、「柔性治理(ソフトガバナンス)」こそが望ましいと指摘した点に注目したい。

肖浜教授は情報技術を「諸刃の剣」と論ずる

肖浜論文*6は前掲張志安編著に収められたもう一つの重要論文である。これは情報技術を「諸刃の剣」と認識して、問題の核心を次のように剔抉する。国家権力の監視システム〔原文=監控体系〕と公民権の保障システム──両者の関係をどう考えるべきか。それはまず、①情報技術の権力による一方的運用に留まるか、権力側と市民側、双方からの運用に成功するか、である。②次に双方からの運用について、それが対称的、均衡的な運用であるか、否か。③非対称、非均衡に陥る場合、そのリスクをどう解決するか、である。

一九九〇年代に中国で推進された「金税工程」と「金財工程」に即して考察すると、「金税工程」は、徴税・行政システムにおける運用であり、国家権力を監視できる情報技術である。「金財工程」は国の予算に対する監督、立法工作における運用であり、公民権の保障を推進できる。これら二つの経験から情報技術の二面性を考察する。英国の社会学者アンソニー・ギデンスによれば、現代国家の特色の一つは国家権力の集中化が進み、国家による監視（surveillance）が極度に膨張していること、すなわち、国が行政目的のために国民の情報を秩序立てて収集し保存していること。もう一つは国家機構が個人の行為や活動に直接的監視を行うことである。国はそのために警察、税務署、入管、税関などの監視システムをもうけている。国の監視システムが拡大すればするほど、公民が自らの権利のために闘争する場も広がるという弁証法が機能する。それゆえ、現代の情報技術は国家による監視システムに対しても、公民権を保障するメカニズムとしても、双方から運用できるものが望ましい。それは権力と公民の共生構造における諸刃の剣にほかならない。

一九九四年から始まった「金税工程」は税源をほぼカバーし、税務部門がコンピュータネットを通じて納税者について大量のデータを蓄積してきた。さらに工商、社保、税関、衛生、薬品監督、検査、銀行、財政など各部の情報は、部門を越えて共有することによって税源監視システムを構築した。金税工程によって天地を網羅することができた。金税工程は①管理サブシステム、②徴税サブシステム、③会計監査サブシステム、④処罰サブシステム、⑤執行サブシステム、⑥救済サブシステム、⑦監督サブシステム、の計七つのサブシステムからなり、相互チェックが可能である。一九九五年に国は総額四〇〇〇万ドルの世界銀行技術援助を受けて、北京など一九都市で徴税システムの電子化を行った。さらに円借款を用いて中国徴税管理信息系統（China Taxation Administration Information System = CTAIS）を推進した。

もう一つの金財工程は省級人代で財政支出、予算執行の全過程をオンラインで監督する。広東省、四川省、河南省などは金財工程という呼称は用いていないが先行した。上海ではスタートは遅かったものの、その後「金財工程」※の命名権をもつほどに成功した。こうして金財工程は地方人代常務委員会というプラットフォーム〔原文＝平台〕を通じて公民が権力の予算支出を監視し、公民権を保障する手段に成長している。

※導入当時の財政部副部長・楼継偉が『中国財政』（二〇〇二年第一〇期）に書いた「科学規画、精心組織、積極推進金財工程建設」によると、二〇〇二年初め、当時の朱鎔基総理の指示で「政府財政管理信息系統」（Government Finacial Management Information System＝ＧＦＭＩＳ）を「金財工程」と命名した（金融財政プロジェクトの意か）。

これを受けて財政部は「政府財政管理信息システムのネットワーク建設技術標準」を下達した。これは①財政業務応用システムと、②全国各級財政管理部門・財政資金使用部門の情報ネットワークシステムからなる。前者は予算編成審査システム、現金管理システムなど一一のサブシステムからなる。後者はネットワークプラットフォーム、コンピュータシステム、データシステム、セキュリティシステムの四サブシステムからなる。なお、項懐誠（財政部部長）「加快推進金財工程建設歩伐（金財工程建設の足並みを加速化する）」（二〇〇二年八月二十二日全国財政系統金財工程建設座談会における講話）『予算管理与会計』二〇〇二年第一〇期も導入当時の解説として重要である。

『上海財税』（二〇〇三年第二期）によると、ＧＦＭＩＳは二〇〇八年にすべてを完成させる目標で、各部間で競って実行され、上海がモデルとなった。これが「スマートシティ上海」版である。

情報技術の非対称、非均衡はなぜ起こるのか

情報技術の非均衡は情報技術自体に起因するものではなく、現代の社会・政治発展の三重の不均衡に基づく。一つは立法権と行政権の不均衡であり、往々行政権が拡大して権力構造に歪みが生じていること。[*7]二つ目に、権力側の監視システムと公民権保障メカニズムの制度的不均衡。そして最後に、社会・政治勢力の不均衡である。

改革開放四〇年来、公民の権利意識と公民社会は成長してきたとはいえ、強い行政権力と比べると依然かなり脆弱だ。それゆえ拮抗力が足りない。そのうえ、新たな怪物デジタル・リヴァイアサン（digital Leviathan 中訳＝数字利維坦）に食われる恐れさえある。中国の識者たちはいま「電脳社会主義」（＝デジタル社会主義）が、ホッブズの説いた怪物に変身するリスクをも想定しながら、ビッグデータ（大数拠）を「飼い馴らすにはどうすれば良いか」を研究している。著者が特に着目するのは、怪物の正体を「数字利維坦」と名付け、その本質を見極めながら、これに立ち向かう姿勢である。

2　ビッグデータの収集とデジタル・リヴァイアサン

オーストリア学派の経済計算論争

ロシア革命が起こり、レーニンらボルシェビキたちが計画経済を主張するや、一九二〇年代から三〇年代にかけて、オーストリア学派の間で、経済計算論争（economic calculation controversy）が起こり、

社会主義経済の可能性について肯定派と否定派との間で論争が繰り返された。[*8] これは、オットー・ノイラート（オーストリアの社会科学者、一八八二〜一九四五年）の「戦争経済から実物経済へ」に対して、ルートヴィヒ・フォン・ミーゼス（オーストリアの経済学者、一八八一〜一九七三年）が「社会主義共同体における経済計算」で反論したことが発端である。

　社会主義経済において、生産手段は公のものとされ、生産量は国家が決定するため、市場や価格は存在しないことになる。このような経済が現実に実現できるのか。ミーゼスは、貨幣が存在しない（労働証券が想定された）とすれば、価格もつけられないから、計算不能として可能性を否定した。フリードリヒ・ハイエク（オーストリアの経済学者、一八九九〜一九九二年）は、計算についての「すべての情報が集まらない以上、計算は不可能だ」とした。

　ミーゼス、ハイエクの不可能論に対し、オスカル・ランゲ（ポーランドの経済学者、一九〇四〜六五年）は市場メカニズムを社会主義経済に導入することで社会主義は可能だと反論した。[*9] すなわち潜在的な交換の可能性があればシャドウ・プライスという形で擬似的、便宜的に価格をつけることが可能である、ランゲはレオン・ワルラス（フランスの経済学者、一八三四〜一九一〇年）の一般均衡理論の枠組みに則って多財の需給の連立方程式の解を求めることで、効率的な価格付けと資源配分を達成することができると考えた。

　ハイエクの立場はランゲのような計算が技術的に可能であるとしても、この計算を実施する中央計画当局は計算に必要な需給に関する膨大な情報を収集せねばならず、そのような「情報の収集は不可能である」というものであった。しかも計算に必要な情報は主として「経済主体にとって自身しか知らない私的情報」であり、「個々の経済主体が情報を正しく伝達するインセンティヴをもつとは限らない」。ハイエクの見るところ「必要な情報の収集に成功し効率的な価格付けと資源配分を行えるのは分権的なメカニズムとしての市場メカニズムだけである」という展望であった。[*10]

デジタル・リヴァイアサンの巨大化

さて、二一世紀の今日、ビッグデータは、ハイエクの計画経済不可能論の重要な論拠を突き崩したことになる。すなわち、完全にすべてとはいえないが、①社会科学から見た大数の法則としてほとんどすべての情報は入手できる。②しかもそれは、ハイエクの説いた経済主体にとって自身しか知らない私的情報を含めての話である。

ハンガリーの経済学者コルナイ・ヤーノシュはかつてこう記した。

> この問題を今の頭で考え直してみると、既述したハイエク・タイプの議論に辿り着く。すべての知識すべての情報を、単一のセンター(中央)、あるいはセンターとそれを支えるサブ・センターに集めることは不可能だ。知識は必然的に分権化される。情報を所有するものが自らのために利用することで、情報の効率的な完全利用が実現する。したがって、分権化された情報には、営業の自由と私的所有が付随していなければならない。もちろん、最後の断片まで情報を分権化する必要はないとしても、可能な限り分権化されているのが望ましい。

ここで我々は、「社会主義中央集権化の標準的な機能のひとつとして、数理計画化が有効に組み込まれないのはどうしてかという問題を越えて、社会主義政治・社会・経済環境のなかで、中央計画化が効率的に近代的に機能しないのはどうしてだろうか」という一般的な問題に辿り着く。

計画化に携わる諸機関の壁の内側で、長期間のインサイダーとして仕事に従事してみて、結局のところ、〔中略〕社会主義の信奉者が唱えるような期待は、どのような現代的な技術を使っても、社会主義の計画化では実現できないという確信がより深まったのである。[*11]

ハイエクやヤーノシュの挙げた論拠は否定されたが、それでも他の理由を持ち出して、計画経済を否定する論者は、多分浜の真砂と同じ程度に存在しつづけるであろう。しかしながら、ビッグデータという新しい怪物が生まれたことは、誰も否定できない。

早い話が、ビッグデータの収集自体は、他の先進国もやっている現実、すでに動かしがたい現実である。それゆえ本質的な課題とは、デジタル・リヴァイアサンをいかに飼い馴らすか、それは不可能なのか、である。話題の映画「シン・ゴジラ」は、原発事故を風刺した寓話だが、デジタル・リヴァイアサンは現実に生まれ、日々巨大化しつつある怪獣なのだ。

3　ネットワーク・セキュリティを導く司令部

中央ネットワーク・セキュリティ情報化領導小組

「ニューエコノミー」のシェアがGDPの一割を超えた情勢下、セキュリティ確保が大きな課題となる。中国共産党の指導部が、セキュリティ問題をトップから指導する「中央ネットワーク・セキュリティ情報化領導小組」（中央網絡安全和信息化領導小組。英文略称＝LSG）を立ち上げたのは、二〇一四年二月である。さらに二〇一七年十月の党大会で採択した党規約には「新時代のための、中国的特色をもつ社会主義についての習近平思想」（英訳＝**Xi Jinping Thought on Socialism with Chinese Characteristics for a New Era**）と書き込まれ、新時代の社会主義の核心は、デジタル経済と情報化工業である、と明記された。習近平は、小組のトップにも就任し、「デジタル経済化」を推進している。

ネットワーク・セキュリティと情報化を推進する政府機構は、中国サイバー管理局（CAC＝**Cyberspace Administration of China**）である。二〇一四年二月二十七日、中央ネットワーク・セキュリティ情報化領導小組※が成立し、北京で開かれた初めての会議で以下三つの議題を採択した。つまり、①『中央ネットワーク・セキュリティ情報化領導小組工作規則』、②同上『工作細則』、③同上『二〇一四年重点工作』である。

※中央ネットワーク・セキュリティ情報化領導小組の成立時メンバーは、組長＝習近平、副組長＝李克強、劉雲山のほか、党中央と国務院関係閣僚から選ばれた。

⑴党中央関係部門からは、①馬凱（中共中央政治局委員、国務院副総理）、②王滬寧（中共中央政治局委員、中央政策研究室主任）、③劉奇葆（中共中央政治局委員、中央宣伝部部長）、④范長竜（中共中央政治局委員、中央軍事委員会副主席）、⑤孟建柱（中共中央政治局委員、中央政法委員会書記）、⑥栗戦書（中共中央政治局委員、中央弁公庁主任）である。

⑵国務院関係閣僚としては、①郭声琨（国務委員兼公安部部長）、②周小川（全国政協副主席、中国人民銀行行長、③楊晶（中共中央書記処書記、国務委員兼国務院秘書長、のち失脚）、④魯煒（国家新聞弁公室副主任、中央網絡安全与信息化領導弁公室主任、のち失脚）、⑤房峰輝（中央軍事委員会委員兼総参謀長、のち失脚）、⑥王毅（外交部部長）、⑦徐紹史（国家発展改革委員会主任）、⑧袁貴仁（教育部部長）、⑨王志剛（科学技術部党組書記）、⑩楼継偉（財政部部長）、⑪苗圩（工業和信息化部部長）、⑫蔡武（文化部部長）、⑬蔡赴朝（国家新聞出版広電総局局長）である。

北斗衛星システム

二〇一七年暮れ、米中両国政府が北斗衛星システム（ＢＤＳ＝BeiDou Navigation Satellite System）と米ＧＰＳとの間で相互乗り入れを行う協定を発表した（『人民日報』二〇一七年十二月八日）。北斗衛星システム（ＢＤＳ）は、中国が独自に開発を行なっている衛星測位システム（ＧＮＳＳ）である。これにより北斗の利用者は米ＧＰＳ（Global Positioning System）の位置情報を、ＧＰＳの利用者は中国・北斗のそれを利用できることになった。これは国務院衛星管理局（China Satellite Navigation Office）と国務省宇宙・先進技術局（The Office of Space and Advanced Technology）との間で二〇一四年以来進められてきた交渉が二〇一七年のトランプ訪中を契機としてまとまり、「北斗およびGPS信号の相互操作容認に関わる共同声明」（the US-China Civil GNSS Cooperation Dialogue）が発表された。

中国は米国のGPSに依存しない独自システムの構築にこだわり、北斗衛星システム[*12]（BDS）を開発してきた。アジア太平洋地域での運用が二〇一二年十二月二十七日に開始されたが、主任設計者は孫家棟[*13]である。北斗は米GPSや欧州ガリレオと同様、全世界をカバーしているが、地域により精度は異なる。開発実施機関は中国国家航天局で、開発は三段階で進められてきた。

中米両国の衛星ナビゲーションシステムに関する最初の会議が二〇一五年五月十九日北京で開かれ、北斗とGPSの両システムの日常的な交流・協力のメカニズムを構築し、協議する「中米民用衛星ナビゲーションシステム（GNSS）協力の共同声明」が先に締結されていたが、この協力が「相互乗り入れ」に発展した。[*14]なお、これまでの北斗衛星打ち上げは次頁の表1のごとくである。

※内閣府宇宙開発戦略推進事務局ホームページによると、米国の測位衛星であるGPSとGPSを補う「みちびき」（準天頂衛星システム）との関係は、次の通りである。GPSは地球上のほぼすべての場所で現在位置の測位が可能となるように設計されている。これに対し、「みちびき」は、日本を中心としたアジア・オセアニア地域での利用に特化している。常に日本上空に衛星を静止させることができれば理想的だが、地球の引力と遠心力の方向が違うため、静止させることはできない。静止衛星とは、地表から常に見えるようにするため、経度を固定したまま赤道上空

表１　北斗衛星（GPS中国版）の打ち上げ記録

北斗衛星	発射日時	打ち上げロケット	軌道
北斗テスト衛星-1A	2000年10月31日	長征3A	静止軌道GEO
北斗テスト衛星-1B	2000年12月21日	長征3A	静止軌道GEO
北斗テスト衛星-1C	2003年5月25日	長征3A	静止軌道GEO
北斗テスト衛星-1D	2007年2月3日	長征3A	静止軌道GEO
コンパス-M1	2007年4月14日	長征3A	中軌道MEO
コンパス-G2	2009年4月15日	長征3C	静止軌道GEO
コンパス-G1	2010年1月17日	長征3C	静止軌道GEO
コンパス-G3	2010年6月2日	長征3C	静止軌道GEO
コンパス-IGSO1	2010年8月1日	長征3A	傾斜対地同期軌道IGSO
コンパス-G4	2010年11月1日	長征3C	静止軌道GEO
コンパス-IGSO2	2010年12月18日	長征3A	傾斜対地同期軌道IGSO
コンパス-IGSO3	2011年4月10日	長征3A	傾斜対地同期軌道IGSO
コンパス-IGSO4	2011年7月27日	長征3A	傾斜対地同期軌道IGSO
コンパス-IGSO5	2011年12月2日	長征3A	傾斜対地同期軌道IGSO
コンパス-G5	2012年2月25日	長征3C	静止軌道GEO
コンパス-M3	2012年4月30日	長征3B	中軌道MEO
コンパス-M4	2012年4月30日	長征3B	中軌道MEO
コンパス-M5	2012年9月29日	長征3B	中軌道MEO
コンパス-M6	2012年9月29日	長征3B	中軌道MEO
コンパス-G6	2012年10月25日	長征3C	静止軌道GEO
コンパス-IGSO6	2015年3月30日	長征3C	傾斜対地同期軌道IGSO
コンパス-M7	2015年7月25日	長征3B	中軌道MEO
コンパス-M8	2015年7月25日	長征3B	中軌道MEO
コンパス-IGSO7	2015年9月30日	長征3B	傾斜対地同期軌道IGSO
コンパス-M9	2016年2月1日	長征3C	中軌道MEO
コンパス-IGSO8	2016年3月30日	長征3A	傾斜対地同期軌道IGSO
コンパス-G7	2016年6月12日	長征3C	静止軌道GEO
コンパス-M10	2017年11月5日	長征3B	中軌道MEO
コンパス-M11	2017年11月5日	長征3B	中軌道MEO

（出所）China Satellite Navigarion Office

に静止させる。これを南北方向に振動させたものが「傾斜静止軌道衛星」といい、南北対称の「8の字」軌道になる。この傾斜静止軌道衛星のうち、北半球では地球から遠ざけることで速度を遅くし、南半球では地球に近づけることで速度を速くしたものが「準天頂軌道」の衛星となる。このため、「みちびき」の準天頂軌道は、南北非対称の「8の字」軌道になり、北半球に約一三時間、南半球に約一一時間、すなわち日本付近に長く留まる。準天頂軌道の衛星が主体となって構成されている日本の衛星測位システムを英語ではQZSS（**Quasi-Zenith Satellite System**）と呼ぶ。

党大会人事とデジタル化推進の担当者

習近平は党大会の「政治報告」のなかで先端技術の開発計画について次のように言及した。

『インターネット、ビッグデータ、人工知能（AI）と実体経済（リアルエコノミー）の高度な融合』を促し、ミドルレンジ、ハイエンドの消費、イノベーションによる牽引、グリーン・低炭素、シェアリング・エコノミー、現代型サプライチェーン、人的資本サービスなどの分野において新たな成長ポイントを育成し、新たな原動力を形成する。〔中略〕グローバル・バリューチェーン[*15]におけるミドルレンジ、ハイエンド[*16]へとわが国の産業が邁進するよう促し、世界レベルの先進的クラスター（「集団・群」）をいくつか育成する。〔中略〕科技強国、品質強国、宇宙開発強国、インターネット強国（**cyber superpower**）、交通強国、デジタル中国、スマート社会の建設に力強い支えを提供する。

これらの政策を推進する担い手として、次の三人組が党大会で選ばれた。すなわち韓正が政治局常務委員に、陳敏爾が政治局委員に、徐麟が中央委員に昇格した。彼らはそれぞれの職位で「デジタル中国」化、「スマート社会」作りを担当する。韓正は上海のスマート社会作りを指揮した功績を買われ、陳敏爾は貴安新区のビッグデータ・プロジェクトを成功させている。徐麟は今後、「互聯網信息弁公室主任」(兼中央宣伝部副部長)として現場の指揮をとることになる。[*17]

なお米中間ではネットワーク・セキュリティについての対話が行われ、二〇一七年十月十日にその成果をコミュニケ[*18]として発表した。その内容は、①不法移民の送還、②毒物禁止、③ネットワーク犯罪の摘発、などである。

ここで量子科学実験衛星「墨子号」に触れておく。中国科学院国家宇宙科学センターは世界初の量子科学実験衛星「墨子号」を、長征2号(CZ-2D)ロケットで打ち上げた(二〇一六年八月十六日)。「墨子号」は四カ月にわたる軌道上実験ののち、二〇一七年一月十八日、光子のペアを「量子もつれの状態で地上に放出した。約一二〇〇キロ離れた青海省と雲南省の二カ所で「それぞれ光子を受信することに成功した」と公表された。以下、岡田充記者(共同通信)の解説による。[*19]

量子暗号通信では「量子もつれ」と呼ばれる、特殊な関係の光子のペアを使う。送信者はこの光子を使って情報を暗号化、受け手は光子を基に暗号を解読する仕組み。もし第三者が、解読や盗聴しようとすると光子の性質が変わる。それを検知して通信をやり直せば、ハッキングを阻止できる。量子暗号通信は、光ケーブルを通じた商業利用がすでに始まっている。しかし、情報損失やノイズなどの問題があるとされてきた。人工衛星を利用すれば、理論的には数千キロ離れた地点に光子のペアを放出できる。これまでは100キロ離れた地点での実験には成功したが、1200キロも離れた地点での成功は実用化への飛躍的前進という。潘建偉[*20]チームは今後、7400キロ離れた中国とオーストラリアの2地点での実験を計画している。〔中略〕

中国がさらに長距離の通信に成功すれば、機密情報を日常的にやり取りする在外公館をはじめ、島嶼部にある軍事施設、遠洋を航海する艦艇など、遠隔地での利用が可能になる。東シナ海の海底油田の掘削プラットフォーム、南シナ海の人工島の軍事施設にも使えるだろう。まして有事となれば、敵に解読されない通信が可能になるから、戦局を有利に展開できるのは間違いない。米紙は「もし中国が量子通信ネットの確立に成功すれば、米国のコンピュータ・ネットワークにおける優位性が減衰する」（『ウォールストリート・ジャーナル』〔二〇一七年〕6月15日付け）と、深刻な懸念を伝えている。

4　ニュースを料理する「中央厨房（セントラルキッチン）」──『人民日報』の新システム

紙媒体から電子媒体へ

人間の食べ物を料理するのが厨房（キッチン）である。情報という目に見えないものを理解させるために、厨房をイメージさせるとは、お堅いことで知られる『人民日報』としてはなかなかの発想ではないか。西茹准教授（北海道大学大学院）の論文[*21]を紹介したい（数字①～⑥、(a)～(c)、および改行は矢吹による）。

メディア融合戦略[*22]の実施に当たり、党中央上層部〔習近平──矢吹注。以下〔〕内は同様〕は人民日報、新華通信社、中央テレビ局（ＣＣＴＶ）などの中央レベルのメディアに先行させ、モデルづくりを求めた。〔中略〕

①人民日報社は29の社属の新聞と雑誌、44のウェブサイト、１１８のミニブログの公式アカウント、１４２のウィーチャットの公式アカウントおよび31のモバイル・クライアントを有する複合メディアグループとなっている。

②ユーザー数は３億５０００万に達していると自称する。〔中略〕

③人民日報のメディア融合発展計画は(a)人民日報クライアント、(b)オムニメディアニュースプラットフォームと(c)データセンターという三つのプロジェクトによって構成される。〔中略〕

④オムニメディアニュースプラットフォームは、すべてのメディアに応じるニュース生産の過程と指揮システムであり、「人民日報中央厨房」と名づけられ、最も注目されている。

⑤「人民日報中央厨房」はメディア融合国家戦略が採択された直後の2014年10月に立案された。〔中略〕中央宣伝部が直接監督を担ったプロジェクトでもあると言われる。2017年1月5日に開かれたメディアの深い融合を推進する座談会の開催中に、中央宣伝部長の劉奇葆氏が出席者らに人民日報中央厨房を見学させ、〔中略〕絶讃した。〔中略〕

⑥〔これは〕旧来の社内の各部門の別々に取材と編集を行ういわば「個別の調理厨房」のようなモデルを一新し、「集中調理施設」にするように、つまり、〔中略〕すべての流れを一体化し、〔中略〕「統括的に企画し、取材した内容を多様なコンテンツに製作し、いろいろなツールで発信し、24時間稼働し、全世界をカバーする」というニュースプラットフォームの形成だ。〔中略〕

中国におけるインターネットニュース配信には、大まかに言って二つの流れがある。一つは騰迅〔テンセント〕、捜狐〔SOHU〕、網易〔ワンイー〕、鳳凰〔PHOENIX〕、新浪〔SINA〕などの民間の主要ポータルサイトが主導するニュースサービス。もう一つは、伝統メディアがネット技術を利用するサービスだ。新華社や人民日報、中央テレビ局などのウェブサイトは国家レベル、さらに「澎湃新聞」や「浙江新聞」は地方レベルということになる。

「澎湃新聞」〔地方級（上海）だが――矢吹注〕は中でも卓越した存在で、内外の注目を集めた。他と異なる最大の特色は、もっぱら時事、政治問題を扱うサイトである点だ。〔中略〕

澎湃（ポンバイ）の名称は「PAPER」の音をもじって作られ〔上海市は中国最大の経済都市として、政治都市北京に対して独特の地位を占めている。北京の人民日報中央厨房の動きに対して、上海は澎湃〔英訳＝PAOER〕連合厨房を構想している〕、〔中略〕ニュースアプリの形式で、主に携帯で閲覧し、

広告も掲載されている。〔中略〕

筆頭株主で経営を担うのは中国最大の新聞発行グループとなった「上海報業集団」〔2013年8月習近平が重要演説を発表した直後、上海市の『解放日報』系と『文匯報』『新民報』系が合併したもの〕である。〔中略〕〔米〕ハフィントンポストのようなオンラインメディアを目指す動きとして注目を浴びた。〔中略〕「澎湃新聞」はニュース製作が集団傘下の有力都市報「東方早報」が担当したため、都市報が生き延びる道を示すかもと期待も集めた。〔中略〕

これまでの〔中略〕インターネットメディアと澎湃が異なるのは、ニュース製作に当たって専門性を堅持し、オリジナルなニュースコンテンツを提供するメディア企業である点だ。澎湃のサイトは時事、経済、思想、生活の4領域に分かれ、その下に計49の専門的な欄が設けられている。〔中略〕

発足当初、〔中略〕「虎退治記」は、なかなか出色のコラムだった。最大の「虎」とされた周永康・元党政治局常務委員のケースでは、その深層、内幕をえぐり出した。〔中略〕ただ約2か月後、澎湃の報道は「危険ライン」に触れ、当局から批判を受けたという。〔中略〕

そのアプリをダウンロードした人は6900万人を越え、1日当たりのアクセスも延べ500万人を数える。創刊当初から澎湃の閲覧は無料で財政支援に頼り、まだビジネスモデルができていない。

上記の西茹の解説からわかるように、人民日報中央厨房と上海の澎湃は、いずれも「紙媒体」側の

「電子媒体への転換」努力である。取材の担い手はやはり記者たちだ。これに対してネット系の騰迅、捜狐、網易、鳳凰、新浪のようなサイトは、記者に限らず、誰もがスマホを持つ限り、カメラに収め、そのまま音声で説明すればただちに情報発信となる。

否、スマホ所有者本人の情報発信の意図の有無にかかわりなく、どこで何を食べ、誰と会い、何を買ったか、これらの情報がすべてビッグデータとして、貴安新区などのビッグデータ集積地に集められている。誰がこの素材をどのように利用してどのように使うか。そのビッグデータ解析を誰が監視して、一方で関係者のプライバシーを擁護しつつ、他方で話語権を拡大して、政治的多数派のものとして、政策を決定するのか、これが政治中枢の課題として浮上してきた。

二　電脳社会主義の必然性——テクノファシズムをどう防ぐか

1　社会主義国家の「官僚」化をめぐる言論

トロツキー・リッツィ・ジラスの分析と中国共産党の反応

ロシア革命でスターリンの独裁体制が成立して追放されたトロツキーは『裏切られた革命』[*23]（一九三七年）で、「官僚制が生産手段を統制している」事実を確認した。しかしながらトロツキーは、ソ連の官僚たちが生産手段を統制している事実は認めながらも、「特定の所有形態を欠いている」として、彼らが「支配階級」を構成しているという認識は退けた。すなわち、生産手段の国有化を行ったあとのソ連にとって必要なのは、「十月革命のような社会革命」ではなく、「官僚制の排除を目的とした政治革命である」と彼は結論づけたのである。

ソ連における官僚制に対する理論的探求はここで終わったが、その後、イタリアのブルーノ・リッツィ（Bruno Rizzi）は『世界の官僚制化』（一九三九年）において、官僚制はみずからに高い給料を支払うことによって、プロレタリアートの剰余価値を所有するようになった以上、ソ連では「新しい階級が発生した」と分析した。しかし、リッツィは官僚制の技能を高く評価し、官僚と労働者階級との間のギャップが最小になるように労働者生活の物質的条件を高めるためには、官僚制が有効であると考えていた。

リッツィに代表される「新しい階級」論をさらに徹底させたのは、ミロバン・ジラス（ユーゴスラビアの理論家。元大統領補佐）の『新しい階級』[*24]（一九五七年）であった。ジラスは「社会主義国家は政党によって運営されており、政党は官僚制である」、「官僚制は国有財産を使用、処分する権限をもつがゆえに一つの階級である」、「この官僚制は、権力とイデオロギー的独断主義という二つの重要な要素に依拠している」、「これは過渡的な現象ではなく、国家制度の特殊類型の一つである」、と主張した。すなわち社会主義体制における官僚制はなるほど生産手段を所有してはいないが、その使用権・処分権は保有しており、それを根拠として官僚制を階級的基礎とみることは合理的だと認識したのであった。

中国共産党はジラスの『新しい階級』論を公式に認めることはなく、スターリン批判に連続するチトー主義批判の文脈で、「ユーゴスラビアの新憲法やチトー主義は、帝国主義に屈伏するものだ」と厳しく批判した。しかしながら表向きの批判とは裏腹に、チトー主義への関心は強いものがあった。というのは当時、中国では革命の過程で共産党に期待した人々が「共産党の支配」に幻滅を感じ始めていたからである。ソ連でスターリン批判が行われ、東欧で民主化へのうねりが巻き起こると、中国でも北京大学や中国人民大学を中心にこれに同調する動きが表面化し、一九五七年、毛沢東は反右派闘争を強力に展開した。

毛沢東の見解

スターリン批判後の社会主義世界の動揺に際しては反右派闘争の立場を採った毛沢東が一九六〇年代前半に痛感したのは、「社会主義における官僚制」のあり方であった。この問題に対して、最も大胆な主張を展開したのが毛沢東であり、一九六四年五月にこう断定した。

> いまのソ連は、ブルジョア独裁・大ブルジョア独裁・ナチスのファッショ独裁・ヒトラー式の独裁である。彼らはゴロツキ集団であり、ドゴールよりももっとわるい。
>
> （矢吹晋編訳『毛沢東　社会主義建設を語る』現代評論社、一九七五年、二五六頁）

旧ソ連の現実の姿のなかに中国の明日を垣間見た毛沢東は、ソ連の官僚制を批判し、中国の未来を危惧して、こう敷衍した。

官僚主義者階級と労働者・貧農・下層中農とは鋭く対立した二つの階級である。〔中略〕資本主義の道を歩むこれらの指導者〔走資派あるいは実権派〕は労働者階級の血を吸うブルジョア分子にすでに変わってしまったか、あるいは今まさに変わりつつある。

（「毛沢東、陳正人同志の「蹲点報告」に対する指示」一九六五年一月二十九日、『毛主席文選』、出版年月不明。小倉編集企画復刻版、一九七四年、三四頁）

以上のように「社会主義における官僚制論」の系譜を考察してみると、二一世紀初頭における中国の現実こそが、まさに「官僚主義者階級」が生産手段を所有し、名実ともにみずからの階級を再生産する条件を整え、中国国家資本主義が官僚資本主義として自立している姿だろう。

「社会主義における官僚制論」の系譜を考察してくると、毛沢東の性急さがよくわかる。そして、毛沢東の問題提起から半世紀を経た二一世紀初頭における中国の現実こそが、まさに「官僚主義者階級」について、現実に即した階級分析を必要とする事態が生まれつつあることを示している。

毛沢東の発動した文化大革命は惨憺（さんたん）たる帰結をもたらしたが、彼の提起した課題はいまも色あせない。毛沢東が官僚制に投げつけた言葉「（下層階級の）血を吸うブルジョア分子」は激烈な表現だが、毛沢東の掲げた「継続革命」の課題は残されている。そしていまの電脳社会主義化した中国では、課題に応える条件もこれまでとは異なる様相を呈してきたことを認識すべきだろう。

ロシア革命に始まる現実の社会主義建設は、まず生産手段の私有制を廃棄し、国有制（人民所有制とも呼ばれた）あるいは集団所有制とすることからスタートした。所有制の変革により、労働者階級は資本の軛（くびき）から解放され、搾取・被搾取という生産関係から解放され、生産現場の主人公としての立場で社会主義建設に参加することが想定されていた。

しかしながら、現実の労働の現場では、資本家あるいはその代理人としての経営者は追放されたものの、現場で労働を指揮したのは、労働者の代表ではなく、共産党本部から派遣された官僚たちであった。その官僚たちこそがいわゆるノーメンクラツーラ（＝赤い貴族本稿二〇七頁〜に記述）にほかならない。レーニンが死去し（一九二四年）、トロツキーが追放され（一九二九年）、スターリン（一八七八〜一九五三年）の独裁が一九三〇年代に始まると、政治的反対派はグラーグ（収容所）に送られ、社会主義的生産関係の構築という課題は忘れられ、スタハノフ運動（生産ノルマを達成した炭鉱労働者アレクセイ・スタハノフをモデルとした生産性向上運動）に象徴されるような「労働ノルマ達成競争」に労働者は駆り立てられ、のちにジョージ・オーウェルが戯画化したような「堕落した労働者国家」に変質していった。

ロシア革命は、生産手段の私有制を廃棄したのちに、どのような社会主義的生産関係を構築するかという新たな課題に直面して、さまざまの試行錯誤は試みたものの、結局はこの課題を解決することなしに、ソ連邦解体の日を迎えた（一九九一年十二月）。

毛沢東はソ連版社会主義建設を総括した『経済学教科書』（スターリン時代の末期に計画され、一九五四年秋にロシア語初版刊行、邦訳は合同出版一九五五年刊行）を学び、大躍進運動期（一九五八〜六〇年）に、その読書ノートを書いた（矢吹晋訳『毛沢東 政治経済学を語る』現代評論社、一九七四年）。毛沢東はここで「社会主義企業における人と人との関係」を論じ、のちの文化大革命期に「五・七指示」

（本稿一八五頁〜に記述）としてまとめた分業廃棄の構想を語り始めた。

官僚資本主義から電脳社会主義へ

二〇一一年七月一日、中国共産党は建党九〇周年を祝賀したが、祝賀ムードから透けて見えるのは、社会の治安維持のために全力をあげる方針を繰り返す姿である。そのキーワードは、「社会管理」の四文字だ。これは具体的には、中国の直面する重大な社会問題群――たとえば、環境汚染問題と被害者救済、農村高齢者問題、少数民族政策、宗教・信仰の自由侵害、NGO、NPOなど社会組織……などに対して、「ただ管理あるのみ」の政治姿勢であると言える。

同年春の全人代報告で呉邦国委員長は「五つをやらない立場」を強調している。ここで「やらない」と明言されているのは、①複数政党による政権交代、②指導思想の多元化、③「三権分立」と両院制、④連邦制、⑤私有化、の五つである。これらの五カ条については、従来「政治改革の課題」として提起されてきたものであり、個々のトピックについてさまざまな議論が行われてきたが、二〇一一年春の全人代でこれを強調したのは、「社会主義の『行方不明』事件」として特筆する必要がある。

すなわち、五カ条を指摘したことが悪いのではない。これらの条件づけで政治的安定の確保を一面的に強調したことによって、「政治の目標と理想」が見失われ、それが腐敗を助長したことが問題なのである。

上記の通り、鄧小平以後の市場経済システムの導入で、経済活動に関する限り一定の自由化が進展したが、それを背後で支えてきたのは「管理社会」のシステムであった。これはほとんどジョージ・オーウェルが第二次世界大戦直後に描いた未来図『1984年』に酷似する世界である。

文革が失敗したあと、ポスト毛沢東期に行われた市場経済への移行政策によって、ノーメンクラツーラと呼ばれる特権階級が事実上の私物化（制度的なprivatizationではない）を推し進め、「官僚主義者階級」が誕生した。この階級は、米国の一％の富裕階級よりも、より巧みに組織された支配階級に成長しつつある。高度成長の過程において労働分配率の激減をもたらし、ジニ係数を悪化させたのは、これら支配階級が経済政策を左右してきたことの帰結にほかならない。

顧みると、中国にとっては、建党九〇周年（二〇一一年）前後が最も混迷を深めた時期に見える。しかしながら、このとき「社会管理」だけが踊る深淵から、「管理」を「治理」（governanceの訳語）という新コンセプトで救済する動きが生まれていた。習近平と彼を支える人脈は、英国の社会学者アンソニー・ギデンスの著書『民族国家と暴力』（*The Nation-State and Violence*）を深く学び、現代国家に対する分析を進めていた（一五三頁～参照）。

2　ソ連解体からチャイメリカ体制へ

どうして中国はソ連のように解体の憂き目に遭わなかったのか

二〇世紀前半に行なわれたロシア革命と中国革命との関係を最もわかりやすく説いたのは、毛沢東の次の一言であろう。曰く「ロシア革命の砲声が中国にマルクス・レーニン主義を送り届けてくれた」。

以後、中国はひたすら「ロシアの道」を模倣し、その後、ロシアの道とは異なる「中国の道」を模索した。毛沢東が主唱した「大躍進政策」と「文化大革命」はいずれも失敗し、二〇〇〇~三〇〇〇万人の餓死者を出す事態となったが、一方でマルクス・レーニン主義の先達・旧ソ連は、人工衛星スプートニクを米国に先立って打ち上げ、一時は米国を凌ぐかのように見えたが、結局は米国資本主義との生産力競争に敗れて一九九一年に崩壊した。いわゆる東欧圏の旧共産国は拡大EUの一角に組み込まれ、東西ドイツの統合が行われた。

旧ソ連の崩壊後、中国を襲ったのは「蘇東波」というツナミである。詩人「蘇東坡」の名を一文字変えたこの表現は「ソ連東欧からの民主化の圧力」を表す。誰もがポスト冷戦期に「次は中国の民主化だ」と想定したのは、中国の計画経済が基本的に旧ソ連と同じシステムで運営されていた事実を裏書きするものだ。

しかしながら、中国が旧ソ連解体の道を歩むことはなかった。その理由は、二つ挙げられよう。一つは鄧小平が事態を先取りして、「市場経済の密輸入」にすでに着手しており、これが人々に生活向上への希望を与えていたこと、もう一つは政治支配体制の徹底的な引き締めによる「管理社会の構築」である。この政経分離体制——すなわち中国共産党の指導下における市場経済の導入（資本主義的原蓄の発展）はこれまでのところ功を奏している。

旧ソ連圏の解体以後、資本主義体制の「独り勝ち」を語る声が大きくなった。一時は「米国の独り勝ち」を称賛する声が世界にこだまして、市場経済の勝利は磐石に見えた。だが、ソ連解体を契機に加速度を増した「新自由主義の暴走」は止まるところを知らず、米国の独り勝ちはリーマン・ショックという帰結を迎え、「驕る米国、久しからず」を絵に描いたようなありさまとなっている。

リーマン恐慌（二〇〇八年）の意味するもの

二〇〇八年のリーマン恐慌は、世界経済を大恐慌以来の危機に陥れただけでなく、三年後にはギリシャ・ソブレン危機を誘導し、それはEU全体に連鎖反応的な衝撃を与え、今日なお収束の兆候は見えない。このような状況を踏まえて雑誌『フォーリン・アフェアーズ』は、「アメリカは終わったのか？」と特集し、『ニューヨーカー』誌記者のジョージ・パッカーによる「破られた契約——不平等とアメリカの凋落」という記事を掲載した[*25]。

この記事の内容は以下の通りである。

一九七九年から二〇〇六年にかけて、アメリカ中産階級の所得は四〇％増えたが、最貧層では一一％しか増えていない。これに対して最上位一％の所得は二五六％も所得が増えて、国富の二三％を占めるようになった。これまで最大であった一九二八年を上回るシェアだ。アメリカはすでにはなはだしい階級社会と化した。まさにアメリカンドリームの終焉を意味する。格差の拡大と富裕階級の固定化は、アメリカ人の夢をもはや実現不可能なものとした現実を鋭く指摘したものであった。ニューヨークのウォールストリートを占拠した失業者たちが訴えたのは、まさにこの現実であったと見てよい。

なぜこうなったのか？　アメリカンドリームが存在した時代には、政府がさまざまな規制やルールを定め、所得の比較的に平等な配分を保証しようとしていた。商業銀行の資金が投資銀行に流れるのを禁止するグラス・スティーガル法はその象徴であった。この規制により投機の行き過ぎや過剰競争は規制され、社会を安定させるためのさまざまな機関・制度が存在する国――これがアメリカであった。これらの機関は「公共の利益」を守るために機能した。中産階層の大国であるアメリカは、こうして守られてきた。

顧みると、一九七八年ころのアメリカはベトナム戦費で疲弊しどん底にあったが、これは一見アフガンやイラク戦費に悩む現代と酷似する。しかし、決定的な相違点がある。それは一九七八年には「公共の利益」を守る規制や機関が機能し、アメリカンドリームを保証するシステムが生きていたことだ。なぜか。大恐慌後の一九三三年から一九六六年にかけての三〇年間、連邦政府には消費者・労働者・投資家を守るために、一一の規制機関が設立されたし、さらにその後もこの傾向は続き、一九七〇～七五年には環境保護局、職業安全健康管理局、消費者のための生産物安全委員会を含む一二の規制機関が次々に設立された。

ところがこれらの規制措置や規制機関は、近三〇年間に「新自由主義」という名の妖怪により、ほとんどつぶされてしまった。「公共の利益」を維持していたシステムのほとんどが大企業によって乗っ取られ、「公共の利益」の分野が、企業が利益を上げるためのビジネスの分野に変化した。かくてアメリカは、もはやアメリカンドリームが生きていた時代に戻ることは不可能だ。「アメリカは終わった」（America is over.）。

これがジョージ・パッカー記者の結論である。二〇一六年の選挙においてトランプを当選させたものは、アメリカ社会のこの変化であろう。

二〇世紀、二一世紀世界の覇権交代

以上のスケッチを著者の解釈で要約すれば以下の通りである。

すなわち、二〇世紀世界は「社会主義への希望」に明けた。とりわけ一九二九年の世界恐慌以後、社会主義への対抗を強く意識した福祉国家を目指す経済政策によって資本主義世界は補強され、繁栄を誇ってきた。

資本主義世界は社会主義システムの挑戦を見事に交わして、その生命力を誇示するかに見えた。しかしながら挑戦者・ソ連が力尽きようとした一九七〇～八〇年代に、アメリカは独り勝ちを謳歌してアメリカンドリームを食いつぶす愚行を演じた。その結果、ソ連の解体（一九九一年）から二〇年を経ずして、リーマン・ショックに襲われたのである。

とはいえ「アメリカの終わり」は、旧ソ連解体の姿とは異なり、「終わりの始まり」にすぎない。そこに新たな役割を担うべく登場したのが中国である。

『フォーリン・アフェアーズ』（二〇一一年十一・十二月）特集号が掲げたもう一つの論文は、「縮小の英知――アメリカは前進するために縮小せよ」[*26]で、著者はJ・M・パレントと、P・K・マクドナルドである。

この論文によると、一九九九年から二〇〇九年にかけて、世界経済に占めるアメリカのGDPシェアは一三％から一〇％へと三ポイント減少した。そして中国のＧＤＰシェアは七％から一三％へ、ほとんど倍増した。この発展スピードが維持されるならば、二〇一六年には中国のＧＤＰがアメリカを追い越す［実は二〇一四年に追い越した］。

論文「縮小の英知」によると、アメリカはいま覇権国家に通弊の三つの問題を抱えている。すなわち、①過剰消費（over-consumption）、②過剰（対外）膨張（over-extension）、そして③過度の楽観主義（over-optimism）である。一方で、アメリカに挑戦する中国は「四つの矛盾」を抱えている。すなわち、①国内不安（domestic unrest）、②株式・不動産バブル（stock and housing bubbles）、③汚職・腐敗（corruption）、④高齢化（aging population）である。

「縮小の英知」が指摘したこれらの問題点は、ほとんど常識であろう。それゆえ、論文の新味は、これらの現状分析の論理的帰結として、「縮小」（Retrenchment）以外にアメリカの選択肢はない。それを明快に論じたところに、この『フォーリン・アフェアーズ』特集の意味があるわけだ。

「貧しい平等主義」から開放政策による外貨獲得へ

一九世紀後半から約一世紀の混乱を経て独立した中国の共産党政権は、計画経済という名の「アウタルキー経済」を指向したが、毛沢東時代の終焉とともに、国際的立ち遅れを痛感した。

毛沢東の後継者・鄧小平は、「貧しい平等主義」路線では政権を維持できないことを察知して、一八〇度の政策転換を行い（一九七八〜七九年）、改革・開放政策に転じた。すなわち対外的には「鎖国から開放政策へ」の転換であり、国内的には「計画経済システムを市場経済システムに」改め、グローバル経済の「軌道」に、中国経済を乗り入れようと企図した。

八〇年代初頭の「四つの経済特区」で試行された市場経済化は、沿海の主要都市に拡大され、やがて「点から面へ」と拡大し中国経済全体の市場経済化が進められた。遅れてグローバル経済に参加した中国は、低賃金を十分に活用して、世界の工場となり、元安の為替レートでひたすら外貨を蓄積した。これはほとんど飢餓輸出に似た強制貯蓄のメカニズムであった。

中南海の指導部にとって九〇年代半ばの台湾の奇跡が実現した外貨準備高一〇〇〇億米ドルは垂涎の的であり、彼らはほとんど外貨不足トラウマ、「米ドル物神崇拝」に陥った。一九九四年元旦の外貨兌換券廃止により、交換レートが実勢を反映したものになると、大陸ではようやく輸出入は黒字基調となり、これを好感して外資はようやく「人民元への信任」を回復し、中国大陸への直接投資に着手した。その後、中国は貿易黒字と直接投資の流入を極力活かして外貨準備を積み上げ、二〇〇六年に一兆ドルを超えて、日本のそれをわずかに上回った。

これは鄧小平路線の成功であるとともに失敗をも意味した。「成功」とは経済的発展だが、「失敗」とは政治改革の失敗である。鄧小平自身は「経済改革から政治改革へ」という構想を繰り返し語っていたが、実際には政治改革まで踏み込む時間的余裕はなく、一九九七年に死去した。鄧小平は最晩年に後継者江沢民を厳しく批判した「南巡講話」を語り、朱鎔基[*27]を抜擢して指導部を補強しようとしたが、それは部分的にしか成功しなかった。

当初は天安門事件後の収拾を図る「過渡期の指導者」として作られた江沢民政権がその後一〇年続き、胡錦濤政権の一〇年も江沢民院政を続けた。この結果、中共中央、そして中央軍事委員会中枢まで政治的腐敗が蔓延する重大な帰結を迎えてしまった。習近平はその虎退治によって権力をグリップ（掌握）し、電脳社会主義の条件を整えたのである。

チャイメリカ体制

外を見ると米中経済関係は、発展し続けた。第二期ブッシュ政権（二〇〇四～〇九年）で、中国は「責任をもつ利害関係者」（Responsible Stakeholder）と期待され、オバマ政権では「戦略的利害再保証」（Strategic Reassurance）が語られ、密着度を深めたのち、二〇一〇年夏の米国防総省報告は中国軍の役割を称賛して「国際公共財の担い手」（International Public Goods）と呼ぶところまで発展した。その直接的含意は、①国連の平和維持活動、②反テロ活動、③災害救援活動などにおいて、中国軍がいかに国際貢献を果たしているかを繰り返し強調・称賛したものだ。

すなわち中国軍は「中国の国益」を守るための活動は当然として、そのほかに「国際秩序を守る」ためにさまざまな活動を行っており、その役割は、アメリカにとってほとんど「敵軍」ではなく「友軍」だと称賛したのである。ペンタゴン報告書が中国軍に対して、このような微笑外交を送ることの遠謀深慮は明らかであり、米中協調（結託）による国際秩序維持の枠組み作りを展望するためにほかならない。

アメリカの従属国・日本がどれほど米国債を保有したとしても、まず政治問題にはなりえない。しかし中国は、場合によってはそれを売却することで対米圧力をかける危険性をもつ。ここで中国が失うのは、さしあたりは1兆ドルの外貨であるが、アメリカが失うのは、「基軸通貨国としての地位」である。どちらがより多くを失うかについてはいくつかの見方が可能だが、アメリカとしては中国がそのような敵対的行為に走らないように、米中協調のシステムを固めることが喫緊の課題であり、この「同床異夢」が米中政府当局によって明確に認識されてきた。このようにして成立した直接対話の枠組みをもつ今日の米中関係を、著者は「チャイメリカ（体制）」と名付けた。

この「チャイメリカ体制」は、かつての米ソ冷戦体制と似て非なるものである。すなわち米ソ冷戦体制下では、米ソが「二つの陣営」に分かれて対峙し、陣営間の貿易など経済関係は、極度に制約を受けていた。しかし今日のグローバル経済下のチャイメリカ構造においては、米中貿易はきわめて活発であるばかりでなく、低賃金と安い人民元レートを用いて、いわば飢餓輸出にも似た政策によって大量に貯め込んだ中国の「米ドル保有」の過半部分が米国債などの買いつけに当てられている。

こうして米中関係は、一方ではかつての米ソ関係のように軍事的対立を含みながら、他方経済では、「過剰消費の米国経済」を「過剰貯蓄の中国経済」が支える相互補完関係がこれまでになく深まっている。これが「チャイメリカ構造の核心」である。今日の米中関係は、軍事・経済双方の要素についてバランスのとれた観察を行わなければ、理解できない様相を呈している。

さらに、中国はいまや「米国以上に所得格差の大きい」国と化しつつある。この文脈では、現存のチャイメリカ経済構造とは、米中両国が「所得不平等（inequality）を互いに競い合う体制」でもある。これが二一世紀初頭の、世界第一位、第二位の大国経済の現実である。

3　文化大革命再考――「五・七指示」に基づく理念

毛沢東による「五・七指示」

２つの中国モデル（毛沢東モデル、鄧小平モデル）は、モデルとして内外から大きな関心を持たれているが、運動の方向性（ベクトル）は正反対である。前者について述べると、ソ連修正主義あるいはソ連社会帝国主義を批判して、「社会主義への中国の道」を提起したものであり、それはソ連のスターリン批判を契機として表面化し、大躍進期（一九五八～一九六〇年）には人民公社として現れ、狭義の文化大革命期（一九六六～一九七一年）には「五・七指示」として現れるも、両者ともに現実の運動としては大失敗し悲惨な結末を迎えた。しかしながら、人類史のユートピア構想、思想史としては、やはり検討に値する。

「五・七指示」は、解放軍総後勤部から提出された「農業副業生産についての報告」に対する毛沢東コメントの形式をとりつつ、毛沢東が「林彪宛て書簡」として書いたものである。一九六六年五月十五日に全党に「通知」されたが、その際に「歴史的意義をもつ文献であり、マルクス・レーニン主義を画期的に発展させたもの」と説明された。

六六年八月一日付『人民日報』社説（「全国は毛沢東思想の大きな学校になるべきである」）のなかで、その基本的精神が説明された。この社説から当時の「五・七指示」の意義付けを見て取れる。

「五・七指示」の描いた共産主義モデルは次のようなものだ。

（1）世界大戦の有無にかかわりなく「大きな学校」を作ろう――世界大戦が発生しないという条件のもとで、軍隊は大きな学校たるべきである。第三次世界大戦という条件のもとにあっても、大きな学校になることができ、戦争をやるほかに各種の工作ができる。第二次世界大戦の八年間、各抗日根拠地でわれわれはそのようにやってきたではないか。

（2）軍隊は「大きな学校」たれ（共産主義への移行形態としての「大きな学校」）――この大きな学校は、政治を学び、軍事を学び、文化を学ぶ。さらに農業副業生産に従事することができる。若干の中小工場を設立して、自己の必要とする若干の製品、および国家と等価交換する製品を生産することができる。

この大きな学校は大衆工作に従事し、工場農村の社会主義教育運動に参加し、社会主義教育運動が終わったら、随時大衆工作をやって、軍と民が永遠に一つになることができる。

また随時ブルジョア階級を批判する文化革命の闘争に参加する。こうして軍と学、軍と農、軍と工、軍と民などいくつかを兼ねることができる。むろん配合は適当でなければならず、主従が必要である。農、工、民の三者のうち、ある部隊は一つあるいは二つを兼ねうるが、同時にすべてを兼ねることはできない。こうすれば、数百万の軍隊の役割はたいへん大きくなる。

（3）労働者のやるべきこと――同様に労働者もこのようにして、工業を主とし、兼ねて軍事、政治、文化を学ぶ。社会主義教育運動をやり、ブルジョア階級を批判しなければならない。条件のあるところではたとえば大慶油田のように、農業副業生産に従事する必要がある。

（4）農民のやるべきこと――人民公社の農民は農業を主とし（林業、牧畜、漁業を含む）、兼ねて軍事、政治、文化を学ぶ。条件のあるときには集団で小工場を経営し、ブルジョア階級も批判する。

（5）学生のやるべきこと——学生も同じである。学を主とし、兼ねて別のものを学ぶ。文を学ぶばかりでなく、工を学び、農を学び、軍を学び、ブルジョア階級を批判する。学制は短縮し、教育は革命する必要がある。ブルジョア知識人がわれわれの学校を統治する現象をこれ以上続けさせてはならない。

（6）第三次産業のやるべきこと——商業、サービス業、党政機関工作人員は条件のある場合にはやはりこのようにしなければならない。

（7）この構想の性格について——以上に述べたことは、なんらかの新しい意見だとか、創造発明だとかではなく、多くの人間がすでにやってきたことである。ただ、まだ普及されていないだけなのだ。軍隊に至ってはすでに数十年やってきたが、いまもっと発展しただけのことである——。

「五・七指示」の核心は「分業の廃棄」である。毛沢東はここでマルクス『ゴータ綱領批判』にならって、「分業の廃棄」を強く打ち出している。

文革の始まりは「五・一六通知」か、「五・七指示」か？

二〇一六年秋、東京の明治大学で文化大革命五〇周年記念シンポジウムが行われた。[*28] そこでも大方は文革の出発点を一九六六年の「五・一六通知」と認識していた。「五・一六通知」は、いわば「破壊の綱領」であり、「中国の内なるフルシチョフ」打倒を呼びかけたものである。[*29] これとは正反対に、いわゆる「五・七指示」は「建設の綱領」であった。

著者の見解によれば文革は破壊と建設の「二つの顔」をもつが、実際に展開された文革は、ほとんど破壊（中国の内なるフルシチョフ修正主義の打倒）であり、建設の側面（中国のあらゆる組織を共産主義への学校とすること）は覆い尽くされた感がある。毛沢東が打ち上げた「不破不立」という文化大革命のスローガンに即していえば、ブルジョア的な「四旧」[*30]を「破」る段階で力が尽きてしまい、共産主義の理想を打ち「立」てる段階に到達する前に自壊、自滅したと言えるだろう。

いま中国内外の大多数の論者は「五・一六通知」を文革の起点と見ている。破壊の側から見るか、建設の側から見るかは大きな違いとなるが、「五・七指示」と「五・一六通知」との時間差はわずか一〇日間にすぎない。著者は当時、隣国に在って、第三者として観察するチャイナ・ウォッチャーの立場であったことによって、運動に直接参加した者とは異なる視点で文革を見てきた。あえて著者は、「五・七指示」を文革の原点、すなわち共産主義への初心と見ている。「五・七指示」を文革の原点と見るならば、毛沢東の掲げた、追求した理想をはっきりと把握できる。しかしながら、「五・一六通知」は「われわれの身辺に眠るフルシチョフ」打倒の呼びかけであり、そこには理想（主義）はない。

理念レベルでの再考を

政治的目的とそれを達成する手段、政治的意図とその結果（帰結）については、特に失敗した場合に、手段の正当性が問われ、結果を踏まえてその意図が論じられることが多い。これは当然だが、現代における社会主義運動（の失敗）を論ずる場合に、帝国主義の第三次世界戦争の可能性と、それに対する備えという危機意識を除外することは、対象を客観的に認識する妨げになる恐れがある。

実は「資本主義への移行」と「社会主義への移行」とは、人類史の発展段階という意味では共通する側面をもつが、決定的な相違点のあることを明確に再確認する必要がある。つまり、前資本主義から資本主義社会への移行は、共同体に浸透した商品経済・市場経済が、しだいに共同体を解体して市場経済が代替する過程であった。しかしながら、資本主義社会から社会主義社会への移行は、資本主義経済の胎内に社会主義的要素が生まれて、やがて代替するものではない。社会主義的要素が部分的に生まれたとしても、それは市場経済の力によって絶えず解体される。それゆえ社会主義への移行は「自然に、部分的に」行われるものではなく、社会主義革命を経て、目的意識的に、つまり「主観能動」的に社会主義的生産関係を構築していかなければならないものである。

目的意識的理念に基づく現実社会に対する実践活動（働きかけ）という基本構造において、「理念と実践」との対立矛盾関係は、いかなる社会運動についても一般に見られることではあるが、社会主義運動や共産主義運動においては、とりわけ理念に導かれた実践活動が重視される本質があり、それは革命対象自体によって決定されるものと認識するのが古典的な社会主義、共産主義像であった。毛沢東流にいえば、「認識（理論）→実践、再認識（理論）→再実践」の永続過程になる。毛沢東はこの文脈で共産主義への理念を「五・七指示」というわかりやすい言葉で提起したのであるから、文革はこの理念レベルから議論を始めるのが妥当なやり方である。

とはいえ、「羊頭狗肉」は世の習いであり、毛沢東は結局、「五・七指示」という羊頭を掲げて、「奪権闘争」という狗肉を売ったに等しい。現在は、「五・七指示」の美辞麗句は奪権の道具にすぎず、もともとこれを追求したものではないと断定する評価が広く行われている。この風潮に対して著者はあえて異議を申し立てる。それはあまりにも、梟雄（きょうゆう）・毛沢東論にすぎる、あまりにも一面的な解釈ではないか、と。

その理念にもかかわらず、文革が竜頭蛇尾に終わったのは、さまざまの条件や制約のためであり、竜頭蛇尾という結果だけから即断して「五・七指示」という理念まで否定するのは、その理念に導かれて行動しようとした人々の意志を踏みにじるものではないか。理念においても実践においても、現実の運動過程においては過ちを避けられない。それらはやはり一つ一つ検証する必要があり、「盥の水と一緒に赤子を流す」類の愚行は避けねばなるまい。

文革事象についてある論者は「人権侵犯と傷害事件」を特筆して、①軟禁・査問された者四二〇万人、②殺された者一七二万人（非正常死亡、死刑に処せられたものではないが、軟禁査問中に死んだ者は、死刑一三万人の一三倍）、③死刑に処せられた政治犯一三万人という数字を挙げている。[*31] 要するに、四二〇万人が査問され、うち半分弱の一七二万人が死亡させられたが、これは死刑者一三万人の一三倍である。これらはむろん被害者側からの文革告発である。このような「負の現実」がなぜ生まれたのか、それを軽視することは許されないが、これらの「負の現実」を絶対視して、ただちに文革全体の評価に及ぶならば、それは短絡のそしりをまぬかれない。負の側面に覆い尽くされたなかにも、同時に正の側面がないわけではない。

ギロチンという名の刑具は、罪人の首を切断する斬首刑の執行装置としてフランス革命において採用され、一九八一年まで使用された。ギロチンは公開処刑で使用されることが多く、一九世紀のフランスでは大勢の市民がギロチンによる公開処刑を娯楽として楽しんでいたといわれる。

歴史上の大革命に似て、文化大革命期には、さまざまの行き過ぎ現象、愚行が見られたが、これらを反面教師として総括しつつ、「二一世紀の社会主義」は教訓を引き出すべきであろう。ユートピアがディストピアに帰結した現代史のヒトコマを冷静に分析し、「もう一つのディストピア」を繰り返さないこと、それが歴史の教訓に学ぶことである。

日本にとっての文化大革命の意義

日本から見た文化大革命は、先進国における「管理社会」批判のイデオロギーとして迎えられ、「造反有理、帝大解体」のスローガンとして衝撃を与えた。

マルクスは『ゴータ綱領批判』のなかで、分業から解放され、個人が全面的に発展する社会を構想した。前述の通り毛沢東はマルクスにならって、「五・七指示」で「分業の廃棄」を強く打ち出している。ただしマルクスは資本主義社会が到達した高度の生産力を前提として「分業の廃棄」を考えたのに対し、毛沢東の場合は、中国の後れた経済、自然経済を多分に残した段階でそれを提起した点で、とりわけ日本の左翼知識界に衝撃を与えたのである。

当時から、生産力の「発展段階を軽視した」点で、毛沢東を「空想的社会主義者」と見る向きは少なくなかったが、社会主義の理想とはるかに隔たっているソ連型社会主義（＝スターリニズム）の現実に失望し、社会主義への展望を見失っていた当時の日本の左翼世界において、毛沢東の文革理念は衝撃をもって受け取られた（しかし、それも「七〇年闘争の自壊」とともに消えることとなるのだが）。

毛沢東「分業の廃棄」主張の国際的背景

毛沢東が唱えた「分業の廃棄」の背景にはもう一つ、当時の国際情勢が挙げられる。沈志華教授の著書『最後の「天朝」[*32]』（第七章）は、次のように文革期の中国外交のアウトラインを描く。

・一九六五年九月三日『人民日報』は林彪署名の「人民戦争の勝利万歳」を掲げ、毛沢東の農村から都市を包囲し、武力で政権を奪取した中国の経験がアジア、アフリカ、ラテンアメリカの革命闘争に「普遍的な現実的意義を有する」と主張した。中国のゲリラモデルの世界的展開による世界革命の提唱であった。

この「革命外交」により、インドネシアで九・三〇事件（軍事クーデタ未遂事件）が起き、毛沢東は一九六七年一月十七日マラヤ共産党チェン・ピンに対して「五四年のジュネーブ協定は間違いである」と主張し、この会議後に中ソ両党がマラヤ共産党に武装闘争の放棄を求めたのは「デタラメ指示」であり、「武装闘争こそが正しい」と力説した。

・六七年七月二日付『人民日報』はビルマ共産党の六月二十八日声明を全文掲載した。六八年三月二十九日付『人民日報』一面は「毛主席の鉄砲の中から政権が生まれるという学説の威力は無比である」との見出しでネ・ウィン政権の打倒を呼びかけた。

・中国は六一〜六五年に、A.A.LA（アジア‐アフリカ‐ラテンアメリカ諸国人民連帯会議）の七四政党と組織から三七四回にわたり一八九二人を受け入れ、ゲリラ戦の戦略と戦術を指導した。一九七一年にタイ共産党のゲリラ戦に協力するため顧問と軍事専門家を派遣し、七二〜七四年にフィリピン共産党に武器を輸送した。

・一九六七年三月二十日、林彪は軍団長級以上の幹部会議で「中国が倒れなければ、世界は希望が持てる」、「中国が赤の海になれば、その面積は欧州全体が赤色に染まったのに相当する」と演説し、毛沢東はその録音を紅衛兵に聞かせるよう指示した。

・一九六七年七月七日、毛沢東は「世界革命の兵器工場になるべきだ」(『毛沢東思想万歳』丁本)〈『毛沢東思想万歳』の版本については本著作選集1一一七頁を参照〉と語った。六八年五月十六日、毛沢東は「世界革命の中心は北京にある」との表現を批判し、「中国人民が自ら言うべきではない〈モスクワ批判〉」「世界人民に言わせるのだ」と指摘した。

・六六年九月九日、ウィーン駐在中国大使館を批判した紅衛兵の文を評価して「すべての海外駐在機関は革命化を進めるべき」と指示した。一九六七年初めには中国の外国駐在大使は黄華仏大使を除いて全員召還され、大使館員の三分の一も学習のため帰国させられた。紅衛兵と造反派により六七年六月十八日にインド大使館が、七月三日にビルマ大使館、八月五日にインドネシア大使館が破壊され、二十二日には英臨時大使館焼き討ち事件が発生した。

毛沢東はのちにエドガー・スノーとのインタビューで中国は「全面的内戦」に突入し「外交部はめちゃくちゃにされ、約一カ月半くらいコントロールを完全に失い、その権力は反革命分子の手に握られた」と述べた。

・中ソ両党が分裂してから世界の大半の共産主義政党はソ連側につき、中国共産党との交流を中断した(日共しかり)。世界中で一〇〇以上のML主義党〈マルクス・レーニン主義を名乗る党派〉が生まれたが、数年後に大半は雲散霧消した。

・一九六九年二月十九日、毛沢東は陳毅、徐向前、聶栄臻、葉剣英の四人の元帥に国際問題の、李富春副首相らに国内問題の対策を求めた。七月十一日には陳毅ら四人が署名した「戦争情勢に関する初歩的認識」が周恩来に届けられた。報告書は、中国を標的とする戦争が起こる確率は低い、中ソ対立は米中対立よりも深刻とみる内容であった。九月十七日、陳毅は「米ソ間の矛盾を利用し、中米関係を打開する必要がある」と提言し、そこからピンポン外交が始まった。

沈志華の分析に依拠して、これまで明らかにされていなかった影の部分をこのように見てくると、文化大革命という政治劇の核心部分が浮かび上がる。文化大革命は国際情勢面では、ベトナム戦争が拡大して中国を巻き込み、第三次世界大戦が勃発する危険性があると見る毛沢東の焦燥感から発動されたものである。

一九六七年七月七日、毛沢東は「中国は世界革命の兵器工場となるべきだ」という激烈な発言を行ったが（『毛沢東思想万歳』丁本、六七九〜六八一頁）、これは万一米国が「北爆」をエスカレーションさせ、第三次世界大戦を始めた場合の中国の対応を指示したものだ。しかしながら現実の国際情勢は、米中戦争の方向ではなく、中ソ武力衝突（珍宝島＝ダマンスキー島）に動いた。中国から見て差し迫る戦争の危機とは、米中戦争ではなく、中ソ戦争の危機であった。この認識において、毛沢東、周恩来、および陳毅以下四元帥たちの認識は一致した。そこから「主要な敵はソ連である、したがって米国は友軍として位置づける」という国際情勢の一八〇度転換が始まった。それまで文化大革命の旗手としてこれを指導してきた林彪ら解放軍主流派は、毛沢東、周恩来の路線転換に反対して、敗北し、ソ連への亡命飛行の途中、モンゴルのウンデルハン草原で墜死した（一九七一年九月十三日）。狭義の文化大革命（一九六六〜一九七一年）はこうして事実上収束したが、いわゆる文化大革命という混乱状況は、一九七六年の毛沢東死去まで続いた。

4　毛沢東社会主義の教訓

哲学者・経済学者からの「大躍進」批判

帝国主義に抗するゲリラ戦争において、大きく、かつ決定的な役割を果たすのは「主観能動性」の要素であることは言うまでもない。さらに、全国的政治権力の奪取後に進める建設（たとえば五カ年計画）においても、建設が目的意識的な行為である以上、「主観能動性」の役割は大きいと言えよう。しかしながら、主観能動性の役割を、価値法則の客観的な作用を無視するところにまで強調すると、客観的な市場経済の原理によって復讐される。

毛沢東の主導した「大躍進運動」（一九五八〜一九六一年）も、客観的経済原則を無視したことにより広範な飢餓を引き起こした。当時、中国共産党創立以来の党員で、『実践論・矛盾論解説』の著者である李達（当時武漢大学学長）は、一九五八年に武漢東湖賓館に滞在中の毛沢東を訪ねて、主観能動性の一面的な強調により観念論・主観主義に陥ったと批判した。

文革の前夜一九六四年十一月には、哲学者・艾思奇が楊献珍を批判する「合二而一」論争が起こったが、これは政治の文脈では、ソ連修正主義と袂を分かつ「毛沢東の道を合理化する艾思奇」と「これに同意しない楊献珍」の論争にほかならない。哲学論争と呼ぶよりは政治論争そのものであった。

政界からの批判では、彭徳懐（一八九八～一九七四年）による意見書（一九五九年廬山会議に提出）での「大躍進は経済的に引き合わない」とする見解が最も有名だ。

経済学の分野でも、毛沢東流の「主観能動性」を価値法則に依拠して批判した二人の経済学者がいる。孫治方（一九〇八～一九八三年）はモスクワのクートベに学び、一九五六年に価値法則と「利潤の名誉回復」を提唱した。孫治方は「リーベルマン[*33]以上にリーベルマン的だ」と受け取られ投獄（一九六八～一九七五年）された。

顧準（一九一五～一九七四年）は、上海の著名な「立信会計事務所」で会計学を学んだ体験から、経済原則を企業経営の現場から観察する能力を身につけていた。一九五六年に『社会主義制度下の商品生産と価値法則』を書いて主観主義を批判し、経済計画の根拠として価値法則を重んずべきことを指摘して「右派分子」とされ、一九六五年には「極右派」の烙印を押された。

彼らの主張は、いずれも価値法則を無視した大躍進運動が経済の運営を破壊した現実を理論的に批判するものであった。

文化大革命は、官僚主義に陥ったスターリニズムの克服を試みた

大躍進運動は、主観能動性の一面的強調が経済原則を破壊したことによって失敗したものであるから、批判者の側に正義があったが、革命幻想に酔う毛沢東は、ソ連修正主義に挑戦する中国の道と彼自身の権威失墜を救済するために文革を発動した。

こうして文革前期（林彪失脚以前）には、大躍進批判に対する反批判が組織的に行われ、多くの冤罪事件を引き起こした。冤罪事件の被害者の視点からすると、文革は二度と繰り返してはならない悲劇である。犠牲者から見るならば、そこには正当性のかけらもない。

しかしながら、モスクワを司令部とする冷戦体制のもとで、あらゆる造反を封じ込める官僚主義システムが人々を抑圧していた諸矛盾を直視するならば、革命家＝夢想家毛沢東が「継続革命」を提唱したことによって現存する社会主義の欠陥や矛盾を剔抉した功績には否定しがたいものがある。

すなわち、「階級廃絶」や「人間解放」という目標から、はるかに隔たっていたスターリニズムの現実の社会主義のもとで、毛沢東が打ち出したスターリニズム批判は、世界中に共鳴者を見出した。

とはいえ、スターリニズムを批判した毛沢東がスターリニズムを克服できたかといえば、答はノーであろう。ソ連社会主義に見られた否定的な現実は、遺憾ながら毛沢東指導下の中国社会主義についてもあてはまる部分がきわめて多い。この現実を認識して毛沢東は、「官僚主義者階級が人民の頭上にあぐらをかいて、人民にクソ、ショウベンをふりかける」と罵倒した（一九六五年一月二十九日「陳正人同志への批示」『毛主席文選』三四頁）。

帝国主義戦争への対抗のなかで生まれた二〇世紀社会主義

「二〇世紀に現存する（現存した）」社会主義の総括を語るとき、そこから何を教訓として導くべきか、課題は論者に応じてさまざまであろう。社会主義は、何よりも帝国主義戦争の最中で、この戦争に反対する人々を動員する戦略戦術として提起され、「飢えからの自由と平和への呼びかけ」によって、帝国主義に対しては「辛くも勝利した」。しかしながら、そこで人々に約束した「社会主義の理想」と比べると社会主義体制下で現実に人々の獲得できたものが、約束された目標に到達したとは到底いえないことも明らかだ。

人類のおよそ三分の一を巻き込んだ「二〇世紀現存社会主義の試行錯誤」を「階級の廃絶」や「人類の解放」という壮大な目標に照らして点検するとき、そこには色濃く深く、帝国主義戦争の負の刻印が刻まれている現実に気づく。それゆえ、二一世紀の人類の希望は、現存する（現存した）社会主義の止揚から始まるが、それは悪夢が覚めたあとの希望にも似て、容易に把握しにくい。現代資本主義のもとでの新しい飢餓や貧困、失業のあり方は、二〇世紀のそれと比べてはるかに複雑であり、革命主体の形成は、はるかに大きな困難が予想される。それはもはや二〇世紀型の革命という手段ではなく、漸進的な政治改革に依拠する可能性がより強まったと見てよい。

毛沢東の矛盾――経済原則の無視と主観的観念的計画への堕落

著者は文革後期から紅衛兵資料を研究し、紅衛兵が編集した『毛沢東思想万歳』に収められたスターリンの『経済学教科書』から社会主義経済研究をスタートし、これを批判した『毛沢東 政治経済学を語る――ソ連《政治経済学》読書ノート』、『毛沢東 社会主義建設を語る』（いずれも現代評論社、一九七四、七五年）を翻訳し、中国の社会主義経済を研究する立場から、毛沢東と劉少奇の経済政策における対立とその政策の帰結へと研究を進めた。そのなかで、劉少奇らの経済政策を支える理論が孫治方や顧準にあることを知ったが、孫治方はスターリニズムの経済政策の過ちの根本は「価値法則」を無視した点にあると分析し、「利潤の名誉回復」を主張し、これは康生によって「修正主義経済学者リーベルマンよりも、よりいっそうリーベルマン的」と攻撃され、前述のように、長らく投獄された経歴をもつ。

毛沢東は「主観能動性」哲学を鼓吹した結果、経済活動を混乱させ、二〇〇〇～三〇〇〇万人の餓死者を生み出す悲劇を招いた。そこには農民の生活実態をまるで眼中に入れず、単に上級幹部の顔色を忖度し、自らの出世と保身をはかるだけの大小の官僚主義者がうごめいていた。毛沢東は当初、食糧増産の「虚報」（デタラメな過大報告）に対して再調査を命ずるなどの対応も試みたが、結局は「虚報」に騙されて、死屍累々、惨憺たる悲劇を招いた。[*34]

いわゆるスターリン論文『ソ同盟における社会主義の経済的諸問題』が提起した「諸法則」の核心は、資本主義経済の根底にある価値法則だが、これを尊重しないで計画経済を行えば、主観主義・観念論に陥ることは明らかだ。毛沢東の人民公社運動や大躍進政策が失敗したのは、客観的経済原則を無視して、主観能動性の名において、現実から乖離した理念が暴走したことによる。

価値法則とは「あらゆる経済社会の経済原則」であるとともに、「資本主義社会における特有の経済法則」として機能するものだ。社会主義経済に適用するのは、価値法則ではなく「経済原則」の側面である。

しかしながら、両者の腑分けは理論的にも実践的にも容易ではない。「大躍進」ならびに文革期の理論的混乱の原因は、「経済原則を踏まえた計画経済」を樹立せよという主張が、「価値法則に基づいた計画経済」と表現され、それはただちに「資本主義の復活」をはかるものと逆襲されたことにある。要するに、資本主義経済の価値法則を止揚した上で経済原則を重んじる「計画経済」という政策が、現実には、経済原則を無視した主観的観念的計画に堕落して、飢餓を蔓延させたのだ。

中国の場合、上海の名門簿記学校出身の顧準は、簿記会計学と経済活動の関係を学ぶことから出発したので、経済原則を踏まえた計画経済の意味を最も深く理解していた。そのような優れた経済学者・経済政策論者がその学説のゆえに二度にわたって右派分子とされた一方で、現実に行われた文革期の経済政策は、生産力を軽視し生産関係のみを突出させた。鄧小平の生産力論（白猫黒猫論[*35]）は、生産関係一辺倒の間違いを是正する試みであり、これは商品経済・市場経済への転換への転轍機（軌道転換）となった。

自主管理の思想

生産手段の私有制改革以後に行われる社会主義的生産過程（労働過程）が、なぜ「支配、従属」関係に変化するのか。この問題について、さまざまの角度から議論が行われてきた。[*36] 一方では、ソ連型社会主義の批判としてユーロ・コミュニズムの潮流があり、他方で、文革の提起した生産関係についての新しい解釈が人々の関心を集めた。

このような試みは国の内外にいくつも存在したが、著者自身がコミットしたのは「労働者自主管理研究会」であった。この研究会の活動として大内力訪中団が訪中したのは一九七九年四月十六～三十日である。大内以外のメンバーは、佐藤経明（横浜市立大学）、新田俊三（東洋大学）、海原峻（パリ第七大学）、斎藤稔（法政大学）、馬場宏二（東京大学）、中山弘正（明治学院大学）、そして矢吹が秘書長を務めた。

ユーロ・コミュニズムの研究者からソ連東欧研究者まで、各分野の専門家を網羅したメンバーは、脱文革から改革開放期に至る中国経済の諸側面をヒアリングし、意見を交換した。論点は多岐にわたり、十分な総括には至らなかったが、文革で提起された生産管理の問題を「労働者自主管理」(autogéstion)というコンセプトで把握することの意味を探求するという問題意識をメンバーは共有していた。つまり文革は、過度に国家権力に依拠した国権的社会主義体制に対して、生産の現場から労働者の主体性を回復する試みではあったが、現場における「自主管理」の総和がどのような形になるかについての展望は不透明なままに残されたという認識である。

この文革期の課題が、いまやコンピュータ管理、電脳社会主義によって展望が切り拓かれつつあるのだ。

5　市場経済への移行と天安門事件

鄧小平による総括と天安門事件

毛沢東死去（一九七六年）から一〇年を経た一九八六年、華国鋒という「繋ぎのリーダー」は早くも忘れ去られ、復活した鄧小平による脱文革は「改革開放」という新しい旗幟のもとで、本格的に始動していた。

文革遺制から脱却する政治的目的を秘めて、文革理念とはウラハラの否定的事実、負の現実が「これでもか」と言わんばかりに大量に暴露された。とりわけ各地の武闘という惨劇は、紅衛兵や造反労働者のほとんどがならず者であり、彼らによる乱暴狼藉が文革の実質であると誇張して伝えられた。ここで、多少なりとも残っていた文革幻想は、完膚なく破壊されたのである。その極致には、「人食い」[*37]騒ぎが含まれる。

「建国以来の党の若干の歴史問題についての決議」が採択されたのは、一九八一年六月二十七～二十九日の第十一期六中全会だが、そこで「文革一〇年」（一九六六～七六年）が「挫折と損失」のみと評価され、以後、陸続と文革の「負の現実」が日本に伝えられるに及び、文革への幻想や思い入れは、ことごとく打ち砕かれ、一九八六年＝文革二〇年を迎えた。

著者はこのころ、「文革とは何であったか」について著者自身の認識を整理するために、講談社現代新書『文化大革命』（一九八九年刊。本著作選集第2巻に所収）を書いた。[*38]そこではまず文革の理念を文革派の問題意識に即して説明し、次いで文革の帰結を文革批判派＝実権派の立場に即して記述した。

改革開放の進展とともに、単に経済改革だけではなく政治改革を求める声が次第に大きくなり、一九八九年六月、天安門事件が起こった。[*39]これは文革の造反有理を直接継承するものではなかったが、鄧小平はこのとき、文革の悪夢を想起して、学生の動きを「動乱」と認識して、解放軍に鎮圧を命じた。

鄧小平は「摸着石頭過河」[*40]を繰り返す。その含意は、毛沢東の「主観能動性」批判である。両者は「対」である。毛沢東も鄧小平も「実事求是」を語るが、毛沢東の実事求是は「主観能動性」であり、鄧小平の実事求是は「摸着石頭過河」である。前者は「思想」との、後者は「経済」との親和性をもつ。

計画経済と市場経済の間で――旧ソ連・東欧とは異なる中国モデル

ロシア革命史研究の専門家・渓内謙が『現代社会主義を考える』（岩波新書、一九八八年）を書いた前後から、「現実に存在する社会主義」の実態分析が試みられるようになった。そこから、社会主義像の理念から大きくかけ離れた現存社会主義のあり方が具体的に分析されるようになり、ユーロ・コミュニズムや「自主管理社会主義（ユーゴ型など）」等々をスターリン型「国権社会主義」に対置するかたちで社会主義論が活発化した。

著者は、中国の「社会主義市場経済」に対して「限りなく資本主義に近い社会主義」と名付け、その後「限りなく資本主義に近い中国経済（一九八九年）」「国家資本主義体制」と認識をより深化させた。より一般的には「ポスト社会主義」、「移行期経済」などの呼称が広く行われた。

市場社会主義（Market Socialism）への道をリードした東欧三カ国（ハンガリー、チェコ、ポーランド）は、ソ連の解体後に、ＥＵに加盟して、市場社会主義がグローバル資本主義（Global Capitalism）体制に参加する上での「過渡的、移行期のシステム」にほかならないことを「事後的」に明らかにした。すなわち市場社会主義「(Market) Socialism」の到達目標は、市場資本主義「(Market) Capitalism」にほかならず、ここで「Socialism」を付したのは、政治的マヌーバー（粉飾）にほかならないとする疑惑が生じていた。従来著者は、中国の「社会主義市場経済」は本質的に東欧の市場社会主義と同じものと見てきた。しかしながら、中国共産党はＷＴＯやＩＭＦに参加したあとも、そして二一世紀初頭に習近平体制が成立したあとでも、政治面では「共産党の指導体制」を堅持している。これは、解体即「マフィア経済」に移行した旧ソ連や、解体即「EU加盟」に行きついた東欧とは著しく異なる。

今、中国共産党が掲げているのは、「中華民族の復興」である。民族の「復興自体」が問題なのではない。復興した民族のその後の行き先が「社会主義なのか、社会帝国主義なのか」が問われているのだ。

現代資本主義経済システムは、すでにさまざまの福祉政策をビルトイン（内蔵）しており、他方、中国の社会主義市場経済も経済発展の帰結として、今後は福祉政策に重点をおく条件や余裕が生まれている。こうして従来は、大きな溝が存在すると見られてきた「2つの体制」間のイデオロギー的差異がしだいに縮小し、グローバル経済下で融合度を増し、いわゆるconversion theory（両体制間の相互接近、融合）の要素が強まる反面、いまや宗教や民族主義の新しいナショナリズム対立が前面に飛び出し、政治対立に伴う極度の暴力が目立っている。

政治対立による暴力の象徴、劉暁波

人々が抱いた、この種の暴力に対する危機感は一人の人物に体現され、象徴されている。ノーベル平和賞を得た劉暁波である。劉暁波は受賞で脚光を浴びたが、それだけなら一過性で終わる。むしろ中国当局が出国を許さず、「本人か家族限定」で手渡すルールの賞金を未だに入手できない不条理によっていっそう有名になったと見てよい。人々は、授賞式への出席すら許容できない彼の存在によって、中国政治の現実を改めて思い知らされた。

受賞の直接的契機は二〇〇八年暮、劉暁波が仲間を募ってメールで呼びかけた『〇八憲章』である。

受賞が決まったあとに『憲章』を読んだ友人から「新しいことが何も書いていない、どこがノーベル賞級の発言なのか、教えてほしい」と問われたので、著者（矢吹）はこう答えた。「その通り。劉暁波はあまりにも当たり前のことを主張しているにすぎない。フランス革命など近代の欧米社会を中心に発展してきた人権尊重の価値観を中国でも、『人類の普遍的価値』として尊重しよう、と呼びかけただけである。とびきり独創的な思想や難解な哲学を語ったものではない」。

「では、なぜそれが平和賞なのか」と重ねて問われたが、その答えは、中国当局が「普遍的価値」に背を向け、「人権よりも国権が必要だ」など時代錯誤の強圧政策を続けているからではないか。

天安門事件が発生した一九八九年六月四日未明、劉暁波は、事件の数日前からハンガーストライキをしていた四人組（四君子）の仲間とともに、広場制圧を指揮する戒厳部隊の政治将校と交渉して学生の逃げ道を用意させ、広場撤退局面での流血を回避した。これは火中の栗を拾うきわめて勇気ある行動で、劉暁波の名はこのとき、人々の脳裏に刻み込まれ、「第一の劉暁波伝説」が生まれた。

広場の制圧後、少なからぬ有名知識人や学生指導者たちが亡命したが、劉暁波は国内に留まり秦城監獄に投獄され、監獄で病死した。ここで「第二の劉暁波伝説」が生まれた。

「私には敵はいない」

劉暁波が「広場ハンスト宣言」以来一貫して語りつづけているのは「私には敵はいない」という思想である。獄中で書かれたその文章を、授賞式ではノルウェーの女優リブ・ウルマンが代読した。[*41] 中国共産党は長いゲリラ闘争を経て「銃口から政権が生まれる」という暴力革命で政権を得た。その政治的暴力はさらなる暴力支配を生み、中国共産党の統治全体が血塗られ、今日に至る――という考え方である。

劉暁波はこの「暴力の連鎖」を見据えて「非暴力の思想」を対置した。劉暁波の「非暴力の思想」がガンジーやキング牧師の非暴力と重なることは明らかだが、これは単なる模倣ではない。文化大革命期に中学・高校に進学する機会を奪われた紅衛兵世代（一九五五年生まれの劉暁波も紅衛兵世代にあたる）が、自らの痛切な体験を通じて獲得した思想と解してよい。

こうして劉暁波は現代中国の政治的暴力を根源的に否定し、中国共産党の握る政権の支配の正統性に疑問を提起し続けた。彼の主張は「非暴力の思想」により「社会を変え、政権を変えよう」という穏健きわまるものだ。秘密結社を呼びかけ、政治テロを主張したものではない。にもかかわらず、彼は国家反逆罪の重刑を受けた。劉暁波は、建党九〇周年の前年（二〇一〇年）に中国共産党が行った裁判により服役し、二〇一七年、錦州刑務所から瀋陽の中国医科大学附属病院に移送されたのち、七月十三日に肝臓ガンにより六一歳で死去した。

いま中国は、劉暁波が行動（＝死）をもって提起した課題にどう答えるのか、回答を迫られている。二〇一七年秋、習近平は第十九回党大会政治報告で、社会主義への疑問に対して一つの方向を提起した。端的にいえば、劉暁波の思想を拒否するが、別の形で社会主義の理想を模索するスタンスである。キーワードは、胡錦濤講話でにわかに注目された「社会管理」の四文字である。「社会管理」というキーワードは、第十二次五カ年計画（二〇一一～二〇一五年）要綱にも書かれている。中国の直面する重大な社会問題群に対する、何らかの「管理」の必要性は誰にも理解できよう。だが、「下からの政治体制改革」への動きに対して、「上からの社会管理」を押し付けるだけでは解決になるまい。

この模索のなかで、「デジタル中国（＝数字中国）」の構想が生まれることになる。ここで上部構造と下部構造の矛盾は、ビッグデータを誰がどのように扱うか、という一点に集約され始めた。まさに新しい生産力の基盤が、それに対応する生産関係を要求する段階に突入したのである。

6 中国版「ノーメンクラツーラ」

求められる中国官僚制分析——ノーメンクラツーラとは何か

開発独裁と呼ばれる政体のもとでひたすらＩＴ革命（一九九五〜二〇一〇年）、ＥＴ革命（二〇一〇年〜）の道を邁進する中国の政体は、何を目指し、その結果はどうなるのか。それは単にロシアやアメリカの道を追いかけて、繰り返そうとしているだけなのか。

中国の場合、共産党という組織が開発独裁型の権力をビッグデータ、さらにはＡＩという人工知能に委ねようとしている点が特徴的だ。ビッグデータを解析し、政治経済社会の方向を決定するのは、あくまでも習近平をトップとする中国共産党である。しかし、今後のカギとなる、九〇〇〇万人弱の中国共産党が党内民主主義をどのように発展させ、そこで得られた民主化経験を全社会に拡大するという政治プログラムがどのように施行されるかという課題に取り組むためには、時間のかかる民主制の代わりにコンピュータが徹底的に時間の節約を図ることになる。そのようにして得られた政策の実行とその帰結もまたコンピュータによって管理される。

そのようにして、「かつてのローマ帝国をはるかに上回る」などと形容句のつく「スーパー帝国」がいまや生まれようとしており、それを支える中国官僚制の分析が求められている。つまり、「中国版ノーメンクラツーラ制」の核心を分析し、理解しなければならない。

ノーメンクラツーラ（номенклатýра）とは、リストを意味するラテン語起源のロシア語である。元来は、幹部ポストを列挙したリストを意味していたが、そのポストに就任する幹部をも指し、転じて現存社会主義国の支配者集団をも指すようになった。この言葉は、旧ソ連の亡命史家ミハイル・S・ヴォレンスキーの書いた『ノーメンクラツーラ——ソヴィエトの赤い貴族』（佐久間穆ほか訳、中央公論社、一九八一年）がベスト・セラーになったのをきっかけとして当時の常用語の一つとなった。同じく八〇年代初頭には、ポーランド統一労働者党中央委員会政治局「党中央委員会、地方委員会、郡委員会のノーメンクラツーラに属するポストの一覧表」（一九七二年十月付指令）とその解説が日本語で読めるようになった。

この言葉自体は、旧ソ連の解体や東欧の民主化のなかで歴史用語化しつつあるが、現在も「旧ソ連ノーメンクラツーラ」の中国版は存在し、機能している。「中国版ノーメンクラツーラ」として挙げられるのは、一つに「中共中央の管理する幹部職務名称表[*42]」（原文＝中共中央管理的幹部職務名称表）であり、さらに「中共中央に報告する幹部職務名単」（原文＝向中央備案的幹部職務名単。「備案」と略称する。備案とは主管部門に報告して、そこの記録に載せること。主管部門が認めない報告は備案できない）である。

二つのリスト

これらは従来極秘とされてきたが、八〇年代以降の情報公開のなかで、その一端が公開された書物のなかに現れるようになった。たとえば、五〇年代に党中央組織部で働いた安子文（一九四五年中央組織部副部長、五六年組織部部長就任）の功績を記した伝記が資料の一つである。安子文の紹介に基づいて中央組織部が「幹部管理工作を強化することについての決定」を起草し、一九五三年十一月に正式決議として通達された。伝記によると、当時の幹部制度は九種類からなっていた。

1　軍隊幹部——軍事委員会の「総幹部部」（幹部問題を担当する部門）、総政治部および軍隊の各級「幹部部」、政治部が管理に責任を負う。
2　文教工作幹部——党委員会の宣伝部が管理に責任を負う。
3　計画、工業工作幹部——党委員会の計画、工業部が管理に責任を負う。
4　財政、貿易工作幹部——党委員会の財政、貿易工作部が管理に責任を負う。
5　交通、運輸工作幹部——党委員会の交通、運輸部が管理に責任を負う。
6　農業、林業、水利工作幹部——党委員会の農村工作部が管理に責任を負う。
7　統一戦線工作に関わる幹部——党の統戦工作部が管理に責任を負う。
8　政法（「政法」とは政治法制の略だが、実際には司法治安系統を指す）工作幹部——党委員会の政法工作部が管理に責任を負う。
9　党群（党と大衆）工作幹部とその他の工作幹部——党委員会の組織部が管理に責任を負う。

さらに、各部門について、全国各方面に関わる「重要職務を担う幹部」は中央が管理し、「その他の幹部」は中央局、分局（中央局、分局とは中国全土を六大行政区に分けて、それぞれに派遣された中央を代表する出先機関を指す）および各級党委員会が管理するものとした。

この決定に基づいて、一九五四年までに中央組織部内に、①工業、②財政貿易、③交通運輸、④政法などの「幹部管理処」が設けられ、一九五五年一月には中共中央は「中共中央の管理する幹部職務名称表」を正式に公布するに至った。

もう一つの資料によると、一九五五年一月、中共中央は「中共中央の管理する幹部職務名称表を出すことについての決定」を下達している。また同年九月、中共中央は各省、国務院各部門に対してそれぞれの管理する「幹部職務名称表」を迅速に制定するよう通知し督促している。こうした経緯を経て、中国流のノーメンクラツーラ制が成立した。

しかし、文化大革命期には多くの幹部が「資本主義の道を歩む実権派」として批判されたために、一時的に幹部制度はほとんどマヒした。しかし鄧小平時代になると、文化大革命以前の制度がそっくり復活した。転換点は一九七八年十二月の十一期三中全会であった。会議から一年半後の一九八〇年五月二十日、党中央組織部は、いわゆる「二七号通知」を出し、改めてノーメンクラツーラ体制の再建を指示した。

最新リストによる基本構造の解明

入手できるリストのうち最新のものとしては「中共中央の管理する幹部職務名称表」および「中共中

表２　中国共産党の３段階組織構造

中共中央	中央政治局委員25名、中央委員200余名。
地方組織	省級党委員会（31）と県級党委員会（2000余）の二級からなる。
基層組織	企業、農村、機関学校、科学研究機関、街道、人民解放軍の中隊レベルなど「基層組織」（基層とは末端の意）に基層委員会、総支部委員会、支部委員会などが設けられる。

央に報告する幹部職務名単（一九九〇年五月十日、中央組織発［1990］XX号）」、そして「中共中央に報告する幹部職務名単（一九九八年八月十三日、中央組織発［1998］11号）」がある。

まず入手可能な最新リストの内容を一瞥してみよう。その基本構造は次の通りである。

表2のように、中国共産党の組織は、基本的に中央組織、地方組織、基層組織の三段階に分けられる。このうち、中央組織は中央政治局と中央委員会である。地方組織は省級党委員会と県級党委員会の二級からなる。なお、地区級は省級機構の出先機関にすぎず、自治州などの例外を除き、独自の行政レベルを構成しているものではない。最後に企業、農村、機関学校、科学研究機関、街道、人民解放軍の中隊レベルなど「基層組織」（基層とは末端の意）に基層委員会（あるいは総支部委員会、支部委員会）が設けられている。

省級党委員会の書記、副書記、常務委員および紀律検査委員会書記のポストは、表向きは同級の党委員会の選挙で選ばれ、「上一級」（直属上級、すなわち中央委員会を代表する中央組織部）の「備案」を得るものと党規約では規定されている。

上級の「備案」が得られない人物を下級が選ぶことはできない。省級党委員会の選挙はあらかじめ中央が采配した任命リストに基づいて行なわれると見たほうが妥当であろう。

一九九八年リストに生じた違い

一九九〇年リストを、以下の一九九八年リスト（中央組織発〔1998〕II号）と比べると、二〇世紀末から二一世紀初めにおける中国共産党の支配構造が一目瞭然となる。

1 中共中央直属機関の領導幹部職務（三三単位）
2 中共中央紀律検査委員会幹部職務（七四単位）
3 中華人民共和国、中央国家機関領導幹部職務（一一二〇単位）
4 中央管理社会団体領導幹部職務（二〇単位）
5 中央管理地方党政機関領導幹部職務（一〇単位）
6 中央管理国有重点企業領導幹部職務（五三単位）
7 銀行株式公司党委員会書記、副書記、委員、銀行株式公司董事長、副董事長、行長、副行長、監事会主席（二二単位）
8 中央管理高等学校〔大学を指す〕領導幹部職務（三一単位）
9 中央管理のその他単位の領導幹部職務（九単位）

以上、計三七二単位の九八年リストは、九〇年リストでは「備案」リストに収められていた大学や国有企業の名が正規のリストに昇格している。

中国の諸階層――ルンペン・プロレタリアートからノーメンクラツーラまで

陸学芸らの実態調査報告およびその続編に基づいて中国の諸階級を描いたものが、この「一〇大階層」である。陸編著は「階級」と呼ぶことを避けて「階層」の二文字を用いたが、それでも「社会主義社会における階層を扱う」ことは「政治問題になる」と批判された由だ。農民については、李昌平などの本からその一端をとらえることができる。

廖亦武『中国低層訪談録』（集広告）に寄せた劉燕子の「訳者あとがき」によると、廖亦武は一九五八年四川省塩貞県の農村に生まれた。天安門事件を告発した長詩「大虐殺」やその姉妹編の映画詩「安魂」を制作し、反革命煽動罪で四年間投獄された。出獄後に職を得られず、獄中で僧侶から学んだ簫を吹く大道芸人として生活を立てながら、中国社会の最低層の人々の声を記録し続けてきた。

現代中国史を彩る激動のなかで、運命をもてあそばれ、数奇な人生を生きた、あるいは生き抜いている、ほとんど虫けらのような人々を探し出し、著者は誠実に丹念に、その人生の変転を聞き出す。そこから浮かび上がった三一名の老若男女の生きざまは、中国社会の現実とその矛盾を実に鮮やかに抉りだす。

廖亦武の記述から「中国社会の諸階級」の底辺の諸断面を読み取ることができる。通常「ルンペン・プロレタリアート」の一語で概括されるような、すなわち「革命」にも役立たず、「社会の進歩」にもなんら貢献できないとされているような「はみだし者や虫けらのような」人生のなかにこそ、現代の神仏が宿るという真理を著者は、紡ぎだしたように感じられる。

表3　書類作成と業績評価というキーワードが示す現代社会の官僚制

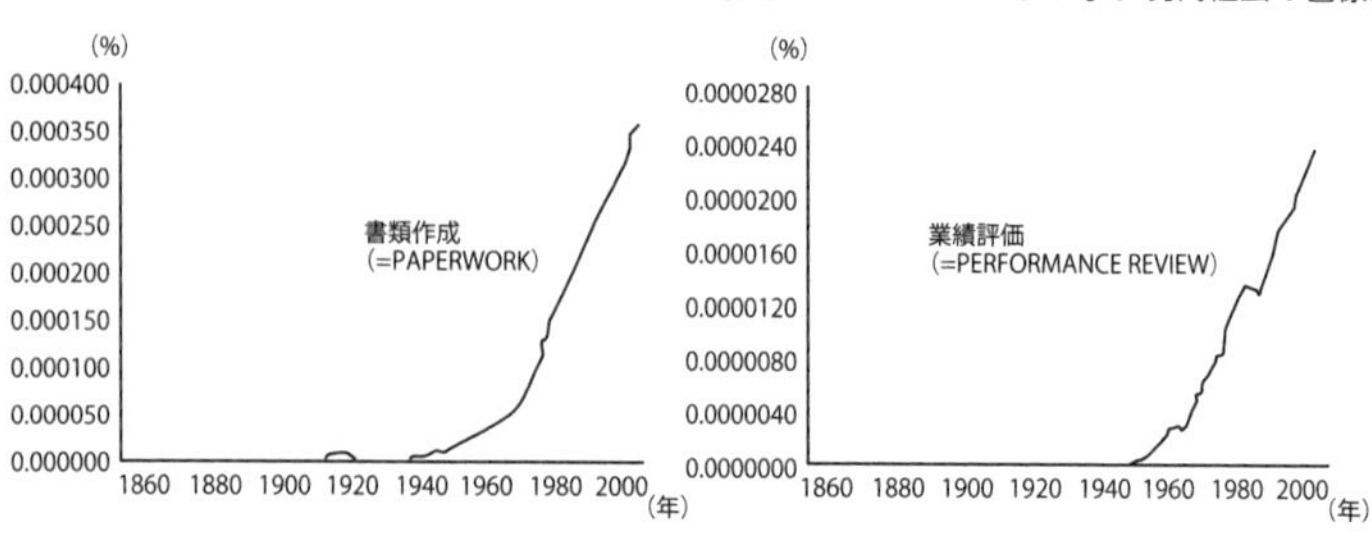

（出所）デヴィッド・グレーバー／酒井隆史訳『官僚制のユートピア』以文社、2017年、6～7頁。

補　グレーバーによる官僚制分析

社会主義対抗のための福祉政策で資本主義国の官僚制は増幅された。

二〇一一年からウォール街で行われた「オキュパイ運動」では、「我々は九九％だ」と富の寡占が批判された。このスローガンを考え出したのは、ロンドンスクール・オブ・エコノミクスの人類学教授であるデヴィッド・グレーバーである。ここでは彼の官僚制分析を見ていく。

グレーバーは二〇一五年に刊行された『官僚制のユートピア』[*43]で、わずか二枚のグラフを用いて、近代社会における官僚制の特質を分析した（**表3**）。左は書類作成（paperwork）に費やされた時間ではなく、このキーワードが英語の書物で使用された頻度（近似値）を推計したもの、右は同じ方法で業績評価（performance review）というキーワードの頻度を推計したものである。

一九六〇年代の社会運動は、〔中略〕官僚制的心性、そして戦後福祉国家のはらむ精神破壊的な体制順応主義（コンフォーミティ）に対しても反抗した。国家資本主義的体制と国家社会主義的体制の双方の灰色の役人を前にして、〔中略〕あらゆる形態の社会的統制に対抗したのである。〔中略〕あらゆる社会問題に「市場による解決」を押し付ける右翼が、〔中略〕反官僚主義的個人主義の語り口を採用するにつれ、主流の左翼は〔中略〕防衛的ふるまいにみずからを切り縮めていった。〔中略〕官僚制の最悪の要素と資本主義の最悪の要素の悪夢のごとき混合物である。〔邦訳七〜八頁〕

グレーバーが示した「書類作成」や「業績評価」に見られる官僚制の進展は、ロシア革命に衝撃を受けた資本主義陣営が福祉政策を大胆に導入し、社会主義化への対抗策としたことによって、増幅されたものである。

グレーバーによれば、実はロシア革命の原点に近代的ドイツの郵便事業がモデルとして存在した。ロシア革命勃発の数カ月前にレーニンが書いた一節を引用しながら、ドイツの郵便事業が社会主義経営の原モデルとして示されていることをグレーバーは見事に指摘している。

前世紀〔一八〕七〇年代のある明敏なドイツの社会民主主義者は、郵便事業を社会主義経営の見本と呼んだ。まったくそのとおりである。今日では、郵便は、国家資本主義的独占の型にのっとって組織された経営である。〔中略〕全国民経済を郵便にならって組織すること、しかもそのさい、技術者、監督、簿記係が、すべての公務員とおなじく、武装したプロレタリアートの統制と指導のもとに、「労働者の賃金」以上の俸給を受けないように組織すること——これこそ、われわれの当面の目標である。かくして〔中略〕ソ連の組織は、ドイツの郵便サービスの組織を、直接にモデルにしているのである。〔邦訳一二二頁〕

郵便局からあらわれる潜在的な未来の楽園というこのビジョンは、ヨーロッパに限定されたものではなかった。〔中略〕ドイツ最大のライバルとして台頭する国、アメリカ合衆国も、〔中略〕この国の郵便事業の効率の良さがその証拠とみなされていた。（邦訳二二四頁）

これまでのストーリーを要約してみよう。1あるあたらしいコミュニケーション・テクノロジーが軍隊から発達してきた。2それは急速に普及し、日常生活を根本から変革した。3眼も眩むばかりの効率を有するとの評判が高まっていった。4非市場原理でもって機能しているがゆえに、〔中略〕未来の非資本主義的経済システムの最初の胎動として、急進派たちがとびついた。5にもかかわらず、それはただちに、政府による監視、そして、広告と望まれないペーパーワークのはてしない新規格を拡散させるための媒体と化した。（邦訳二二九頁）

グレーバーは続ける。

eメールとは、巨大な、地球規模の、電子的で、超効率的な郵便局以外のなんであろうか？　それは、資本主義自身の外皮の内側から生まれ出てくる新鮮でめざましく効率的な協働経済という感覚をもたらさなかっただろうか？〔中略〕なによりもまず重要に思われるのは、郵便事業もインターネットもともに軍隊から登場しているが、軍事テクノロジーを本質的に反軍事的目的に転用しているともみなしうるという点である。〔中略〕［郵便事業とインターネット］にみられるのは、軍事システムに典型的な、分解されつくした行為とコミュニケーションのミニマムな諸形態をとりあげ、

それとはかけ離れたものすべてを構築する土台へと転換させる方法なのである。（邦訳二三〇～二三一頁）

手段と目的のあいだ、事実と価値のあいだに厳密な区別をつけることができるという発想そのものが、官僚制的心性の産物なのである。というのも官僚制とは、ことをなす手段を、それがなんのためなされたのかということから完全に切り離されたものとして扱う、最初のそしてただひとつの社会制度である。このようにして、官僚制は事実上、長期にわたって、世界人口の少なくとも大多数の日常意識に埋め込まれてきたのだ。（邦訳二三四頁）

こうしてロシア革命に始まる現代史は、ロシアがまずドイツから学び、次いで大恐慌以後に資本主義諸国がロシアに起因する社会主義運動への防波堤として福利政策を展開する形で、両者の対抗関係として展開され、結果として第二次世界大戦後の二つの陣営を生み出した。

民主政体下でより恣意的な権力が生まれる

ロシア官僚制の本質あるいはそのジレンマに即して考察を重ねたあとで、グレーバーは現代の先進国社会のあり方を批判して、次のように総括する。

恣意的な権力からの自由の追求がより恣意的な権力を生み出し、その結果、〔官僚主義的〕規制が〔人間〕存在を締め上げてしまい、守衛や監視カメラがあらゆる場所にあらわれ、科学や創造性が抑制されるような状況、そして、わたしたちの一日のうちに書類作成につぎ込む時間の割合がひたすら上昇する一方の状況である。（邦訳二九二頁）

ここにはいわゆる民主政体のもとで、結果的により恣意的な権力が生まれるパラドックスが見事に剔抉されている。

三　習近平思想——電脳社会主義の舵手

1　習近平思想の登場

トランプ大統領との蜜月関係

二〇一七年秋、習近平との会談を終えてトランプは、ベトナムの首都ハノイへの機中で「習近平は毛沢東以来、もっとも権力をもつ指導者だ」と持ち上げた。トランプが習近平を称賛したのは、これが初めてではない。

私〔トランプ〕が思うに、米国は中国との間で両国関係に巨大な進歩を作り上げた」、「習近平主席と私自身との間に発展した関係は傑出したものだ。これからも幾度も対話が行われることを期待している。*44

上記のトランプ発言は、習近平一行が二〇一七年四月六〜七日、米フロリダ州の「海湖荘園」(**Mar-a-Lago**)で二回にわたる初めての公式会談を終えたときに、共同記者会見で語った挨拶の一部である。両首脳は要するにウマが合ったのだ。

習近平は、二〇一二年の党大会で総書記に選ばれた当時はトップセブン(政治局常務委員)の一人にすぎなかったが、以後五年余の反腐敗闘争で有力なライバルを次々に打倒して、訪米の時点では、いわゆる「一強体制」を磐石のものとして、トランプの投げるさまざまな曲球に対しても即席で相手を満足させるように応答したようだ。トランプは「習近平は話ができる男だ」と認識した。

その四月対話から半年後、習近平は十月の党大会で習近平二期体制を固めた直後にトランプを迎えた。習近平は故宮博物館を休館として、トランプを迎えるという「皇帝扱いもどき」の大芝居を演じた。トランプが満足したのも当然と思われる。

党規約改正で登場した「習近平」記述一一ヵ所

習近平を毛沢東と並べる扱いに対して、日本のメディアは大部分があきれるやら、思い上がりをたしなめる論調が多かった。だが、著者はこの間の経緯を分析し、五年後を予測すると、まさにトランプが実感した通りの実力を習近平は獲得したと判断する。ここでは、その一端を習近平の党規約改正内容から読み取ってみたい。

社会主義認識の枠組みは「政治報告」よりも「党規約の改正」を読むと、より明確である。「二〇一七年党規約」は約一・九五万字である。これは約一・七三万字の二〇一二年党規約と比べて、一割強長い。これは主として「総綱（前文）」が修正されたことによる。習近平という三文字は、一一カ所（うち前文八カ所）に書き込まれた。挿入箇所は以下の通りである。

1 中国共産党はマルクス・レーニン主義、毛沢東思想、鄧小平理論、「三つの代表」という重要思想、科学的発展観、習近平の、新時代の、中国の特色をもつ社会主義の思想〔原文＝習近平新時代中国特色社会主義思想〕を自らの行動指南とする。（前文の冒頭）
2 習近平同志を主な代表とする中国共産党員は〔後略〕。（前文）
3 習近平の、新時代の、中国の特色をもつ社会主義の思想を創立した。（前文）
4 習近平新時代の、中国の特色をもつ社会主義の思想はマルクス・レーニン主義、毛沢東思想、鄧小平理論、「三つの代表」という重要思想、科学的発展観を継承し発展させたもので、マルクス主義の中国化の最新成果である。（前文）
5 習近平の、新時代の、中国の特色をもつ社会主義思想の導きのもと、〔中略〕中国の特色をもつ社会主義を推進する新時代に入った。（前文）
6 習近平の強軍思想を貫徹する。（前文）
7 全党は鄧小平理論、三つの代表という重要思想、科学的発展観、習近平新時代の中国の特色をも

つ社会主義思想を〔中略〕堅持していく。(前文)

8　習近平同志を核心とする党中央の権威と集中統一指導を擁護して〔後略〕。(前文)

9　(党員の義務として)マルクス・レーニン主義、毛沢東思想、鄧小平理論、「三つの代表」という重要思想、科学的発展観、習近平の、新時代の、中国の特色をもつ社会主義思想をまじめに学習すること。(三条)

10　(基層組織の義務として)党員を組織して、マルクス・レーニン主義、毛沢東思想、鄧小平理論、「三つの代表」という重要思想、科学的発展観、習近平の、新時代の、中国の特色をもつ社会主義思想をまじめに学習すること。(三二条)

11　(各級指導幹部の条件として、職責に必要な)マルクス・レーニン主義、毛沢東思想、鄧小平理論、「三つの代表」という重要思想、科学的発展観の水準をもち、習近平の、新時代の、中国の特色をもつ社会主義思想を率先して実行し〔後略〕。(三六条)

以上から明らかなように、「総綱(前文)」に書かれた八カ所のほか、党員の義務を定めた三条、党の基層組織を定めた三二条、各級指導幹部の義務を定めた三六条、にそれぞれ一カ所ずつ書き込まれた。

中国共産党の行動指針

「総綱(前文)」冒頭の引用(上記1)に見たように、党規約の改正で、「中国共産党はマルクス・レーニン主義、毛沢東思想、鄧小平理論、「三つの代表」という重要思想、科学的発展観、習近平の、新

表4　中国共産党の行動指針（1956 ～ 2022 年党大会）

年	報告者	キーワード「共産党の行動指針」（指針）
2022	習近平	中国共産党は①マルクス・レーニン主義、②毛沢東思想、③鄧小平理論、④習近平の社会主義思想を行動指針とする。
2017	習近平	中国共産党は①マルクス・レーニン主義、②毛沢東思想、③鄧小平理論、④「三つの代表」重要思想、⑤科学的発展観、⑥習近平新時代の中国的特色をもつ社会主義思想を行動指針とする。
2012	胡錦濤	中国共産党は①マルクス・レーニン主義、②毛沢東思想、③鄧小平理論、④「三つの代表」という重要思想と科学的発展観を行動指針とする。
2007	胡錦濤	中国共産党は①マルクス・レーニン主義、②毛沢東思想、③鄧小平理論、④「三つの代表」という重要思想を行動指針とする。
2002	江沢民	中国共産党は①マルクス・レーニン主義、②毛沢東思想、③鄧小平理論、④「三つの代表」という重要思想を行動指針とする。
1997	江沢民	中国共産党は①マルクス・レーニン主義、②毛沢東思想、③鄧小平理論を行動指針とする。
1992	江沢民	中国共産党は①マルクス・レーニン主義、②毛沢東思想を行動指針とする。
1987	趙紫陽	（1982 年と同じ、修正なし）中国共産党は①マルクス・レーニン主義、②毛沢東思想を行動指針とする。
1982	胡耀邦	中国共産党は①マルクス・レーニン主義、②毛沢東思想を行動指針とする。
1977	華国鋒	中国共産党の指導思想と理論的基礎は①マルクス主義、②レーニン主義、③毛沢東思想である。
1973	周恩来	中国共産党は①マルクス主義、②レーニン主義、③毛沢東思想を指導思想の理論的基礎とする。
1969	林彪	中国共産党は①マルクス主義、②レーニン主義、③毛沢東思想を指導思想の理論的基礎とする。毛沢東思想は帝国主義が全面的に崩壊し、社会主義が全世界で勝利に向かう時代のマルクス・レーニン主義である。
1956	鄧小平	中国共産党は①マルクス・レーニン主義を行動指針とする。

時代の、中国の特色をもつ社会主義の思想〔原文＝習近平新時代中国特色社会主義思想〕を自らの行動指南とする」と書き込まれた。これは何を意味するであろうか（表4）。

顧みると一九五六年の第八回党大会で党規約改正を報告したのは、鄧小平であった（政治報告は劉少奇）。当時、中国共産党の行動指針〔原文＝行動指南〕とされたのは、マルクス・レーニン主義だけであった。

一九六九年第九回党大会で林彪が初めて、マルクス・レーニン主義と並べて「毛沢東思想」を書き添えた。

一九九七年二月に鄧小平が死去し、これを踏まえて江沢民が初めて「鄧小平理論」を行動指南に加えた。江沢民はさらに二〇〇二年に「三つの代表」という重要思想を書き加えた。

二〇一二年胡錦濤は自らの見解を「科学的発展観」と呼び、これを挿入した。

こうした経緯を経て二〇一七年の習近平政治報告は、①マルクス・レーニン主義、②毛沢東思想、③鄧小平理論、④「三つの代表」という重要思想、⑤科学的発展観、⑥習近平新時代の中国的特色をもつ社会主義思想を行動指針として挿入した。

これはいかにも長たらしい。二〇二二年に習近平が「二期一〇年」をもって引退する時には、この長たらしい定義は、次のようにまとめられるのではないか。すなわち、①マルクス・レーニン主義、②毛沢東の革命思想、③鄧小平の発展理論、④習近平の新時代社会主義思想、である。中間に挟まる「三つの代表」という重要思想（江沢民）、科学的発展観（胡錦濤）は消える可能性がある。党規約における各名前の出現頻度を数えると、「毛沢東」一三回、「鄧小平」一二回、「習近平」一一回であるのに対して、「江沢民」、「胡錦濤」の登場は各1回にすぎない。これは「三つの代表という重要思想」と「科学的発展観」というキーワードが五年後に消える運命を示唆しているように著者には感じられる。

この二つの消滅によって、毛沢東の革命思想と鄧小平の発展理論を止揚したものが、習近平の名を冠した社会主義思想となるのではないか。これはおそらく習近平に対する「個人崇拝のため」ではない。現在の中国の抱える課題を「習近平思想の名でまとめた今後の綱領」なのだ、と著者は読む。

2 政治報告の核心

キーワード① 新時代の到来——中国の経済社会の変化

中国共産党の第十九回大会(二〇一七年十月十八〜二十四日)では、大会初日に習近平が「小康社会の全面的達成の決戦に勝利し、新時代の中国の特色ある社会主義の偉大な勝利をかち取ろう」と題して政治報告を行った。これを読み上げるに際して習近平が用いた時間は三時間二〇分、話し手にとっても聞き手にとっても長い時間だが、中身の新鮮さからして、意外に短く感じられた可能性がある。全文約三・二万字の長文なので、核心をつかむにはキーワードを調べるのが便利だ。二つのキーワードは「新時代」と「強国」である。

報告がまず強調するのは「新時代」である。新時代の呼び方は、本文タイトルを含めて(以下同じ)この文書に三七回登場する。このキーワードからわかるように、習近平が強調したのは、中国はもはや江沢民時代、胡錦濤時代のような「ポスト鄧小平」期の過渡的段階を経て、「新時代に変わった」とする認識である。それゆえ中国を導くには「新理念、新思想、新戦略」が必要だと認識して、それを政治報告に盛り込んだ。

中国は一九八九年の天安門事件によって大きな挫折を体験し、その後遺症はいまも随所に残る。しかしながら、中国は鄧小平の南巡講話を契機として「政治改革封印、経済改革加速」路線で、ひたすら経済成長の道を疾走して、GDP（購買力平価ベース）でドイツを超え、日本を超え、米国を超え（二〇一四年）、ついに「チャイナ・アズ・ナンバーワン」の地位を内外から認められ、大きな自信をつけた。むろんこれは量的評価にとどまる。半ば外交辞令であり、中国の数々の弱点は誰もが知っていることだ。さはさりながら、日清戦争、日中戦争以来、頭の上がらなかった日本の経済力を、実力で圧倒しつつある現実、米国市場を席捲するメイドインチャイナの実力が、長らく劣等感に悩まされてきた中国の人々に感じさせた優越感のヒトコマである。

中国のGDPが米国を超え、ついに世界一になったのは、まさに習近平が二〇一二年秋に総書記に就任して二年後二〇一四年であった。これに先立ち二〇〇八年のリーマン・ショック事件に際して、中国は四兆元の財政出動によって世界経済の救援活動に貢献したことで、中国の経済力は広く知られ、中国自身も大きな自信をもつに至った。その自信と実力を象徴するイベントが、二〇一六年六月に北京で開かれた、アジアインフラ投資銀行（AIIB）の設立総会にほかならない。アジア開発銀行（ADB）や世界銀行（WB）の融資活動が発展途上国の増大する資金需要を満たしきれないという不満は、巷に満ちていた。中国は途上国だからこそ途上国の悩みが理解できる、と語りかけた。中国内外のこの変化は、天安門事件以後の対中制裁からなんとか脱却して世界経済の軌道に乗り入れたいと念願していた当時の姿とは明らかに様変わりしている。二桁の高度経済成長によって生まれた中国の経済社会の変化は、まことに大きなものであり、これを指して「新時代」と呼ぶのは、名実を備えたネーミングであろう。

キーワード② 大国から強国へ――習近平は強国を目指す

ここで習近平が掲げた新時代の目標は、今世紀半ば（二〇四九年）に「富強、民主、文明、和諧（調和のとれた）、美麗な社会主義現代化強国」を打ち立てる目標であり、習近平流「中国の夢」「百年の大計（一九四九～二〇四九年）」の実現である。従来は「富強、民主、文明、和諧（調和）」の「社会主義現代化国家」の実現を目指すとされていたキーフレーズが、一部書きかえられた。「美麗」（八回）と「強国」（二三回）が付加された。「強国」と並ぶ「強軍」は一六回登場する。「大国」が七回登場するのに対して、「強国」はその三倍であり、習近平の大きな目標は「中国を強国にする」ことだとわかる。

なぜ強国なのか。習近平は中国近代史を回顧して、①毛沢東の呼びかけで立ち上がり（站起来）、②鄧小平の呼びかけで豊かになった（富起来）中国が、これから目指す目標は③強くなる（强起来）ことだ、と述べている。

①毛沢東が天安門広場に集まった民衆を前にして、「中国人民は立ち上がった」と建国宣言したことは、記録映画でしばしば繰り返される。

②鄧小平時代の合い言葉「向前看」（前を見よ）は、「前」と「銭」が同音であるところから、中国の前（チェン）には銭（チェン）ありと「向銭看（カネを見よ）」とすり替えられ、歓迎された。

③「豊かになった」中国人民に対して、習近平が呼びかけたスローガンこそ、「強くなれ、強くなる」である。

中国人民はこうして、毛沢東時代に「立ち上がり」、鄧小平時代に「豊かになり」、そして習近平の新時代に「強くなる」。これが中国現代史を概括する最も平易な三句である。

このように読むと、習近平が二〇二二年「政治報告」に書き込む内容が予想できよう。

3　政治報告の構成

十三章の構成

報告は、以下の十三章からなる。

一．過去五年の活動と歴史的変革
二．新時代の中国共産党の歴史的使命
三．新時代の中国の特色ある社会主義思想と基本方策
四．小康社会の全面的達成の決戦に勝利し、社会主義現代化国家の全面的建設に向けた新たな征途につく
五．新たな発展理念を貫き、現代化経済体系を構築する

六．人民主体の制度体系を整備し、社会主義民主政治を発展させる
七．文化に対する自信を固め、社会主義文化を繁栄・興隆させる
八．民生保障・改善のレベルを高め、ソーシャル・ガバナンスを強化・革新を進める
九．エコ文明体制改革を加速し、美しい中国を建設する
十．あくまでも中国の特色ある軍隊強化の道を歩むことを堅持し、国防・軍隊の現代化を全面的に推し進める
十一．「一国二制度」を堅持し、祖国統一を推し進める
十二．平和的発展の道を堅持し、人類運命共同体の構築を促進する
十三．党内統治の全面的厳格化を揺るぐことなく推し進め、党の執政能力と指導力を絶えず高める

第一章において習近平は、中国社会の主要矛盾を三回論じている。

①中国の特色ある社会主義の新時代に入り、わが国社会の主要矛盾は、人民の日増しに増大する素晴らしい生活への需要と不均衡不十分な発展との矛盾に転化している。十数億の人々の飢えの問題は解決し、小康生活を実現した。まもなく小康社会を全面的に実現できよう。しかし民主・法治・公平・正義・安全・環境などの需要も日増しに増えている。わが国社会の生産能力は多くの分野で世界の前列に入ったが、発展の不均衡が人民のニーズを満たせない主な制約要素となっている。

②わが国社会の主要矛盾の変化は全局の歴史的変化に関わり、党と国家の工作に多くの新しい要求を提出していることを認識しなければならない。

③わが国社会の主要矛盾の変化は、わが国社会主義の置かれた歴史的段階の判断を変えるものではない。わが国が長期にわたって社会主義初級段階にある基本的国情は変化していない。わが国が世界最大の途上国である国際的地位に変わりはない。

第三章「新時代の社会主義思想」では主要矛盾をこう説いている。

新時代のわが国社会の主要矛盾は、日増しに増大する物質・文化面の必要と立ち遅れた社会的生産との矛盾である。中国の特色ある社会主義事業の総体配置は「五位一体」（経済建設、政治建設、文化建設、社会建設、生態文明建設の五つを一体化すること）であり、戦略配置は「四つの全面」（①小康社会の全面建設、②改革の全面深化、③法に依拠した治国を全面的に行う、④厳格な共産党の管理を全面的に行う）である。

第四章では、二〇二〇年までに小康社会の全面建設への決戦を行う時期だとして、その実現のために、主要矛盾の変化を認識しつつ、経済建設、政治建設、文化建設、社会建設、生態文明建設の五つの分野における建設を一体化するとしている。二〇二〇〜二〇三五年の第一段階は、社会主義現代化を基本的に実現する。二〇三〇〜二〇五〇年の第二段階は、社会主義現代化強国を実現する。この強国とは、富強・民主・文明・和解・美麗の五つの形容句のつく強国である。そこでは物質文明、政治文明、精神文明・社会文明・生態文明が全面的に高められ、国家のガバナンスが現代化され、総合国力と国際的影響力に優れた国家であり、共同富裕が実現され、中華民族は世界民族のなかで屹立することになるであろう。これが中国の夢、習近平の夢が実現した世界である。

第六章では中国の国体について「労働者階級の領導する労農同盟を基礎とする人民民主独裁の社会主

義国」であり、国家の一切の権力は人民に属すると指摘している。これは中国人民が近代において長期に奮闘してきたことに起因する歴史の論理、理論の論理、実践の論理から生まれた必然の結果であり、それゆえに党の本質的属性であり、堅持すべき根本だと強調する。世界には中国と同じ政治モデルはない。政治制度は特定の社会的政治的条件、歴史的文化的伝統から離れて扱うことは許されない。外国の政治モデルをそのまま導入することもしてはならない。わが国の社会主義民主政治は不断に発展させ、政治体制改革を積極的安定的に推進し、社会主義民主政治の制度化、規範化、秩序化を進め、安定団結の政治局面をつくるべきだ。

「民主」の二文字は六一回登場する。曰く、民主選挙、民主協商、民主決策、民主管理、民主監督、などである。「依法治国」は一九回、「従厳治党」は七回である。「反腐敗」も七回である。

七つの政治報告に表れた「主要矛盾」（一九八七～二〇一七年）

著者が今回の政治報告の文体に力がこもっていると感じたのは、特に第一章に書かれた主要矛盾のとらえ方である。

表5は第十三回党大会（一九八七年）から今回の第十九回党大会（二〇一七年）まで、三〇年、七つの政治報告を「社会主義の初級段階」と「初級段階の主要矛盾」という二つのキーワードについて、その出現頻度を調べたものである。いうまでもなく社会主義の発展にはいくつかの段階がある。中国は生産力の発展の遅れた状況下で革命を行ったので、なによりも生産力の発展に努めなければならない。生産手段の私有制に対する社会主義改造を経て、中国はすでに社会主義国になったが、人々の生活の需要

表5　趙紫陽政治報告から習近平政治報告まで30年の試行錯誤

年次	党大会	報告者	文字数	社会主義の初期段階	初期段階の主要矛盾
1987年	第13回	趙紫陽	3.2万字	26	8
1992年	第14回	江沢民	2.6万字	4	2
1997年	第15回	江沢民	2.8万字	29	3
2002年	第16回	江沢民	2.8万字	3	1
2007年	第17回	胡錦濤	2.8万字	7	1
2012年	第18回	胡錦濤	2.9万字	6	1
2017年	第19回	習近平	3.2万字	3	5

を十分に満たすことはできない状況にある。それゆえ、中国は社会主義の初級段階に位置しており、この初級段階における主要矛盾とは、日々増加する人民の需要と生産力の発展の立ち遅れとの矛盾である。——これが「主要矛盾」だ。

第十三回党大会（一九八七年）で行われた趙紫陽報告は、初級段階を二六回語り、主要矛盾を八回語ることによって、「生産力発展の立ち遅れ」という矛盾が解決された暁に、初級段階から次の段階に移行する展望を提起した。

しかしながら趙紫陽の失脚後、総書記のポストに就任した江沢民と胡錦濤は、ソ連解体に象徴される「ポスト冷戦期」という国際情勢の大変化もあり、中国の行方について明解な展望を打ち出すことができず、初級段階からどこへ移行するのかを打ち出せなかった。その結果、社会主義の初級段階とは、即資本主義への初級段階だと理解する向きも少なくなかった。特に東欧の場合、市場経済への移行とは事実上ＥＵ加盟への中間ステップに終わった。

江沢民は一九九二年、一九九七年、二〇〇二年の三つの党大会で初級段階を語り、その主要矛盾を説いたが、その説き方はいよいよ「社会主義から遁走する」自信喪失の過程であった。主要矛盾の解決へ議論を進めるのではなく、二〇〇二年には「三つの代表という重要思想」なる曖昧路線が提起された。すなわち、①先進的な生産力の発展の要求、②先進的文化への要求、③広範な人民の利益、これら三つの需要を満たすために活動するのだと社会主義の目標を曖昧化したのである。これが江沢民長期政権の政治路線だが、それは趙紫陽政治報告で提起された初級段階を経て政治改革へという展望を事実上否定する効果しかもたらさなかった。その帰結が汚職腐敗の蔓延であることは周知の事実であろう。

胡錦濤執政の「二期一〇年」（二〇〇二〜一二年）には「科学的発展観」という方法論についての提起は行われたが、具体的には地球環境の制約条件のもとで経済成長を構想すべきだとする「生態文明構想」を提起しただけであり、調和社会の建設というスローガンは、口先だけに終わり、政策として実現されることはなかった。

要するに、江沢民は「過渡期の指導者」にすぎなかったが、これを無理に延命させた結果、その桎梏のもとで「胡錦濤の一〇年」が失われ、結局中国は三〇年にわたる回り道を余儀なくされた。この彷徨に対して、社会主義初級段階の終焉という明確な展望を与えたのが習近平政治報告の核心ではないか。率直に評すれば、習近平の二〇一七年政治報告でようやく趙紫陽の政治報告に直結する社会主義認識・初級段階認識を回復したことになる。すなわち、生産手段の社会主義改造を終えたあとの主要矛盾は、遅れた生産力の状況である。これは古典的命題への復帰である。この文脈で、中国共産党は三〇年の試行錯誤を経てようやく「生産関係と生産力の矛盾」に即して初級段階の主要矛盾を再認識したことになるが、それは同時に「初級段階の終焉」の展望を再設定したことをも意味する。電脳社会作りにおいて先端を疾走する中国が、いつまでも初級段階に留まることは許されない。

鄧小平時代と異なる「新時代の社会主義」

ここで一つ課題は、鄧小平時代に提起された「中国的特色をもつ社会主義」と「習近平新時代の（中国的特色をもつ）社会主義」との異同である。鄧小平時代には前革命期（国民党治下の旧中国）にやり残した資本主義による生産力の発展の「補講」（補課）として、なによりも「生産力の発展」を強調し、その課題が克服されるまでを「社会主義初級段階」と規定した。しかしながら、改革・開放の加速を促した鄧小平の「南巡講話」（一九九二年）以後約三〇年の高度成長を経て、人口一人当たりでも、すでにその消費生活は日本など先進諸国に追いつく勢いである。中国はもはや途上国ではない。「脱途上国・中国」がいつまでも社会主義初級段階に留まることは、ありえない。

では、社会主義の初級段階の終焉を迎えた中国はどこへ向かうのか。ビッグデータに依拠して一四億の民衆を管理するジョージ・オーウェル的監視社会に向かうのだろうか――？　いまや人々の日常の消費生活は、いつ何をどこで食べ、いくら支払ったかまで、すべて掌握されている。「国慶節十月連休」でレジャーを楽しめば、行く先々で、どのように代金を払い、誰とどのように楽しんだかまですべて電子情報が記録される。何びともこのような管理・監視の「天眼」から逃れることは不可能だ。「天眼」という言葉は、人々に「天網恢恢、疎而不漏」（『老子』）を想起させる（これも古代の思想が現代科学によって実現される一例である）。

ここで、そのようなデータを根拠に誰が誰をどのように支配し、管理するのか――それが決定的な課題となる。一握りの超エリートが管理するのか。それとも、この管理のデータやツールを民主的に、人民大衆のために奪い返すことが可能なのか――人工知能（ＡＩロボット）による人民の管理か、それとも社会を治理するＡＩロボットに対する民衆の管理なのか。ＡＩの発展がどこまでも深まる過程で、旧来の社会主義像は大きな再検討を迫られている。テンセント、百度、アリババ、京東商城が「家庭内のＡＩ化のソフト」を共同で開発する資金作りは二〇一七年内に完了したと報じられている（Venture Pulse, Q3, 2017, p.85）。

中国の主要都市では、ホテルにおける顔認証（facial recognition 原文＝刷臉。人臉識別システム）が普及しており、コンビニやスーパーにおけるキャッシュレス化を経て、「レジスターなし風景」も実用段階に入った。生産力の発展水準からいえば、すでに十分に社会主義への物質的条件を備えるに至ったことは明らかだ。それゆえ、どのような生産関係を構築して生産力を管理するか――これが喫緊の課題である。このような消費生活の行方にどのような社会を想定するのか。それは人々の疲れた表情を読み取り、不気味に微笑するロボットたちによって人間が支配される地獄絵図なのか。

４「初級段階の主要矛盾」の再措定

毛沢東政権下、第八回党大会（一九五六年）との相違

二〇一七年に改正された党規約では、「社会主義の初級段階」について次のように解説している。

わが国は現在、そして長期にわたって社会主義の初級段階にある。これは経済、文化の立ち遅れ

た中国で社会主義現代化の建設を進めるにあたって飛び越えることのできない歴史的段階であり、百年を超える期間を必要とする。わが国の社会主義建設は、必ずわが国の国情から出発し、中国の特色のある社会主義の道を歩まなければならない。現段階においては、わが国社会の主要な矛盾は、人民の日増しに増大する物質・文化面の必要と立ち遅れた社会的生産との間の矛盾である。国内的要因と国際的影響によって、階級闘争はなお一定の範囲内において長期にわたって存在し、ある条件の下では激化する可能性もあるが、既に主要な矛盾ではなくなった。わが国の社会主義建設の根本的任務は、さらに生産力を解放し、発展させ、社会主義現代化を逐次実現し、またそのために生産関係と上部構造の中にある生産力の発展に照応しない分野と部分を改革することである。（前文）

人民の生活手段への需要と、これを保障する生産力の不均衡な不十分な発展との矛盾という認識は、第八回党大会（一九五六年、主席・毛沢東）で規定したものと基本的に同じだ。一九五六年当時の中国共産党の認識では、新しい矛盾は、「人民の需要」に「生産力が追いつかない」ゆえに生ずるとされていた。

階級闘争は一定の範囲内で残存し、時には激化することもありうるが、すでに「主要矛盾ではない」とするのも、第八回党大会当時と同じ認識である。一九六〇年代前半（いわゆる社会主義教育運動の過程）に、毛沢東は第八回党大会の認識に大きな修正を加えて、「依然として階級闘争は中国の主要矛盾だ」とする認識を提起し、実践のために文化大革命を発動した。二〇一七年の党大会では、文化大革命の終了宣言から四〇年を経て、ふたたび「増大する人民の需要と遅れた生産力の発展」を主要矛盾とする認識に戻したわけだ。そもそも、半世紀以上を経て、生産手段の資本家的所有を社会主義的改造によって改革したあとでは、階級闘争はすでに主要矛盾ではなくなっている現実が存在する。

発展の不均衡／不十分

この間の中国の経済発展はめざましいものがあり、生産力の面ではドイツを追い越し、日本を追い越し、ついに米国をも追い越した。この文脈では、もはや「遅れた生産力」を指摘するだけではすまない。その部分は「不均衡な不十分な発展」と表現を改めている。要するに、人民の増大する要求を満たすには、「不十分」な側面と「不均衡」とが残るという認識だ。

他方で、中国の経済成長は地球環境の制約にぶつかり、生態文明の建設が大きな社会問題と化してきた。PM2.5が中国の大空を覆い、健康被害も現実の脅威となり、対策を迫られている。こうして現在の中国では、一方で生産力の発展の需要に迫られ、他方で、その生産力の発展の生み出す地球環境の壁にぶつかり、「生態文明」「緑色文明」を強調せざるをえない局面と段階に逢着している。これが生産力の側面から見た中国の矛盾である。

生産手段の社会化という点でも、やはり深刻な矛盾が生まれている。社会主義市場経済体制のもとで株式会社が容認され、証券取引所が容認され、膨大な株式所有者の階層が誕生した。こうした市場経済導入の結果として、中国経済に占める「非公有制経済」の比重は、毛沢東時代とは比較にならないほど大きな存在となった。これは「労働に応ずる分配」のみを配分基準とする社会主義の教義と明らかに矛盾する。すなわち初級段階なるがゆえに認められるとした資本に対する配分、株式配当をいつまで容認するのかという問題が出てくる。

さらに、階級闘争の面でも懸念が存在する。都市と農村の発展・所得分配の格差を、二〇一六年の一人当たり可処分所得が都市部では三・三万元だったのに対し、農村部では一・二万元であり、約三倍の開きがある。この都市・農村格差は三〇年来ほとんど変化していない。これは「先に豊かになる」政策を優先し、所得再分配政策を後回しした結果にほかならない。いまや先送りした課題に取り組む条件が成熟してきたし、その解決なくして未来図を描けない段階にさしかかっている。

三段階の発展戦略

習近平報告における「新時代の主要矛盾」の解説は次のごとくである。

中国の特色ある社会主義が新時代に入り、わが国の主要な社会矛盾はすでに、人民の日ごとに増大する素晴らしい生活への需要と不均衡・不十分な発展との間の矛盾へと変化している。〔中略〕人民の素晴らしい生活への需要が日増しに多様化しており、物質文化生活への要求がより高いものになってきているだけでなく、民主・法治・公平・正義・安全・環境などの面での要求も日ごとに増大している。同時に、わが国は、〔中略〕社会的生産能力が多くの分野で世界のトップレベルに達している。そのため、発展の不均衡・不十分という問題がいっそう際立ってきており、すでに人民の日ごとに増大する素晴らしい生活への需要を満たす上での主要な制約要因となっている。[*45]

これを一九五六年の第八回党大会の定義――「国内の主要矛盾は、人民の経済と文化の迅速な発展に対する必要と、当面の経済と文化が人民の必要を満たせない状況の間の矛盾である」と比較してみると、二〇一七年の定義は、二〇二〇年までに生活水準に即して全面的小康社会を実現させることを提起しつつ、現状では中国は経済発展をしたものの、まだ発展は不均衡・不十分であると、改革開放三〇年余の成果を評価している。

とはいえ、現在の経済成長が続けば、脱途上国は時間の問題である。たとえば著名な国情分析家・胡鞍鋼（清華大学国情研究院）は、二〇三五年目標時の一人当たりGDPを三・六〜四・一万ドル、二〇五〇年目標時の一人当たりGDPを六〜七・七万ドルと試算している（表6）。

ここでキーワードとなるのは、社会主義「初級段階」である。「社会主義の初級段階」については、冷溶（中央文献研究室主任）が次のように解説している。[*46]

わが国の社会主義が位置する歴史的段階についてのわれわれの判断は変えていない。これからも長期にわたって社会主義の初級段階にあるという基本的国情は変わっておらず、世界最大の発展途上国としてのわが国の国際的地位は変わっていない。

中国はいまも社会主義の初級段階にあり、これは一〇〇年続く。言いかえれば一九四九年から数えて二〇四九年までは「初級段階」である。この時期には、公有制セクターを補完する私有制セクター、資本家的所有も、生産力の発展の需要から見て容認される。これが社会主義市場経済論（一九九二年政治

表6　中国2020年と2035年の目標

	GDP	一人当たりGDP	GDPの成長率の仮定	国家目標の設定	R&Dの対GDP比
2016年現状	74兆元	8100ドル			
2020年目標	90兆元	1万ドル	2016～2020年率6.4%と仮定	①全国小康、②脱途上国	2.50%
2035年目標	290兆元＝（43兆ドル）	3.6～4.1万ドル	2020～2035年率5.0%と仮定	①現代化を基本的に達成、②先進国入り、③社会主義初級段階の終り	2.80%
2050年鄧小平目標	鄧小平目標を15年繰り上げ	6.0～7.7万ドル（世界の29～37%シェア）		現代化強国	

（出所）① R&Dの対GDP比は、中共中央・国務院2016年5月19日発「国家創新駆動発展戦略綱要」による。② 2035年と2050年GDP試算は、胡鞍鋼（清華大学国情研究院）「全面建成社会主義現代化強国」『中国社会科学報』2017年10月27日による。

報告で採択）の骨子である。こうして二〇一八年から四九年までの三一年間には、一方では、不均衡な不十分な発展を生産力の面で重視するとともに、公有制と私有制の調整も新たな課題として浮上している。外資企業にも、「共産党員が三名いれば党細胞（党組）を組織する」新通達が出された。この動きはどこまで展開されるか、注目を要する。単なるお飾りになるか、それとも外資企業のあり方を企業内部から監視する役割を果たすのだろうか？

5　低姿勢外交から「運命共同体」作りへ

「協調路線」と並行する、「米軍並み戦力」への強軍路線

ソ連解体に際して民主化への国際的圧力に低姿勢で対応した鄧小平の「韜光養晦（とうこうようかい）」の四文字が党規約から消えたことは、「新時代」の特徴の一つと見てよい。代わって、地球温暖化対策を決めたパリ協定の擁護を語り、APEC会議（ベトナム・ダナン）で国際協力の強化を呼びかけたことにより、「生態環

境を重視する中国」へとイメージが一変しつつある。地球環境の制約を認識しつつ経済発展を図る新外交は、ガソリン車の生産中止＝ＥＶ車への全面的転換という国内産業政策を裏づけとしていることによって世界の注目を浴びている。

世界の舞台で「話語権」（発言力、主導権）を求める「強国外交」を展開していく姿勢も明確だ。一方で「運命共同体」としての人類を意識しつつ、次のように述べた箇所は特に注目すべきである。曰く、「中国は他国の利益を犠牲にして自国の発展を図ることは決してしないが、自国の正当な権益を放棄することも決してしない」（十二章）と。

ここで「他国」を「朝鮮」と置き換えてみると、文意はより鮮明になる。すなわち中国は「朝鮮の利益を犠牲にして問題の解決を図る」ことはしないが、他方で「中国の正当な権益を放棄する」こともしないということであり、つまり、「国益（国家主権、国家の安全、発展の利益）は断固として守る」と宣言している。

かつて一九五〇年代の朝鮮戦争に際し、中国は北朝鮮側に志願軍を派遣したが、その人的・物的犠牲は莫大であり、しかも長きにわたって米国による封じ込めの対象とされたことは、きわめて大きな損失であった。その反省の上に立って新方針が打ち出されたことに注目すべきである。

党大会直後の二〇一七年十月末、韓国との高高度ミサイル防衛（ＴＨＡＡＤ）をめぐる三項目の合意が成立し、文在寅大統領の訪中（十二月十三～十六日）へとつながった。この事態は、「新外交」の具体的な動きの一つであり、また南シナ海問題についても、軌道修正が行われ、関係諸国との「協調姿勢」が目立つようになっている。

以上のような「新外交」路線のなかで、習近平は大軍拡も対外拡張もしないと否定しつつ、一方では二〇五〇年までには米軍に並ぶ戦力への意欲を語っている。

新時代の党の軍隊強化思想と新たな情勢下における軍事戦略方針を全面的に貫徹し、強大な現代化陸軍・海軍・空軍・ロケット軍・戦略支援部隊を建設し、強固で高効率の戦区統合作戦指揮機構をつくり、中国の特色ある現代的作戦体系を構築し、党と人民から与えられた新時代の使命と任務を全うしなければならない。〔中略〕二〇二〇年までに必ず機械化を基本的に実現し、情報化建設を大きく進展させ、戦略能力を大きく向上させる。国の現代化の歩みと歩調を合わせて、軍事理論の現代化、軍隊の組織形態の現代化、軍事要員の現代化、兵器・装備の現代化を全面的に推進し、二〇三五年までに国防・軍隊の現代化を基本的に実現し、今世紀半ばまでに人民軍隊を世界一流の軍隊に全面的に築き上げるよう努める。

等々である。

香港と台湾についても、「政治報告」では香港の独立騒動に触れず、それを深刻に受け止めていない姿勢を示し、台湾に関しても現段階では統一ではなく、分離・独立の阻止に重点を置いたごとくである。台湾経済はいまや大陸経済と日に日に一体化しつつあり、「独立への経済的基礎」はすでに失われた。とはいえ、ただちに統一を語れるほどに種々の条件が整ったわけでもない。それゆえ、「独立でもなく、統一でもない」現状維持が続くことになろう。

「一帯一路」構想におけるET技術の位置づけ

習近平報告には「中国の特色ある社会主義の道・理論・制度・文化が絶え間なく発展を遂げ、発展途上国の現代化への道を切り開き、発展の加速だけでなく自らの独立性の保持をも望む国々と民族に全く新しい選択肢を提供し、人類の問題の解決のために中国の知恵と中国のプランで貢献していることを意味している」とも書き込まれた。

この箇所について、中国モデルの「対外輸出か」と解する批判も見られたが、『環球時報』社説[*47]は「同じ発展段階の開発独裁の国々への参考」と弁解しつつ、返す刀で、西側は「多くの途上国にカラー革命などのイデオロギー輸出を試みながら、中国を批判するのは、顧みて他をいう類の愚行ではないかと反論した。

当初OBOR(**One Belt and One Road**)と直訳されていた「一帯一路」構想はBRI(＝**Belt and Road Initiative**)と改訳され、「拡張」主義という中国に対する悪いイメージを改めようとしている。BRIは習近平新時代の思想の一つとして、新党規約にも盛り込まれ、国家戦略に昇格した形だ。世界政党ハイレベルフォーラム[*48]では習近平は「一帯一路イニシアチブ(BRI)は人類運命共同体の理念を実践する一環である」とまで語っている。「一帯一路」構想は、国内の西部開発戦略の延長に位置している。

「陸のベルト」は西安を出てモスクワ経由でオランダのロッテルダムに至る。その道筋で描かれたのは途上国を経て、次の途上国へと続く物流ルートである。「海のシルクロード」に描かれたのは、南海、インド洋を経て地中海に至る航路である。この港湾・海上ルートも中国と途上国を結ぶ物流ルートであり、中国国内の西部発展戦略のグローバル化構想の匂いがする。

中国は、途上国支援によって人類の運命共同体が一つに結ばれる夢を語っている。とはいえ、途上国発展のカギになる技術として活用されるのは、人工衛星システム北斗である（本稿「二3ネットワーク・セキュリティを導く司令部」一六〇頁～参照）。

習近平は国連ジュネーブ本部における講話（二〇一七年一月十八日）やダボス会議などで「運命共同体」作りを繰り返し呼びかけている。陸路であれ、海路であれ、デジタル経済によって世界が結ばれる意味も大きい。そこでは、ＥＴ技術を活用した物流ルートの構築がより大きな注目を集めることになるだろう。中国国内で大規模に展開中のＥＴ革命の衝撃波が、人類の運命共同体作りを促すことは疑いない。

＊1　*Leninism Upgraded: Restoration and Innovation Under Xi Jinping*, April 13, 2017, President of the Mercator Institute for China Studies (MERICS) in Berlin, former Visiting Fellow at the Fairbank Center for Chinese Studies.

＊2　土谷英夫（ジャーナリスト、元日経新聞論説副主幹）「デジタルで蘇るレーニン主義」（『News Socra』二〇一七年十一月十六日）、武田徹（専修大学教授）（『読売プレミアム』二〇一七年十二月二十五日）など。

＊3　二〇一六年六月、商務印書館「互聯網治理与国家治理」『網絡空間法治化――互聯網与国家治理年度報告（２０１５）』。

＊4　類似の主張として、兪可平「全球治理引論」『馬克思（マルクス）主義与現実』二〇〇二年第一期などがある。

＊5　被遺忘権については、呉飛「大数拠与被遺忘権」『浙江大学学報』二〇〇五年第二期。
＊6　肖浜教授は中山大学政治与公共事務管理学院院長。「一把双刃剣——中国国家治理中的信息技術」『網絡空間法治化——互聯網与国家治理年度報告（2016）』商務印書館、二〇一六年六月。
＊7　黄旭「互聯網、行政権与〝新利維坦〟」『南京社会科学』二〇〇三年第三期。
＊8　この問題はソ連内部では、「独立採算制 хозрасчёт／hozraschyot; autonomous accounting system」というテーマで議論が行われ、実行されてきた。社会主義国における企業は国有または集団所有制であるが、この制度を採用するにあたって、国家は企業に国家計画の遂行に対する義務と責任を付与し、同時に一定の経営上の自主性を与え、計画達成については報奨制度をとった。旧ソ連では一九二一年初めてこの制度を採用し、第二次世界大戦後確立された、といわれる。
＊9　オスカル・ランゲ（https://ja.wikipedia.org/wiki/オスカル・ランゲ）。
＊10　「経済計算論争と市場メカニズムの特性」（https://ja.wikipedia.org/wiki/フリードリヒ・ハイエク）。
＊11　コルナイ・ヤーノシュ／盛田常夫訳『コルナイ・ヤーノシュ自伝——思索する力を得て』日本評論社、二〇〇六年、一五八頁。
＊12　北斗システムⅠは実験システムであり、二〇〇〇年から中国と周辺国で航法に提供されていた。第二世代の北斗システムⅡは、「コンパス」の略称で知られ、二〇二〇年の完成時には三五機の衛星で構成される全地球測位システムになる予定（https://ja.wikipedia.org/wiki/北斗衛星導航系統）。
＊13　孫家棟（一九二九年生まれ）は中国の科学者、ロケットおよび人工衛星技術の専門家。長年中国製人工衛星プロジェクトの主導者として務めた。嫦娥計画の元総設計士でもある。中国科学院と国際宇宙航行アカデミーの会員（https://ja.wikipedia.org/wiki/孫家棟）。
＊14　北斗衛星は地上局と遠隔端末の両方と通信するため、これを利用して短いメッセージの送受信（漢字一二〇文字／回）が可能である。全地球システムは「五機の静止衛星を含む三五機の衛星」

から構成される新システムで、三〇機の非静止衛星で全地球を完全にカバーし、サービスが供給される。二〇一二年十月に打ち上げた一六機目の北斗により運用範囲がアジア太平洋地域へ広がり、二〇二〇年を目途に合計三〇機余を打上げて地球規模でシステムを完成させ、世界各地での運用を目指している（https://ja.wikipedia.org/wiki/北斗衛星導航系統）。

＊15　グローバル・バリューチェーン（GVC＝Global Value Chain）とは、製造業などにおける生産工程が内外に分散していく国際的な分業体制を指す。

＊16　ローエンドとは、最も性能の低い、低価格商品、ミドルレンジとは、性能と価格のバランスをとった中堅クラスの商品、ハイエンドとは、高機能・高性能の商品を指す。

＊17　徐麟も上海市宣伝部長として当時の上海市書記習近平に仕えた経歴をもつ。

＊18　二〇一七年十月六日、新華社ワシントン電。二〇一七年十月四日、中国国務委員、公安部部長郭声琨と米国司法長官ジェフ・セッションズ、国土安全保障省（Homeland Security）長官代理エレーネ・デュークは第一回米中法執行とサイバー安全保障の対話を行った（U.S.-China Law Enforcement and Cybersecurity Dialogue＝LECD）。

＊19　「中国が「量子通信」実験に成功、米国の軍事優位揺るがす可能性」（https://www.businessinsider.jp/post-34733）。

＊20　ウィキペディアによると、潘建偉（一九七〇〜）は浙江省東陽市生まれ。上海科学技術大近代物理学科で量子力学に触れ、その後研究を続け、同大で修士号を得たのち、オーストラリアに留学し博士号を取得。二〇一一年中国科学院院士となる。二〇一二年英科学誌『ネイチャー』が傑出科学者に選ぶ。現在は母校の科学技術大学副校長（https://zh.wikipedia.org/wiki/潘建偉）。

＊21　西茹（元北海道大学教授）「中国におけるメディア融合戦略に関する考察」『メディア・コミュニケーション研究』第七一号、二〇一八年三月。

＊22　メディア融合とは、インターネット網のブロードバンド化や放送インフラのデジタル化および、衛星放送の普及に伴い、主に通信・放送・新聞を連携させたサービスが進展し、それぞれの業界の相互参入が進展する現象を指す。

＊23　邦訳：『裏切られた革命』藤井一行訳、岩波書店、一九九二年。

＊24　邦訳：『新しい階級——共産主義制度の分析』原子林二郎訳、時事通信社、一九五七年。

＊25　George Packer: Inequality and American decline, *Foreign Affairs*, vol. 90（二〇一一年十月十二日）。

＊26　Joseph M. Parent & Paul K. MacDonald, The Wisdom of Retrenchment: America Must Cut Back to Move Forward

＊27　矢吹晋『「朱鎔基」中国市場経済の行方』（小学館文庫、二〇〇〇年）を参照。本著作選集第3巻に序章・第3章〜第6章を収載。

＊28　のちに、明治大学現代中国研究所・石井知章・鈴木賢編『文化大革命——〈造反有理〉の現代的地平』（白水社、二〇一七年）として書籍化。

＊29　一九六六年五月十六日に中国共産党中央政治局拡大会議で採択された党中央委員会通達を指す。文化大革命を学術討論の範囲にとどめようとした「二月提綱」を取り消し、「プロレタリア独裁の下で革命を継続し、反党反社会主義、ブルジョア反動思想を徹底的に打倒せよ」と「われわれの身辺に眠るフルシチョフ」の打倒を呼びかけた。ここで「われわれの身辺に眠るフルシチョフ」とは、劉少奇を指すことがのちに明らかになる。

＊30　旧思想、旧文化、旧風俗、旧習慣の四つを指す。一九六六年八月から「四旧打破」と名付けられる紅衛兵運動が展開された。

＊31　徐友漁「文革とはなにか」前掲『文化大革命』、三〇頁。

＊32　朱建栄訳、岩波書店、上・下巻、二〇一六年。

＊33　リーベルマン（一八九七～一九八三年）は、ソ連の経済学者。社会主義においても利潤に応じてボーナスを支給し、企業の自主性を高めようとする「リーベルマン方式」を提唱した。
＊34　矢吹晋『［図説］中国力（チャイナ・パワー）』（蒼蒼社、二〇一〇年、四〇頁）所収のコラム「大躍進期の餓死者の推計」を参照。
＊35　一九六二年七月七日、鄧小平は共青団第三期七中全会に出席した若手幹部に対して「黄猫であれ、黒猫であれ、ネズミを捉えるのがよい猫だ」と説いた。農民が飢えているときに社会主義の道か、資本主義の道かを問うことは馬鹿げている。農民が餓死しないようにあらゆる試みを模索せよ、これがリアリスト鄧小平の判断であった。「黄猫」はその後、「白猫」に変身して人口に膾炙した（矢吹晋『鄧小平』講談社学術文庫、二〇〇三年、七七頁）。
＊36　自主管理を論じた初期の本として、たとえば岩田昌征『労働者自主管理』紀伊国屋新書、一九七四年。岩田弘・川上忠雄・矢吹晋編著『労働者管理と社会主義』社会評論社、一九七五年。岩田昌征『凡人たちの社会主義――ユーゴスラヴィア・ポーランド・自主管理』筑摩書房、一九八五年、などがある。
＊37　宋永毅「広西文革における大虐殺と性暴力」前掲『文化大革命――〈造反有理〉の現代的地平』、四五～一〇八頁。
＊38　二〇一七年、小著のハングル版がソウルで出版された。
＊39　天安門事件に際して、著者は仲間とともに『チャイナ・クライシス重要文献』シリーズ（全五巻、蒼蒼社）を編集した。
＊40　河底の石を探りながら河を渡る、の意。河に流されないように、一歩一歩手探りで徒渉すること。日本語ならば、石橋をたたいて渡るに近い。
＊41　矢吹晋ほか著訳『劉暁波と中国民主化のゆくえ』花伝社、二〇一七年、九～一八頁。

＊42　このリストに掲載されたポストに就く要員は「中央幹部」あるいは「国家幹部」と俗称されている。この職位を以下「任命ポスト」と略称する。

＊43　邦訳は『官僚制のユートピア』酒井隆史訳、以文社、二〇一七年十二月。

＊44　矢吹晋『習近平の夢』（花伝社）二頁。

＊45　謝春濤・中央党校校委員会委員（教務部主任）の発言。人民網日本語版、二〇一七年十月二十三日「「中国の特色ある社会主義が新時代に入った」中央党校教授が解説」（http://j.people.com.cn/n3/2017/1023/c94474-9283601.html）。

＊46　冷溶による解説。『人民日報』二〇一七年十一月二十七日。

＊47　「指責中国〝輸出模式〟的西媒也好意思」『環球時報』二〇一七年十一月二十八日（http://opinion.huanqiu.com/editoria1/2017-10/11340530.html）。

＊48　「習近平在中国共産党与世界政党高層対話会上的講話」『新華網』二〇一七年十二月一日（http://news.xinhuanet.com/world/2017-12/O1/c_1122045658.htm）。

初出：『中国の夢——電脳社会主義の可能性』花伝社、第3章～第5章、二〇一八年三月）

習近平「一強体制」を構築した中国のゆくえ

「著作選集」の編集が始まっても著者は精力的にチャイナウォッチに取り組みつづけた。そのうち四つの論考を最終巻末に刻印したい。「歴史決議の舞台裏を読む」では毛沢東晩年の個人崇拝期とこれを批判する鄧小平流の集団指導体制期の対照性に注目し、習近平「一強体制」の深層を読み解く。「日中関係を破壊し日本を滅ぼす新・暴支膺懲決議」と「アジア蔑視論と和魂漢才」はともに、迷走する日本の情況に対する中国研究者の視点からの危機感の表明である、今もって根強い反中・嫌中感、アジア蔑視観からの脱却の道を考察するものであり、前者では二〇二二年二月の国会における超党派の多数による「新疆ウイグル、チベット、南モンゴル、香港等」の「深刻な人権状況」に対する決議を、後者では福沢諭吉や津田左右吉の思想に内在するアジア蔑視論を断罪する。「中共二〇回党大会の政治局人事と習近平思想」では「行き過ぎた先富論」にブレーキをかけ、共同富裕論を掲げる習近平思想が電脳社会主義の道を切り開く可能性を論じる。

歴史決議の舞台裏を読む――電脳社会主義の青写真

新華社通信は〈第三の歴史決議〉について「熱烈な討論が行われた」と伝えたが、これは「草案」に対して、異論が続出したことを示唆している、と読めるのではないか。歴史決議は二〇二一年十一月十一日六中全会最終日に採決の後、一六日公表まで五日間費やしている。字句の修正箇所が多いことから調整に時間を要したのであろうか。

歴史決議の読み方

決議の中心を一言でいうと、習近平をA1「党中央の核心」的地位およびA2「全党の核心」的地位に位置づけたことが一つ。筆者はこれを「二つの核心」論と名付けたい。

もう一つは「習近平思想」をB「新時代の、中国的特徴をもつ社会主義思想」と規定したことだ。A1「党中央の核心」的地位とは、「集団指導体制からなる党中央」の核心の意味であり、習近平を核心とした党中央指導部の意である。いわゆる集団指導体制のもとでの総書記の地位は、政治局会議の司会役、まとめ役にすぎず、採決においては他の委員同様に投票権一票をもつにすぎない。ただし、中共中央軍事委員会における習近平主席の地位は、法的に別格だ。副主席二名、委員四名、つごう七名からなる軍事委員会において、会議招集権および決議案の決定権は、非制服組の習近平軍委主席（党総書記、国家主席）ただ一人にある。他の制服組六名、すなわち副主席＝許其亮（空軍上将）、副主席＝張又侠（上将）、委員1＝魏鳳和（上将、国務委員および国防部部長）、委員2＝李作成（上将、中央軍事委員会連合参謀部参謀長）、委員3＝苗華（海軍上将、中央軍事委員会政治工作部主任）、委員4＝張昇民（上将、中央軍事委員会紀律検査委員会書記）たちは、決議を執行する役割を担う。この意味で、人民解放軍ほどクーデタに不向きな軍隊はたぶん存在しない。しかしながら、「核心に祭り上げる」ことによって習近平のリーダーシップは、別格として格上げされた。

次にA2「全党の核心」的地位とは、党大会の多数によってさえも、習近平の指導的地位を覆すことはできない、下克上は不可といった意味であろう。この規定は、一見奇妙に見えるが、実はBの規定を言い換えたものだ。すなわち、習近平思想＝「新時代の、中国的特色をもつ社会主義思想」であり、これを「全党の指導的地位」におく、ことを決議したわけだ。

ここで「新時代」とは、〈二十一世紀の現代〉の意であることは自明だが、社会主義を形容した「中国的特色」とは何か。これはいくつかの与件を数えられるであろう。

まず何よりも①マルクスが〈先進資本主義国における社会主義革命〉を想定したのに対して、中国は〈帝国主義に簒奪される半植民地、従属国〉であった。

マルクスの想定した②ヨーロッパ〈諸国民国家の人口〉は数千万単位であり、四億五億という規模とはスケールが異なっていた。この二点だけを見ても、マルクス主義の直接適用は不可能であり、「マルクス主義の中国化」は不可避であった。

歴史決議はまた、「中国各族人民の共通の願望」として、「中華民族の復興」という課題を掲げている。「中国各族人民」からなる③〈「中華民族」というコンセプト〉がいわゆるnation statesを構成するnationsと著しく異なる点も明らかだ。

ヨーロッパ「近代化」は、ギリシャ・ローマ文化の復興（ルネサンス）から出発したが、中国の「現代化」もまた④「中華文化の復興」を目指している。

習近平のいう「新時代」が二十一世紀を指すとすれば、それがデジタル時代であることは明らかだ。そしてデジタル時代の社会主義とは、すなわちデジタル社会主義にほかならない。筆者はこれを「電脳社会主義」と呼ぶよう提案している（本書一四九頁以下「中国の夢――電脳社会主義の可能性」）。

決議案にもどると、修正箇所は五四七箇所に上った由だ。全文は約三万六千字だから、ほとんど各節ごとに修正意見が提起され、これを容れて文言の修正が行われたごとくである。決議の原案に対する主な修正要求は、主として①改革開放期（鄧小平時代）の功罪評価と、②習近平が二〇一二年に執政を始めて以来の約九年（習近平時代）の成果をどのように評価するかであった、と伝えられる。

決議原案では改革開放期の「負の部分」（たとえば腐敗の蔓延や所得格差の拡大など）を指摘して、習近平による軌道修正を論じていたが、原案に対する批判・反対派は、鄧小平路線の堅持を訴え、安易な軌道修正に異論を述べた模様である。

「熱烈な討論」の末に、習近平指導部が結局、この草案に対する修正箇所を受け入れたことは、批判・反対派に対する「妥協」と読むべきであろう。この文脈では、五四七箇所の修正は、広義の習近平擁護派と鄧小平擁護派の妥協（すり合わせ）に時間を要したことを意味していよう。

では、今回の決議の特徴は何か。

①毛沢東の功罪評価には、変わりはない。大躍進から文革に至るまで、基本的に否定している点では、一九八一年版歴史決議〈第二の歴史決議〉を踏襲したものだ。

②鄧小平、江沢民、胡錦濤、それぞれの時代の成果については、基本的にこれを肯定して、毛沢東に続く三代の指導者のメンツを保った。言い換えればこれらの時期に権益をえた人々の既得権益には触れない、としている。

③天安門事件に対しては、「反革命暴乱」の呼び方（改革積極派はこの文言に強く反発する）を避けて、「風波、動乱」と呼ぶ呼称を選んだ（後者の呼び方は、毛沢東思想一般と文革期における、いわゆる毛沢東最高指示などを腑分けし、「功績七分、過ち三分」とする文革評価に似て、天安門事件の「民主化動乱」の二重性に着目している。すなわち民主化要求の正当性、根拠を部分的に認め、「反革命」と断罪することを避けつつ、単なる「政治的な風波」と矮小化する言い方だ）。

こうして習近平の功績を語る部分に約一万九千字（すなわち全体の半分）を当て、毛沢東の名に一八回言及し、鄧小平六回、江沢民一回、胡錦濤一回、習近平二三回の言及となった。「改革開放」期に繰り返して強調された「集団指導（集体領導）」の四文字が消えたのは、習近平の強いリーダーシップを打ち出すうえで、「集団指導」の縛りが不都合だからであろう。ここでは集団指導論は習近平リーダーシップ論に押し切られた。とはいえ、「集団指導」の作風は中国共産党の政治文化に深く根付いており、その作風が一挙に消えることのないのは明らかだろう。他方、「集団指導」の作風とツイになる「個人崇拝」も消えたが、これは、「党中央の核心」的地位とする新規定を新たな「個人崇拝」として反発する集団指導派の圧力によるものであろう。毛沢東に対する個人崇拝が文革期の過ちを修正困難なものとしたところから生まれた「鄧小平流の集団指導路線からの脱出」は認めたが、その行方が毛沢東流の「個人崇拝」に行き着くことがあってはならないとクギを刺す主張によって相殺されたものと読めるであろう。

中国共産党は、建党百年の歴史を誇るが、毛沢東個人崇拝期とこれを批判する鄧小平集団指導体制期が鮮やかな対照を示す。習近平の「二つの核心」論は、両者の折衷案であり、鄧小平集団指導体制を与件としつつ、その枠内で習近平のリーダーシップを突出させる試みと筆者は解している。

習近平に毛沢東的カリスマ性のないことは明らかだ。とはいえ、過渡期を繋いだ江沢民や胡錦濤のように、集団指導体制に流されて、リーダーシップ不在に陥ることも避けたい。これが江沢民の執政時代に途方もない汚職構造を生み出したからだ。しかしながら、習近平はこの汚職構造に果敢に挑むことによって、汚職にまみれた政敵を打倒するとともに、権力闘争に成功した。その辣腕は端倪すべからざるものがある。

とはいえ、二〇一七年に第二期習近平政権がスタートしたとき、彼は新たな冷たい視線に迎えられた。それは〈五年後の習近平引退後を見よ〉、という視線にほかならない。鄧小平期に確立した指導部の〈二期一〇年制論〉によれば、習近平の二〇二二年引退は既定の事実だ。習近平が二期一〇年の期間に行った粛清は、二〇二二年以後の新執行部がすべてこれを覆す。これが習近平の「虎退治」で追われた旧指導部陣営のカゲの声、合言葉であった。習近平は「虎退治」の未完成に気づいた。いったん退治された大虎小虎は、五年後の復活（復辟）を目指して隠密の地下活動、蠢動を始めている。

これに気づいた習近平は早速行動を起こした。まず憲法改正により、〈二期一〇年という枠組み〉の修正に着手した。この地下潮流を私は幸運にも直接体験した。二〇一八年夏筆者は北京の中国人民大学マルクス主義学院のシンポジウムに招かれた際に、習近平の三期一五年構想に対する反発の巨大なうねりに接して衝撃を受けた。シンポジウムに参加した中国側参加者数十名の報告要旨は、いずれも習近平の三文字に誰一人として言及しなかった。報告ペーパーに習近平の名を書いたのは日本人一人（矢吹）と米国人研究者三名だけであった（矢吹報告の骨子は、毛沢東の左傾路線と鄧小平の右傾路線を折衷したところに、中国電脳社会主義の可能性、現実性ありと分析し、それが習近平路線の内実になろう、とする予想であった）。要するに習近平の〈二〇二二年留任拒否ムード〉が、二〇一八年夏、中国人民大学マルクス主義学院シンポジウムにおける中国党員知識人たちの思考を覆う反応であった。

孤立気味の習近平にとって最も強力な援軍が、トランプ政権から届いたのは、現代の国際政治ドラマの皮肉な巡り合わせだ。トランプ政権は、次のように、一五本の大統領命令を下して、中国封じ込め政策、すなわちデカップリング論を一歩一歩推し進めた。

これら（八＋七）つごう一五本の大統領命令は、ＷＴＯ加盟以後の中国がグローバル経済の一員として活動してきた土台を根底から揺るがす措置であり、中国および世界経済にとって青天の霹靂であった。この衝撃を受けた中国共産党の指導部は、習近平のもとに一致団結して、トランプ政権の圧力に抗する道を選ばざるをえなかった。トランプ政権が打ち込んだクサビは、中国共産党の指導部の分裂対立を促すどころか、習近平のもとに団結してトランプ政権の圧力に抗する道を選ばせた。

表１　中国を標的とした８カ条のトランプ命令（Executive Orders Directly Targeting China）

日付	命令番号	中国を標的とした8カ条
2017年12月20日	Executive Order 13818	重大な人権侵害と腐敗に関わった者の個人財産の凍結（Blocking the Property of Persons Involved in Serious Human Rights Abuse or Corruption）
2020年5月28日	Executive Order 13925	オンライン検閲の防止（Preventing Online Censorship）
2020年7月14日	Executive Order 13936	香港の正常化（Hong Kong Normalization）
2020年8月6日	Executive Order 13942	TikTok による脅威と情報通信技術の危機および供給網を語る（Addressing the Threat Posed by TikTok, and Taking Additional Steps to Address the National Emergency with Respect to the Information and Communications Technology and Services Supply Chain）
2020年8月6日	Executive Order 13943	WeChat 微信の脅威と情報通信技術の危機および供給網を再度語る（Addressing the Threat Posed by WeChat, and Taking Additional Steps to Address the National Emergency with Respect to the Information and Communications Technology and Services Supply Chain）
2020年11月12日	Executive Order 13959	共産中国の軍事会社による投資の安全保障への脅威を語る（Addressing the Threat from Securities Investments that Finance Communist Chinese Military Companies）
2021年1月13日	Executive Order 13974	トランプ命令 13959 の修正，共産中国の軍事会社による投資の安全保障への脅威を語る Amending Executive Order 13959 – Addressing the Threat from Securities Investments that Finance Communist Chinese Military Companies
2021年1月5日	Executive Order 13971	中国企業の支配するアプリとソフトの脅威を語る（Addressing the Threat Posed by Applications and Other Software Developed or Controlled by Chinese Companies）

中国を直接標的としてはいないが、標的に中国が含まれる７カ条の命令

2017年4月29日	Executive Order 13797	貿易・製造政策室の設置（Establishment of the Office of Trade and Manufacturing Policy）
2017年7月21日	Executive Order 13806	製造・防衛産業および米国の供給網レジリエンシーの評価・強化（Assessing and Strengthening the Manufacturing and Defense Industrial Base and Supply Chain Resiliency of the United States）
2019年5月15日	Executive Order 13873	情報・通信技術および供給網の確保（Securing the Information and Communications Technology and Services Supply Chain）
2020年4月4日	Executive Order 13913	米国の通信サービス部門における外国参加の評価委員会の設置（Establishing the Committee for the Assessment of Foreign Participation in the United States Telecommunications Services Sector）

2020年5月1日	Executive Order 13920	米国の基幹電力系統の確保（Securing the United States Bulk-Power System）
2020年8月6日	Executive Order 13944	必須薬品・感染症対策・救急医療は米国産とせよ（Ensuring Essential Medicines, Medical Countermeasures, and Critical Inputs Are Made in the United States）
2020年9月30日	Executive Order 13953	必須ミネラルの国内供給網に対する外国の脅威を語る（Addressing the Threat to the Domestic Supply Chain from Reliance on Critical Minerals from Foreign Adversaries）

（出所）Timeline of Executive Actions on China（2017–2021）

二〇一九年五月、筆者は再度招かれて北京五輪の施設として建設された通称〈鳥の巣〉で開かれた〈アジア文明カーニバル〉なるイベントを参観して、中国5Gの威力を見聞した。これは習近平のイニシャティブで開かれた、時代を画するイベントであり、この年十一月から全国主要都市で商業サービスが始まる5Gの首都北京におけるお披露目イベントでもあった。

筆者は、二〇一八年夏に中国人民大学シンポジウムで見聞した反習近平ムードが一掃されている事実を、半ば予想しつつも、あらためて強い印象を受けた。習近平任期を〈二期一〇年に限らず、五年延長を図る〉ことに対する党内知識人たちの強い反発は、トランプ政権の乱暴極まるデカップリング政策のもとで雲散霧消したように見えた。習近平が自らを突出させ、指導部の固い団結を呼びかけたのは、トランプ政権の〈強圧政策に抗するための必要悪〉であることを反対派は納得せざるをえなかった。要するにトランプ政権の中国封じ込め政策こそが習近平への権力集中にとって最大の援軍となった。

電脳社会主義の一部——ビッグデータの扱いと経済安全保障対策

さて、任期延長の習近平は、二〇一七年にサイバー安全法を作り、二〇二〇年九月にグローバル安全イニシャティブを発表した。王毅（国務委員兼外相）によれば、「他国の重要インフラを破壊したり、重要データの窃取に反対する」よう呼びかけたものだ。

二〇二一年十一月には個人情報保護法を施行した。中国流の個人情報保護については、欧州連合（EU）の一般データ保護規則（GDPR）の規定を大いに参照していることが読み取れる。二〇二一年六月にはデータ安全法も公布した。

こうして二〇一七年六月に公布された①「インターネット安全法」および②二〇二一年九月のデータ安全法、③二〇二一年十一月の個人情報保護法により、データ規制の枠組みが整った。これらの法律は、海外へのデータ持ち出しを厳しく制限する点に特徴があるが、むろん折からの米中衝突がその背景にあることは、言うまでもない。

二〇二一年十一月三十日、中国当局は「ビッグデータ産業五カ年計画」を発表し、工業信息〔情報〕化部が地方政府に通知した。これによると、二〇二〇年現在一兆元規模に育ったビッグデータ産業を、二〇二五年までに年率二五％の速度で発展させる目標を掲げている。この新たなデータ五カ年計画においても、外国の制裁の影響を受けないビッグデータ産業体系の構築を目標に盛り込んでいる。

中国は米中覇権争いの核心の一つが「データ主権」にあることを熟知しており、一連の法整備を進めているが、国内的にはアリババ集団やテンセントのような中国ITの有力企業への規制も強化している。これは共同富裕論を意識した課税強化策でもあるとともに、これらの企業のもつビッグデータの外国流出防止も視野に入れている。この文脈で注目されるのは、配車アプリの大手、滴滴出行（デイデイ）に対するニューヨーク取引所の上場停止措置であろう。滴滴については、二〇二一年七月末にも米紙WSJが「株式の非公開化」を検討中と報じたが、有力IT企業のニューヨーク上場停止は、IT覇権争奪

表２　中国のインターネット規制の歩み　法規制や通知などの名称

2017年6月1日	「中国サイバー安全法」（基本法）制定
2017年6月9日	「ネットワーク重要インフラ設備およびネットワーク安全専用製品目録（第１回）」公表
2017年6月27日	「国家ネットワーク安全・危機管理計画」発表
2018年3月23日	「情報安全技術・ネットワーク安全保護〈等級評価ガイドライン〉（意見募集稿）」公布
2018年6月27日	「ネットワーク安全等級保護条例（意見募集稿）」公布
2018年11月1日	「公安機関インターネット安全監督検査規定」施行
2019年5月24日	「ネット安全審査弁法（意見募集稿）」公布
2019年5月28日	「データ安全管理弁法（意見募集稿）」公布
2019年5月31日	「児童個人情報ネットワーク保護規定（意見募集稿）」公布
2019年6月25日	「個人情報の越境移転安全評価弁法（意見募集稿）」公布
2021年9月1日	「データ安全法」施行
2021年11月1日	「個人情報保護法」施行
2021年11月30日	「ビッグデータ産業５カ年計画」発表

戦がより一歩進んだことを意味している。

中国電脳社会主義の可能性

中国電脳社会主義の可能性を考えて見よう。

ここでその前提として考察する必要があるのは、①ソ連社会主義はどこで、なぜ失敗したのか、その原因追求がひとつの課題である。②〈ソ連解体に際して声高に叫ばれた〉米国資本主義の〈独り勝ち論〉は、妥当な判断であったのか、これがもう一つの論点である。

まずはソ連社会主義の失敗から。

一九一七年のロシア革命で成立した社会主義政権は一九九一年に解体した。解体前夜までの社会主義圏と資本主義圏の対峙結果は、「一勝一敗一引き分け」であった〔岡田裕之「〈研究ノート〉現代中国の社会体制：資本主義か、社会主義か(1)」『経営志林』（第五八巻第四号、二〇二一年一月）。すなわち、東西を分ける最前線で、ベトナムは、社会主義政権によって統一された。これが一勝だ。一敗とは、アフガニスタンにおけるソ連の敗北である（なお、二〇二一年八月米軍のカブール撤退劇は一九七五年のサイゴン陥落に酷似するが、ここでは二〇世紀後半における両陣営の競争に局面を限定して考える）。

では、引き分けたのは、どこか。言うまでもなく、朝鮮半島における南北朝鮮の対峙である。両者は未だに「停戦」中であり、終戦処理にさえ至っていない。これが二〇世紀後半における両陣営対峙の「表層における帰結」である。

より立ち入って深層を観察すると、スターリンの戦車による社会主義圏編入を当初から嫌悪していた東欧・北欧圏の独立要求や消費財を買い求める行列に疲れたソ連圏民衆の欲求不満などさまざまな要素を指摘できよう。内外の解体要因は複合的だ。しかしながら、決定的な要因はただ一つと見てよいのではないか。すなわち戦争期が終わり平和共存の時代になって目覚めた大衆の消費財需要を満たすうえで、計画経済システムが失敗したことである。

ハンガリーの経済学者ヤーノシュ・コルナイは『不足の経済学』（盛田常夫編訳、岩波書店、一九八四年）を書いて、ベストセラーになった。〈不足の経済〉という現実が旧ソ連経済の命取りになった。旧ソ連経済システムは、対帝国主義戦争への国民動員体制としては有効であり、ナチスの侵略に耐えたし、大戦直後の米ソ軍拡競争にも耐えた。たとえば一九五七年にはスプートニクの打ち上げに成功し、米国はアポロ計画で追いつくまでに一〇年を要した。これらの事実は、〈戦時経済としての計画経済システム〉の有効性を証明した。

しかしながら、フルシチョフ期に至り、平和共存が始まり、大衆の広範な消費財需要が芽生えると、旧ソ連経済システムは、多様なニーズからなる消費財生産に対応できず、人々は日々の行列に悩まされ、行列経済に疲れた。怨嗟の声が街角にあふれ、人々は米国流の消費文明に憧れた。〈戦時経済としての計画経済システム〉を〈平和経済としての計画経済システム〉に転換することができなかった。マルクス『資本論』の再生産表式でいえば、生産財部門（第一部門）重点主義から消費財部門（第二部門）への重点移行に失敗した。この失敗を〈計画経済の失敗〉と結論づけるのは短絡的だ。時々刻々変化する消費財需要を随時的確に把握できるならば、それらの需要を満たす計画経済は不可能ではない。これが二十一世紀の、著者の主張する電脳社会主義の核心である。

次に後者、資本主義の病について。

二十世紀末に独り勝ちに酔った米国資本主義の夢は短いものに終わった。ヘッジファンドの暴走は、ソ連という歯止めを失って暴走し、二十一世紀初頭の二〇〇八年九月、リーマン危機として爆発した。この恐慌は一九二九年の世界恐慌に匹敵すると巷間騒がれた。中国のトップエコノミスト劉鶴（習近平の中学級友で最も信頼するエコノミスト）は、早速中国有数のエコノミストを結集して『両次全球大危機的比較研究』（孫冶方経済学賞受賞、人民出版社、二〇一二年）という本を書いて、資本主義の死に至る病を分析した。

世界恐慌の前夜（一九一九〜一九二九）と今回のリーマン恐慌（一九八〇〜二〇〇七）の前夜を比較すると、二つの時期は産業構造も、それらを支える技術条件も大きく異なるが、資本主義に特有の恐慌というメカニズムは共通している。

リーマン恐慌の意味するものは何か。資本主義が恐慌を克服できないこと、そして恐慌脱出後の階級格差の途方もない拡大などである。後者はトマ・ピケティらの分析に詳しい。

世界恐慌とリーマン恐慌において、最も豊かな一%層の所得が国民所得全体に占める比率をピケティらの計算に基づいて示すと、一九二〇年代の世界恐慌においては二三・九%を占めたが、二十一世紀初頭のリーマン恐慌では、二三・五%となり、ほぼ同じ水準であった。

筆者がここで着目しているのは、ソ連圏の存在が暴走する資本主義に対して、事実上の歯止め役を果たしてきたことだ。遺憾ながら、この重要な事実を人々が気づいたのは、ソ連解体以後だ（むろん劉鶴らの分析においては、世界恐慌以後、労働者階級への社会福祉政策が充実されたことへの言及がある）。ヘッジファンドの暴走を抑制するメカニズムが欠如することを、人々はリーマン恐慌回復後の所得格差の途方もない拡大によって「後知恵」として、ようやく認識した。やはり資本主義の病は、死に至るまで治せないのか。

毛沢東の後継者鄧小平は、ソ連解体の内実および米国を先頭とする資本主義諸国の病を直視しつつ、社会主義市場経済の道を選択した。彼がまず取り組んだのは、人民公社の解体によって農民の生産意欲を引き出し、農村市場を野菜や魚・肉であふれさせる自由化である。次いで、農村の郷鎮企業を奨励し、生活用品を大量に供給した。国有企業に対しても、民需を満たすような生産シフトを促した。これは国内向けの資源再配分措置だが、同時に経済特区を設けて外資導入、技術導入、そして経営ノウハウの導入を奨励した。このような一連の鄧小平改革により、貧困の悪平等と揶揄された中国経済は活性化に転じた。鄧小平がこのような経済政策の転換を断行できたのは、一方では日本の高度成長やこれを追うアジア四小竜（韓国・台湾・香港・シンガポール）の成功を直視しつつ、片目で、ソ連経済の停滞を分析したからと思われる。

肝心なことは、旧ソ連システムを学び、これを克服しようと試みた毛沢東の失敗を直視しつつ、合わせて旧ソ連解体の教訓を〈反面教師として学ぶスタンス〉を堅持したことであろう。白猫黒猫論で知られる実務家鄧小平は、大衆の消費財需要を満たすことに最も意を用いて、それに成功したわけだ。大衆の支持を得られるかぎり、共産党丸という船が人民の大海で覆されることはない。

鄧小平は、自らの政策のポイントを次の通り、三つの語録で語った。それは〈先富論〉として広く知られている。彼は〈先富論〉を語りながら、同時に〈共同富裕〉を語ることを忘れなかった。習近平が二〇二一年夏に〈共同富裕〉に言及したとき、西側では毛沢東路線への回帰か、と大騒ぎした。なるほど毛沢東の平等主義は〈共同富裕〉を理想としたが、〈共同富裕〉は同時に〈先富論〉のツイであり、鄧小平は、毛沢東路線を大転換したが、共同富裕の理想を放棄することはなかったのだ。

極度に少ないコロナ死者数が示す電脳社会の合理性

ズバリ一例を挙げよう。人口百万当たりのコロナ死者は、米国二三六三人、日本一四五人に対して、中国は三・二人にすぎない。米国、日本の死者は、それぞれ中国の七三八倍、四五倍だ（札幌医科大学

表３　人口百万当たりのＧ７コロナ死者数を中国と比較すると
（2021 年 12 月 1 日現在）（右欄は、中国を 1 とする倍数）

米国	2363	738
イタリア	2215	692
英国	2145	670
フランス	1842	576
ドイツ	1220	381
カナダ	789	247
世界	670	209
日本	145	45
中国	3.2	1

（出所）札幌医科大学ホームページ
人口あたりの新型コロナウイルス死者数の推移
【世界・国別】

コロナ統計二〇二一年十二月一日現在）。

〈中国電脳社会主義〉の優位性は、コロナ対策に関するかぎり、一目瞭然であろう。コロナ禍に直面してＧ７諸国（旧植民地に支えられ、現在は移民労働者に支えられる帝国主義諸国）は、日本を含めて、異口同音に中国の権威主義体制を批判して、Ｇ７諸国こそが〈人権を守り、民主主義に依拠しつつ、コロナ対策を進めている〉と繰り返した。日本政府は〈価値観を共有するＧ７諸国と共に歩む〉と繰り返した。

しかしながら、彼らの説く〈人権〉や〈民主主義〉は、コロナ死亡率とどう関わるのか。中国と比べて二桁も多い死者を数えている国に他国の人権状況や政治制度を批判する資格はあるのか。米国や英仏など旧帝国主義諸国でなぜ人口比死亡率が高いのか。最大の要因は、旧植民地から宗主国へ移民労働者として渡った人々の劣悪な、人権無視の生活条件であろう。彼らは罹患しても病院に行き、治療費を払うことができない。それどころか罹患のままで３Ｋ職場へ働きに行き、コロナウイルスを拡散している。米国の黒人などの非白人市民が治療費を払えない現実は、即所得階級、経済格差の問題であり、福祉国家の矛盾をコロナ禍が暴露したと読むことができよう。第二次世界大戦後、声高に語られてきた福利国家、福祉政策の恩恵は旧植民地から出稼ぎにやってきた〈二級市民〉には届いていない。この現実をコロナウイルスが暴いた形である。福祉政策はなるほど存在している。問題はその政策のカバー範囲が白人社会に限られている現実だ。コロナウイルスは忖度せずに、その虚飾をはぎ取ったのだ。

コロナ死亡率の著しい格差の意味するものを今こそ、事実に即して再考すべきだ。中国で行われているゼロ・ウイルス作戦が妥当な戦略か否かについては、筆者は異なる見解をもつが、それはさておき、中国における対策の有効性は、単にコロナ対策にとどまらないはずだ。ウイルスの流行をオンタイムで把握して、必要な対策をオンタイムで行う試みに成功したことは、中国全社会のガバナンスにおいて、ビッグデータの活用が正しく行われ始めたことを示唆する。これは単なる〈上からの管理〉ではない。それぞれの地域・職場の実態を当該地の人々が正しく認識して行動した総体としての成功、すなわち〈ガバナンス（＝治理）の成功〉だ。これを単なる監視社会、強権支配と矮小化すべきではない。人々がそれぞれの情況を的確に理解した上で生まれた、的確な情報に支えられた行動を根拠としており、電脳社会主義の一側面を鮮やかに示したものと筆者は解する。コロナ対策の成功体験が中国社会全般に及ぶこと——これが電脳社会主義にほかならない。むろん電脳社会主義の全体図はまだ見えていない。しかしながら、コロナ対策における中国の成功は、このシステムを全社会のあらゆる分野に応用する可能性を示唆していることは疑いない。電脳社会主義の可能性は、コロナ対策を通じて大きく前進した。

デジタル時代の社会主義は、貴陽から上海に至るビッグデータの取引所開設によって前進している。それはジョージ・オーウェル流の〈ビッグブラザーによる独裁〉とは似て非なるものだ。

（初出：『善隣』二〇二二年二月号）

日中関係を破壊し日本を滅ぼす新・暴支膺懲国会決議

二〇二二年二月一日、第二〇八回国会

空前の愚劣な〈決議第一号〉を超党派の「多数」で可決した。衆院ホームページによると、審議時賛成会派は、「自由民主党、立憲民主党・無所属、日本維新の会、公明党、国民民主党・無所属クラブ、日本共産党、有志の会」であり、審議時反対会派は「れいわ新選組」のみだ。しかしながら「れいわ新選組」の反対理由は、決議の主題自体への反対ではない。それゆえこの零細政党を含めて、衆議院のすべての会派が新・〈暴支膺懲（ようちょう）〉決議に賛成した。本会議に出席しながら「棄権することによって反対の態度を示した議員」がどれほどか、また「本会議への欠席によって事実上反対の意志を示した議員」がどれほどか、公表されていない。ズバリいえば、衆院議員には自らの信条を表明する自由さえ欠如しているように見える。これを〈令和ファシズム〉と称さずして、何と呼ぶべきか。これは〈新・暴支膺懲〉決議であり、日中戦争時の近衛声明二一世紀版と評して過言ではない。

半世紀前の一九七二年田中訪中によって、辛うじて成った日中共同声明は、今や反故同然であり、この声明によって行われた日中戦争の敗戦処理は行方不明になった。終戦処理が反故にされた事実の論理的帰結は、何か。二十世紀後半の日中戦争が二一世紀の今日も継続している、という重大な帰結にならざるをえない。共同声明の核心は、日華平和条約を〈名存実亡〉としたことであり、それは尖閣問題を棚上げすることによって成った。〈台湾有事〉によって日華条約を甦らせ、尖閣国有化によって棚上げを否定することは、日中共同声明を反故にすることだ。

念のために見ておくと、決議のタイトルは「新疆ウイグル等における深刻な人権状況に対する決議」で、全文は以下の通りだ。

近年、国際社会から、新疆ウイグル、チベット、南モンゴル、香港等における、信教の自由への侵害や、強制収監をはじめとする深刻な人権状況への懸念が示されている。人権問題は、人権が普遍的価値を有し、国際社会の正当な関心事項であることから、一国の内政問題にとどまるものではない。

この事態に対し、一方的に民主主義を否定されるなど、弾圧を受けていると訴える人々からは、国際社会に支援を求める多くの声が上がっており、また、その支援を打ち出す法律を制定する国も出てくるなど、国際社会においてもこれに応えようとする動きが広がっている。そして、日米首脳会談、G7等においても、人権状況への深刻な懸念が共有されたところである。

このような状況において、人権の尊重を掲げる我が国も、日本の人権外交を導く実質的かつ強固な政治レベルの文書を採択し、確固たる立場からの建設的なコミットメントが求められている。

本院は、深刻な人権状況に象徴される力による現状の変更を国際社会に対する脅威と認識するとともに、深刻な人権状況について、国際社会が納得するような形で説明責任を果たすよう、強く求める。

政府においても、このような認識の下に、それぞれの民族等の文化・伝統・自治を尊重しつつ、自由・民主主義・法の支配といった基本的価値観を踏まえ、まず、この深刻な人権状況の全容を把握するため、事実関係に関する情報収集を行うべきである。それとともに、国際社会と連携して深刻な人権状況を監視し、救済するための包括的な施策を実施すべきである。

右決議する。

決議の主題は「新疆ウイグル、チベット、南モンゴル、香港等」の「深刻な人権状況」とされているが、ここで列挙された諸地域がすべて中華人民共和国の一部であることは明らかだ。「香港等」の「等」に何を含むかは明らかではないが、原案の起草者が台湾と書き込み、「台湾有事」はさすがに挑発的と議員間で議論があり、「香港等」とぼかされたものか。原案の「深刻な人権侵害」を「深刻な人権状況」と変え、中国の二文字を削除したところで、中国非難決議という内政干渉を、田中訪中半世紀後の衆議院が決議した事実に変わりはない。

逆立ち全体主義としての〈令和ファシズム〉

浜野研三という未知の哲学者（関西学院大学教授）から『「ただ人間であること」が持つ道徳的価値』（春風社、二〇一九年）という新刊書の寄贈を受けた。教授は「尖閣国有化」以後の日本の政治を「逆立ち全体主義」の一例として、矢吹の一連の尖閣論に触れて、次のように論じている。長いが引用しよう。

中国ウォッチャーとして名高い矢吹晋による著作を見ると、日本のマスメディアが取り上げていない様々な事実が資料を挙げて説明されている。それによると、日本政府の現在の立場は、事実と異なる前提に立ったものであり極めて危険な立場である。彼が挙げている事実をいくつか挙げてみる。たとえば、まず、地理的には尖閣列島は台湾の附属島嶼にあたり、琉球王国の領土ではなかった。そして、何よりもアメリカが尖閣列島に関する日本の領有権を認めていない。矢吹によると、沖縄返還の際、アメリカは尖閣列島の日本への返還を強く批判する蒋介石の動きに対して、領有権と施政権を区別して、日本に対して施政権のみを認め、領有権に関しては、中立の立場を保つという立場をとったのである。しかし、その事実は、当時の佐藤内閣によって国民に知らされることはなく、そのような事実は今も隠蔽されている。さらに日中国交正常化時に田中角栄・周恩来会談で、尖閣列島の帰属問題に関する棚上げの合意が存在し、その後の園田直・鄧小平会談においてその再確認がなされている。これに加えて、国際法上日本の主張は正しいという意見もあるが、頼みのアメリカが中立を保ち、軍事的な援助に及び腰である状況で、核を持つ軍事大国である中国と事を構えることが本当に出来るのか。また、それは真に日本が取るべき道なのかは、今一度真剣に問い直されねばならない。このような事実を踏まえると、尖閣列島問題については、もっと慎重な検討と対応が要求されることが分かる。日本政府のように、領土問題は存在しない、の一点張りでは、事態が険悪になるだけである。以上のような矢吹の指摘は当然幅広く報道され、その是非や、それを踏まえていかに振る舞うべきかについての議論がマスメディアを通じてなされるべきであると思われるが、残念ながらそのようなことは起こっていない。矢吹の本を読んだ人しか以上のような理解の存在を知らず、ただ領土拡張欲求・資源獲得欲求による中国の理不尽な振る舞いと捉えるだけの理解が広く受け入れられている〔中略〕。

〔逆転型全体主義——矢吹注〕監視社会化の進展の中で、企業国家による強大な権力の行使による全体主義的な統治形態への動きは、いよいよその速度を速めているように見える。この問題を考えるとき、メディアの寡頭支配、政治資金の規制の緩和（悪名高い連邦最高裁 Citizen United vs. Federal Election Committee 判決がよい例である）等で日本より全体主義化の度合いが高い、その意味で進んでいるアメリカの形態について、シェルドン・ウォーリン（Sheldon Wolin）が興味深い議論を行っており、参考になる。

ウォーリンは、現在の全体主義は、ナチに代表されるようなものと逆のベクトルで形成されるとして、逆転型全体主義（inverted totalitarianism）と名付けている。「限りのない権力と戦闘的な拡張政策という点ではナチも現在の体制〔＝アメリカ——矢吹注〕も変わりはないが、ワイマール体制においては、全体主義の担い手は街路を支配していた無法者たちであり、民主主義は政府に限られていたのに対し、現在のアメリカでは民主主義は街路でこそ生き生きとしているのに対し、全体主義への危険はますます抑制が効かなくなっている政府に存している」。また、「ナチの支配の下では、大企業は政治体制に服従していたが、アメリカでは企業権力は政治的な権力者集団、特に共和党の中で極めて支配的であり、ナチの場合とまったく逆の、役割の逆転が示唆されている。そして、科学と技術の資本主義的構造への統合によって利用可能となった、拡大を続ける力と資本主義の力の代表者としての企業権力こそが全体主義化する動因を生み出しているのに対して、ナチにおいては、生命圏などのようなイデオロギー的な概念がそのような動因を提供していた」（二〇四～二〇七頁）

浜野の新著を通じて、九・一一以後の米国社会を「逆転型全体主義」あるいは「逆立ち全体主義」と呼ぶ高名な政治学者、プリンストン大学の名営教授ウォーリンの所説に接して、私は改めて日米の全体主義、そして〈令和ファシズム〉を再考した。私が尖閣問題について書いた本が〈非国民の著書扱い〉され、「国益に反するから焼くべきだ」とまで発言したキャリア官僚の声を仄聞して、日本社会がここまで堕落したかと密かに危惧していたが、私とほとんど同じような印象で私の尖閣に関わる発言を受け止めていた日本知識人の存在を知り、我が意を得た次第である。しかも、浜野が尖閣報道に違和感を抱いたのは、米国社会について「逆転型全体主義」と名付けて、その特徴を分析した、政治学者ウォーリンの所説にあてはまる例として、尖閣報道を挙げたという理論的背景がより重要だ。ウォーリンは、①全体主義の担い手は誰か、無法者か、政府か、②全体主義の推進者は誰か、企業か、それとも政府か、③人々を煽動する手段はイデオロギーか、それとも科学技術か。これら三カ条について、ナチスの経験と現代米国のナショナリズムを比較対照して、ナチス流の全体主義とは対照的な構造をもつ米国流の全体主義を「逆立ち全体主義」と名付けたわけだ。さて独米、二つの全体主義と比べて、安倍晋三流の日本「逆立ち全体主義」には、どのような特徴が見られるであろうか。

まず担い手はナチスの利用した「無法者」にも似た、ネトウヨであり、これに資金提供を行っているのが日本政府だ。それゆえ、独米、両者の要素をもつ。ナチス統治下で企業は資本主義的に見て「合理主義的行動」をとったのに対して、米国企業は企業側が政治資金を活用して政府権力を握り、行使する。ナチスとは対照的に、独占的な巨大企業に対して「政府はより民主的、全国民の利益擁護」を掲げている。日本型全体主義は、政府の誘導に企業経営者が従う構図であろう。最後に全体主義への動因だが、ナチスが特有のイデオロギーに指導されたのに対して、現代の米国では科学技術の急発展がテクノ・ファシズムを誘導している。日本はここでも右翼イデオロギーと科学技術の二つが両々相まって逆立ち全体主義を牽引しているように見える（たとえば全国民のクレジットカードの総点数化はその一例）。

尖閣国有化騒動以後の日中対立および日本帝国主義の戦前の徴用工問題をめぐってエスカレートしつつある日韓衝突を見ると、日本型逆立ち全体主義は、近隣諸国による帝国主義批判行動への反発を解決するのではなく、むしろこれを政府が煽る構造によって、自国政治体制の強化が図られていることに気づく。とりわけ、国政選挙の前夜、敵愾心を煽るナショナリズム高揚作戦は誰の目にも明らかだ。現代におけるナショナリズムの作用と反作用とは、ニワトリとタマゴの関係なので、いずれか一方を攻めるのは妥当ではない。対立が一度始まると、相互の応酬は相手に対する不信感を増幅しつつ、悪循環はとまらない。こうして石原慎太郎都知事（当時）の挑発に始まる尖閣国有化騒動が一〇年後の今日、台湾有事論に発展し、田中訪中による日中共同声明を反故にするところまで、坂道を転げるように悪化し、ついに新暴支膺懲決議に至った。

ビッグデータ市場が電脳社会主義を導く

上場データを提供する企業は、新中国移動通信（China Mobile）、新中国聯合通信（China Unicom）、新中国電信（China Telecom）の移動通信三社のほか、東方航空、遠洋海運、高徳ソフト（ハイウェイおよび地図情報）、通販デリバリー各社の情報部門など現代社会から生まれ、それを導くさまざまのビッグデータを集める関連企業群である。これら企業の一部は、物流企業あるいは通信販売企業として本体業務の業績評価を問う市場にすでに上場されている企業もある。しかしながら、今回、ビッグデータ自体を本体業務部門から切り離して上場することには、新たな意味があるとみてよい。ビッグデータ自体は単なる数字の羅列にすぎないが、データサイエンスの手法により加工することによって、複雑な人々の経済・社会行動を把握するための有力な指針をさまざまなレベルで与えることになる。たとえば売れ筋商品の情報が販売促進や新製品開発のために役立つことは言を俟たないし、人々の交通や物流の情報が快適な都市生活や安全性を支えることも容易に理解できよう。とりわけいま話題のＥＶカーの自動運転を強力に支えることによって、その有用性が実証されよう。これらの情報が市場を通じて適正な価格付けが行われ、より有用な情報がより安価な価格で売買されることによって、人々がそれらの情報の選択肢をえられることとは、何を意味するであろうか。ジョージ・オーウェルが『１９８４年』で戯画化した監視社会がわれわれの先入観となって久しいが、その暗黒未来社会とビッグデータを活用して成立する電脳社会は、似て非なることが明らかになりつつある。

最大の違いは、オーウェルの想定と異なり、ビッグデータを扱うのが〈ビッグブラザー〉〈スターリンの暗喩〉とは限らないことだ。さまざまの分野のビッグデータは、巧みなデータ処理により、有用なデータとすべく解析される。それらのデータ解析を担当するのは、やはりそれぞれの分野の専門家の分業と協業に依存せざるをえない。これらの専門家が誰のためにどのような分析を行うのか。〈最大多数の最大幸福のために〉といった目標あるいは理想がデータ解析の導きとならざるをえない。ここからデータサイエンティストたちの試行錯誤が始まる。〈ビッグブラザーによる大衆管理のためのデータ解析か〉、それとも〈最大多数の最大幸福を目指すデータ解析か〉、その選択はたえず問われることになり、そのたびに誰のために、何を解析するか、それが争点となろう。その場合に、ビッグデータ取引所が軍配を下すことになろう。すなわち、ビッグデータの扱いを決めるのは取引所であって、単一のビッグブラザーではありえない。この文脈でビッグデータを市場の取引に委ねるメカニズムは、〈超資本主義的経済システム〉である。このシステムは米国資本主義をはじめすべての先進資本主義諸国に欠けている。中国がこのシステムの導入に踏み切ったことは、習近平指導部が〈情報を含めてあらゆる商品の取引を市場メカニズムに委ねる〉決意を固めたことを意味しており、そのような経済行動を踏まえた国家・社会を目指してスタートしたことを意味している。これはもはや、旧来の管理社会ではないし、いわんや監視社会ではない。電脳を駆使したガバナンス（社会統治）社会であり、まさに電脳社会の誕生を意味している。電脳社会主義の可能性は大きい。

ビッグデータ市場のイメージを描くには、取引所開設の意味を解説した田杰棠（国務院発展研究中心（センター）創新発展部副部長、研究員）の論文が参考になる。これはテンセント研究院とテンセントクラウドが共編した『数字経済〝路、油、車〟（デジタル経済――〝道・ガソリン・車〟）』に寄せた「数据交易、数据権利与数据要素市場培育（データ取引、データ権、データ要素市場の育成）」の要旨である。田杰棠曰く。

ビッグデータは、新たな生産要素であり、デジタル経済を駆動する〈石油〉だ。二〇一五年四月全国初のビッグデータ取引所たる〈貴陽ビッグデータ取引所〉が生まれ、武漢、ハルビン、江蘇、西安、広州、青島、上海、浙江、瀋陽、安徽、成都などに相次いで取引所が生まれた。二〇二〇年十一月現在、取引所は二〇を超えて各地方政府や国家信息中心（センター）と協調して、亜信数拠、九次方大数拠、数海科技、中潤普達などのビッグデータサービス企業にデータを供給している。貴陽ビッグデータ交易所の場合、一連の取引規則を設けた。二種のデータ（数拠）取引モデルが行われている。一つは伝統的な商品市場に似て、〝データ集市〟と呼ばれる。ここでは〈加工の粗いデータ〉が取引されている。二つは〈付加価値つきデータ〉だ。「生データを加工して」需要者に提供する。大部分の取引所では後者〈付加価値つきデータ〉が取引されている。データ取引には二つの問題がある。一つは、個人情報の保護だ。二つは、ビッグデータ自体が均質でなく、価値密度が低いことだ。このため、需要・供給間の共通認識が得られず価格形成が難しい。付加価値つきデータは、第一、ユーザーに代わってデータ加工を行っているので、ユーザーは時間とコストを節約できる。第二、付加価値つきデータはデータの合法性を高めているので、ユーザーの法的リスクが減少する。

田杰棠曰く。

データ権の難点とトラブル＝ビッグデータ権の境界画定は難しい。第一、データ権の主体には自然人・政府・企業が含まれる。個人データにはプライバシー権（隠私権）がある。個人の人格権・

財産権を保護しなければならない。政府データは、公共資源であり、公衆には知る権利・訪問権・使用権がある。商業データには企業の知財権・企業秘密・市場競争における合法的権益がある。個人データには明確な法概念があり、明確な規範体系がある。政府データも重要な権利の客体だ。これらに対して、商業データは未だ厳密な法概念が成立していない。第二、データが生成するチェーンには、多くの参与者があり、各参与者間の境界画定は難しい。第三、データと伝統的なモノとは、性質が異なる。データ権とはデータの全生命周期中における異なる支配主体のもつ権利だ、権利主体はより多くの義務と責任をもつ。

データ知財のトラブルは、経済学の原則に照らして境界を画定せよ。データ知財はプライバシー保護を前提に、これを商品化する企業が負うべきだ。もう一つの意見はプライバシー権を含めない〈原始データ〉に知財権を認める考え方だ。

経済学的角度からみると、コースの定理〔Coase theorem 資源配分は法的権利や法的義務などに関係なく、すべての状況で同じ配分であり続けるとする定理のこと。ノーベル経済学賞を受賞したロナルド・H・コースにより発見された。この定理は、取引費用が存在しない前提で成立するものであり、取引費用が存在すると、資源配分はすべての状況で同じ配分でなくなる〕に従い、データのコストが高くなりすぎないことが肝要だ。ただし法学的角度からみると、個人の財産権保護は、〈社会公平の道理〉に基づくべきだ。データ権の争いの核心は〈コスト主義か財産権擁護か〉にある。

取引規則を明確にして、データの要素市場を発展させよう。①取引されるデータの範囲を明確にして、データ資源の供給を増やす。中国は欧米の経験に学び、〝合法的非個人データ〟を供給源とする。〝非個人データ〟には〈組織・モノ・事件のデータ〉および個人を特定できぬ〈復元不能なデータ〉を含む。②取引規則の明確化には、市場主体に対して〝規則に依拠した取引〟を許すのがよい。③取引監督機関がデータ市場の〝秩序ある取引〟を監督する。④データサービス型の新業種を育成し、データ市場を発展させる。

前掲『数字経済〝路・油・車〟』について、田杰棠は次のように評している。

　これはデータサービスの〝ハイウェイ〟であり、データは〝新石油〟にたとえることができる、産業インターネットは〝コネクテッド・カー〟を結び、デジタル未来社会の青写真になろう。さてデジタル経済のガソリンを提供する企業を一瞥すると、〈中移洞察〉は、チャイナモバイルのデータだ。〈京東城市数鏡〉は、販売・配送業者のデータだから、物流データだ。こうして上海は今や世界で最も進化した〈スマート都市作り〉に邁進している。このデジタル時代の電脳社会主義は、一歩一歩現実の中国社会を変革し始めた。これは旧ソ連解体を反面教師として、現代の資本主義経済の根本的矛盾を止揚する新たな経済システムの誕生を告げている。

陳永偉（北京大学市場与網絡(ネットワーク)経済研究中心(センター)研究員、主任助理）の『関於数拠市場建設的幾個問題（データ市場建設のいくつかの問題）』を読んで見よう。ビッグデータの〈財産権〉と〈価格〉について彼はこう説く。

〈財産権〉と〈価格〉をめぐる諸問題は、二十世紀八〇年代当時の経済改革に似ている。当時、経済改革の主要目標は計画経済から市場経済に転換することであり、二つの任務があった。一つは財産権制度の確立、二つは価格メカニズムの形成である。それなしには資源の有効配置が不可能であった。そこで財産権改革の先行か、価格改革の先行か、それとも同時平行かをめぐって論争が行われた。ビッグデータの市場開設においても、解決すべき核心は、この二つである。データの財産権には所有・使用・収益受け取りの権力が含まれる。これは法学的語彙に見えて、実は経済学的概念なのだ。これは社会的に執行する（socially enforced）権力にほかならない。他方、使用の角度から見ると、データには〈財産権を明確にしにくい属性〉がある。たとえば、①データの非排他性である。ある人が一連のデータを使用する場合、他人が同じデータを使用することを妨げない。②もっと面倒なのは、データの複製性である。〈データ取引後の再取引〉、あるいは〈第三者の使用がもたらす帰結〉を見極めなければならない。データの価格付け問題もある。データの価値は、それから得られる情報に依存する。一メガバイトの高質データから一テラバイトの低質データより多くの情報が得られる場合がある。これは金鉱石に似て、含金量によって、黄金の産出は異なる。さらにデータの開発と利用能力にも依存する。典型例は、ケンブリッジ分析公司が Facebook のデータを分析して、その結果が選挙に影響を与えた事実だ。データの転売を経て Facebook は、もはやデータを管理できない。そこで Facebook は免責を主張したが、世論は代価を要求する。データの非排他性と複製性という条件のもとで、取引リスクの客観評価は難しい。これが〈統一データ市場〉経営の最大の壁である。現時点で主流の観点は、①財産権から突破口を開き、データの〈権・責・利〉問題を明らかにし、次いで価格形成メカニズム問題に取り組む考え方だ。しかしながら、データの財産権問題は、難しい。データには、多重属性がある。一方では、財産権の範疇に属する。他方、データは人々の活動情報でもあり、人の要素を考慮する必要がある。データの源泉と保有から見ると、一部のデータは政府採集・保有で、明確な法的基礎をもつ。他方、一部のデータは私人による採集・使用であり、関連法や制度を欠いているため、権責の画定が難しく、争いがある。データの使用から見ると、一部のデータは使用範囲が狭く、特殊性をもつ。一部のデータは使用範囲が広く、公共性をもつ。一方ではデータの異なる特徴に応じて分類し、管理する必要があるが、他方では財産権中の一部の権利を先行して独立させ、関連規定を定め、類別管理を行うのがよい。たとえば土地公有制の前提のもとで、どのように土地を流通させるか、理論上は難しいが、実践的には所有権争いを棚上げして、使用権を扱えばよい。

データに関わる各種権利の中で、その価値と最も密切なのは使用権である。データの所有権を棚上げし、その使用権を明確にして、市場取引を行えばよい。いま新技術を用いてオリジナル・データを直接得ることなしに〈フェデレーテッド・ラーニング（聯邦学習）〉を行う方法が開発されている。これによって、データの所有権やプライバシー問題を暫時棚上げできる。〈安全計算、聯邦学習〉などの新技術は、データ取引過程の標準化にも役立つ。この文脈では市場の発展こそが第一の推進力だと見做すことができる。現在、データ取引のプラットフォームが成功しているとはいいがたい。取引実績が少ないので、人々はプラットフォームを通じた取引を望まない。その壁を突破するにはどうするか。

①政府は手中のデータを開放し、市場取引を促すべきだ。たとえば犯罪記録は公安系統にある。企業側はこの種のデータ調査のために相応の対価を払う用意がある。②ただし政府のデータ開放は多くの問題に波及する。たとえば政府データは多部門に分散しているうえ、多くの部門は開放に対するインセンティブがない。私がかつて某地方政府で調査した体験では、地方のナンバーワンの指導者が調整を買って出たが、やはりいくつかの部門はデータ提供を拒否した。③政府データを上場して取引を行う場合、その取引価格も問題になる。需給で調整するとしても、価格付けを行う原則が必要だ（価格設定においては、コスト補償を重要原則とすべきた。データの捜集と管理に要する人力・物力から総コストを計算し、市場の需求・使用回数等から相応の価格を計算できよう）。政府はデータ取引によって相応の収入を得るが、データを提供する部門は相応の収益を得られるだろうか？ ④一部の機密データや重要情報が出たことに伴うリスクは、誰が責任を負うのか。実際には、これはとても複雑だ。データの補完性からして単一の部門だけがデータ漏洩を防ぐことは難しい。地方政府は提供できるデータリストを作成して、リスク免責条項とするのがよい。これによって重要情報の漏洩リスクを減らす。

国務院発展研究中心は中国経済の市場経済化へのアドバイスを提起し続けてきたシンクタンクとして、著名だ。陳永偉の所属する北京大学市場与網絡（ネットワーク）経済研究中心（センター）は二〇〇〇年二月に発足した。中国初のインターネットおよびEコマースを研究する組織だ。両者ともに電脳社会主義を導く智嚢団の核心になることが期待されている。

（初出：『善隣』二〇二二年五月号）

アジア蔑視論と和魂漢才——日本文化の二つの潮流

はじめに

「親仁善隣は国の宝也」の漢字八文字は、国際善隣協会会館一階ロビーの揮毫に明記されている。言うまでもなく典拠は『春秋左氏伝』だ。揮毫の由来については、筆者よりも適任の方に解説してもらうのがよい。私自身の体験をいえば、中国研究を志して以来六〇余年、いつも脳裏から「善隣」の二文字が消えることはなかった。嫌中・反中観の横行やこれを朝鮮半島に横滑りさせた嫌韓・反韓ムードの高まりに接して、『脱亜論』の過ちがいまだに克服できていないと感じて、歴史の教訓を顧みたい。

1　朝河貫一の韓国併合批判

朝河貫一（一八七三〜一九四八年）は、国際的評価に耐えうるほとんど唯一の歴史家である。彼はイェール大学院で「大化改新——西暦六四五年の政治改革」を発表して、歴史学博士号を得て、母校ダートマス大学講師になった。折しも日露衝突は風雲急を告げ、彼は祖国の窮状を憂いつつ『イェール・レビュー』一九〇四年五月号に「日露関係の諸問題」を寄稿した（矢吹晋編訳『ポーツマスから消された男』

東信堂、二〇〇二年、八三頁)。朝河の韓国認識は福沢諭吉に代表される韓国蔑視論と天と地ほどの違いがある。朝河は言う。

①日本にとって韓国の重みは、日本の活力の半分以上のものである。韓国が開国されるのか鎖国されるのか、強化されるのか弱体化するのか、独立できるか没落するのか、その帰趨によって日本の運命が決まる。

②対するロシアは、まず満洲、ひいては韓国まで手に入れることによって、東方を支配する海軍と通商基地を排他的政策に基づいて建設するであろう。加えて国家たらんとする日本の野心をくだき、飢餓と衰退に導き、日本の政治的併合さえ企むであろう。

③日本の観点から見ると、韓国・中国は内外の企業に対して等しく門戸を開放されるべきだ。その目的のためには、独立を堅持し、内部開発と自己改革によって、自らをより強化しなければならない。

④日本は韓国の独立を認めた最初の国である事実を忘れてはならない。そのためにこそ、日清戦争という犠牲を払ったのだ。

⑤現在の日露戦争も同じ課題のために戦われている。というのは、韓国の独立は日本の死活に関わるからだ。

⑥それゆえ韓国が別の国ロシアの手に落ちないように、日本が韓国を併合すべきだという主張には断じて与することはできない。

⑦もし韓国がほんとうに自らの脚で立つことができないならば、その解決策は「併合ではない。韓国の資源を開発し、国家を再編成し強化することによって、真の独立を可能にすることなのだ」。

朝河貫一の透徹した東アジア国際情勢認識および日本の採るべき道についての彼の主張の核心は、この引用から読み取れるであろう。

さて、筆者がここで朝河の見解を紹介したのは、福沢諭吉（一八三五～一九〇一年）のあまりにも有名な脱亜論という名のアジア蔑視論と対比するためである。このテーマと長年にわたって格闘してきた安川寿之輔（名古屋大学名誉教授）は、一連の労作のまとめとして仲間（雁屋哲・杉田聡）とともに『さようなら！　福沢諭吉』というキャンペーン本をまとめた。私は「脱亜入欧」イデオロギーの核心が即アジア蔑視論にほかならないことを確認することは急務と痛感している。いまや福沢一万円札は退場しつつあるが、形を変えた令和の脱亜論変種は「価値観が異なる」とか、「価値観を共有するG7との連帯」といった文言でいよいよにぎやかだ。G7の表現は先進国連合を指す〈中立的な表現〉と誤解されているが、紛れもなく旧帝国主義連合の言い換えだ。少なくとも脱亜の踏み台とされた隣人たちは、その記憶を忘れていない。二〇一二年の「尖閣国有化」以後、急坂を転げ落ちるように悪化した日中関係、そして争点は少し異なるが、本質的には重なる日韓関係の現実を眺めて、脱亜論の犯罪的役割を改めて再考したい。

小論は、第一に、安川の脱亜論批判を紹介し、第二に、津田左右吉（一八七三～一九六一年）の中国蔑視論（『シナ思想と日本』岩波新書、一九三七年）に対する先達・小倉芳彦（学習院大学元学長・中国史）らによる批判を紹介する。第三に、日本帝国主義の侵略イデオロギーを担った福沢や津田の軽薄・悪質な論評は、『源氏物語』をひもとくことによって、そのいかがわしさが浮き彫りにされることを示す。

2　侵略合理化のためのアジア蔑視——「ヘイトスピーチの元祖」福沢諭吉

安川寿之輔曰く。

初期啓蒙期の福沢は、「支那、日本等、亜細亜の諸国」は日本と同じ「半開の国」と認識しており（『文明論之概略』第一一章）、例えば一八七六年には、〔中略〕朝鮮・中国への丸ごとの蔑視観は持っていなかった。

一八八一年『時事小言』で、「専ら武備を盛にして国権を皇張する」〔中略〕「強兵富国」路線と、「無遠慮に其地面を押領して、我手を以て新築する」アジア侵略路線を確立した福沢は、翌八二年の社説「朝鮮の交際を論ず」（『時事新報』）において、「朝鮮国……未開ならば之を誘ふて之を導く可し、彼の人民果して頑陋ならば……武力を用ひても其進歩を助けん」と主張して「文明」に誘導するという名目で武力行使と侵略を合理化した。つまり、朝鮮や中国が野蛮で「頑陋」であることが、武力行使の容認・合理化につながるという帝国主義的な「文明の論理」である。

〔中略〕その様相は、次に見るとおり、「壬午軍乱・甲申政変」前後の「朝鮮人……極めて頑愚……凶暴」「頑迷倨傲」「無気力無定見」「朝鮮……妖魔悪鬼の地獄国」「支那人民の怯懦卑屈は実に法外無類」「チャイニーズ……恰も乞食穢多」「良餌」「支那人……奴隷と為るも、銭さへ得れば敢て憚る所に非ず」「朝鮮国……滅亡こそ……其幸福は大」などという発言である。

「天は人の上に人を造らず」から福沢を人間平等論者と理解するのは最大の福沢諭吉神話であり、福沢は人間を平等にしたら、社会全体がうまく治まらないという哲学まで主張した確信犯的な差別主義者であった。以下に彼の侵略合理化のためのアジア蔑視観を列挙するが、日本の民衆に対する差別意識も同様であった。

福沢は、日本の民衆一般を「無気無力の愚民」「無智の小民」「百姓車挽」「下等社会素町人土百姓の輩」などと蔑称しただけでなく、「所謂百姓町人の輩は……社会の為に衣食を給するのみ……・獣類にすれば豚の如きもの」、「馬鹿と片輪に宗教、丁度よき取合せならん」、維新当初の「徴兵制・地租改正・学制」反対一揆に参加した農民は「馬鹿者」「賊民」「愚民」、自由民権の運動家は「無智無識の愚民」「無分別者」「神社の本体を知らずして祭礼に群集するに似たり」などと批判した。

〔中略〕福沢は、そのアジア蔑視の退嬰的な「帝国意識」を近代日本人の「心性」になるまでに仕上げる役割を果たした。今、日本社会を汚染している「ヘイトスピーチ」は、安倍内閣の集団的自衛権の行使容認を筆頭とする政治的暴走と合わせて、日本がふたたび「戦争国家」に転落する瀬戸際にあることを示唆している。

（安川寿之輔ほか『さようなら！　福沢諭吉』三九〜四二頁、花伝社、二〇一六年）

月脚達彦は、「脱亜論」をこう要約する。

①蒸気機関や電信などの「交通の利器」が発達した現在、西洋文明を受け入れることは、誰でも罹る「麻疹」（はしか）のように、「東洋」ないし「亜細亜」の国においても避けようにも避けられ

ない。日本は西洋文明を受け容れなければ西洋諸国からの「独立」を維持できないことを悟り、それを受け容れるために「旧政府」(徳川幕府)を廃滅させるなど古い慣習(「旧套」)を破って、すでに「文明国」の方向に進みつつある。

②ところが近隣の「支那朝鮮」は「古風旧習」を捨てずに「儒教主義」を墨守して、西洋文明を受け容れようとしないので、とても「独立」を維持できる見込みがない。もし明治維新を成し遂げた志士のような人物が両国に現れれば話は別だが、そうでなければ数年の内に両国は「亡国」となって西洋の「文明国」に分割されるだろう。

③日本が「文明国」の方向に進みつつあるのに、「西洋文明人」が「支那朝鮮」を見て、日本もそれらと同じような国だと考えたら、これは日本にとって迷惑である。

(月脚達彦『福沢諭吉と朝鮮問題――「朝鮮改造論」の展開と蹉跌』東京大学出版会、二〇一四年、ii～iii頁)

脱亜論の骨子をこのように要約したあと、月脚は言う。

福沢が日本による朝鮮の植民地化を唱えたことは一度もない。要約の③の後半部分から、当時の日本に中国・朝鮮を支援して「共に亜細亜を興す」ことを主張する人が多く、また福沢自身もそう考えていたのではないかと示唆されることである。(同上、iii頁)

なるほど、福沢は慶應義塾に朝鮮初の日本留学生を受け入れ、朝鮮開化派と接触を始めた初期には

「朝鮮改造論」の担い手を期待し支援していた。しかしながら、この脱亜論で明記しているのは、日本は「支那・朝鮮」も「文明国」になるように援助して「共に亜細亜を興す」ことではなく、これらの「悪友」との付き合いを謝絶するべきであるという一文である。月脚は続ける。

では「脱亜論」の発表を機に福沢が朝鮮を「悪友」として「謝絶」してしまったのかと言えば、そうではなかった。特に一八九四年から一八九五年の日清戦争の時期には、朝鮮の「文明」化と「独立」に関する社説が『時事新報』に再び頻繁に掲載されることになる。ところがその一方で、「脱亜論」掲載の七カ月後の一八八五年九月から一八九二年六月まで、『時事新報』には朝鮮に関する社説がほとんど掲載されていない。これは、イギリスによる朝鮮の巨文島の占領によって福沢が容易に朝鮮問題について発言できないほど、東アジアの状況が緊迫したからである。さらに、日清戦争終結後の一八九六年二月に、慶應義塾の朝鮮人留学生第一号だった人物が主導する朝鮮の政治改革が失敗に帰し、朝鮮の王室ならびに政府がロシアの影響下に置かれると、『時事新報』は朝鮮問題から基本的に手を引く態度を取った。こうした福沢ないし『時事新報』の態度の変化を理解するためには、その当時の朝鮮ならびに朝鮮をめぐる状況を適切に踏まえる必要があり、この点に朝鮮近代史研究者が福沢の「東洋」政略論を扱うメリットがある。

さて、社説「脱亜論」を右に概観したような福沢の生涯の発言（と沈黙）の中に位置づければ、〔中略〕一八八〇年以後、それまで西洋「文明」一辺倒だった福沢が、朝鮮人との接触を機に、西洋中心の近代国際秩序のもとで新たな日本とアジアとの関係を模索する過程で表明された、一時

的・状況的な発言であったと解釈することができる。〔中略〕
もっとも、「脱亜論」をはじめとする福沢の中国・朝鮮に関する論説には、今日では到底容認されないような侮蔑的な言辞が綴られているのは事実である。また朝鮮に対して武力を用いたり中国と戦争したりしてでも朝鮮を「文明」化させて「独立」させなければならないという「朝鮮改造論」は、当時の福沢およびその支援を受ける朝鮮開化派からすると「連帯」論であったとしても、今日の観点からすると侵略論である。しかし、「朝鮮改造論」は成就されることなく、福沢の死の九年後には、日本政府は朝鮮を「独立」させるのではなく「併合」することになる。福沢の「朝鮮改造論」は言わば「挫折」の繰り返しだったのである。（同上、iv〜v頁）

月脚は安川の強烈な福沢批判に反発したものの、結局は日本が「独立」支持ではなく、「併合」に至った経緯を踏まえ〈福沢の挫折〉と結論した。朝河貫一がイェール・レビューに冒頭の見解を示したのは一九〇四年であり、福沢の死の三年後、併合の五年前である。朝河の先見の明は明らかであろう。

3　中国蔑視論の源流を剔抉した小倉芳彦の津田左右吉批判

歴史家小倉芳彦は、一九七二年に田中角栄訪中が行われた年にこう書いた。

この題は『歴研』編集委員会からの注文である。与えられた題で論文を書くのは、はじめてのような気がする。書きたい内容、書ける筋書きがあって、題はあとからつけるのが私のふつうのやり方だから、こんどは勝手がちがった。

「津田左右吉と中国」。魅惑的なテーマである。津田という底無しの深淵。中国という無限大の広野。その二つが交わる接点を求めるのが津田「と」中国という課題の目標だとすると、これは容易ならぬ主題である。

（『歴史学研究』通巻三九一号、一九七二年十二月。以下、小倉の引用は上記論文による）

小倉は冒頭で、このテーマについて執筆する心構えを上記のように述懐している。小倉が先行する論評として挙げたのは、以下のものだ。

①家永三郎の著書（『津田左右吉の思想史的研究』一九七三年）、②石母田正論文「歴史家について」（『歴史と民族の発見』一九四九年）、③旗田巍論文「日本における東洋史学の伝統」（『歴史学研究』一九六二年）、④上田正昭論文「津田史学の本質と課題」（『思想』一九五七年）、そして⑤増淵竜夫論文「歴史意識と国際感覚——日本の近代史学史における中国と日本」（『日本歴史講座　第八巻　日本史学史』一九六三年）などだ。これら五名の論客中、小倉が最も共感しているのは、増淵竜夫の観点、「歴史のいわゆる内面的理解について」である。近代化された日本を規準にして中国を「停滞」社会と見る津田の立場が、「果して本当の意味で克服されたのか」と重ねて問いかけているのも、まさにこのことがあるからだ。

小倉は言う、「日本の脱亜近代主義史学が、あからさまに表現の上で、あるいは潜在的な意識下で、中国や朝鮮を蔑視して来た痕跡を探し出すことは、容易だとも言える。しかし、その痕跡を探し出す手法自身が、〔中略〕「外側の規準」ですまされるとなれば、問題はまた振り出しにもどってしまう」。小倉は、こうして「私の現在の課題は、津田左右吉という人物に対して、私なりの拙なき「内面的理解」を試みることにならざるを得ない」と再考して、津田の内面に迫る。津田の脱亜近代主義の原点は何か。小倉は津田著「白鳥博士小伝」（『東洋学報』第二九巻第三・四号）にたどり着く。津田と白鳥庫吉（一八六五～一九四二年）との師弟・交友関係は、白鳥が学習院の少壮教授だった時代から始まり、白鳥の死に至るまで半世紀続いた。それゆえ「津田と中国」の問題は、「白鳥と中国」の問題に重なる。白鳥はドイツ留学後、学習院から東京帝国大学に移って東洋史学科を主宰し、満鉄に満鮮地理歴史調査部を設けた。津田ははじめ白鳥の私的な助手として、次いで正式の研究員となって、三十五歳の津田はようやく研究者としての生活を保証された。

辛亥革命直後の一九一三年、白鳥は「支那の国体と中華民国の現状」（『東洋時報』第一七九号）の中で「シナでは天の命を受けた天子が天の代理者として民を治めるから、天子が失徳その他の事情で天命を行うことができなくなると革命がおこる。儒教においては君主の世襲を欲しない。しかるに日本では、皇室はシナにおける天それ自身にあたる。天自身が民を治めているのだから、万世一系が国体となるのは当然だ」と書いた。同一三年に津田は『神代史の新しい研究』で、日本の神代史の政治思想が皇室を万世一系とするのは、「かの天子と人民とを天地の如く相対立しているものとする支那思想とは全く趣が違う」と力説した。小倉は言う。白鳥＝津田は、「辛亥革命前後の中国の動きを眼前にしつつ、日本にとってはシナの革命思想は不適合で、万世一系こそが日本の国体であったしまたあらねばならぬという確信を抱いていた〔中略〕それはこの二人の中国の革命運動に対する理解の質を示すと同時に、二人のその後の東洋学・シナ学上の業績を生み出す核でもあった」。小倉は津田論文「シナの史というもの」（一九四六年に復刊された最初の『歴史学研究』一二二号掲載）こそが「津田史学の核心」だと結論する（次の小倉の引用中の①〜④および改行は矢吹による）。

①シナ人には「事実としての民族」―「群衆としての生活」とも表現される―はあったが、民族集団の意識はなく、従って国民を形成しなかった。

②民族・国民としての集団生活こそが歴史の主体なのだから、それを欠くシナでは、王朝の歴史や記録・編纂物はあっても、私たちの言う意味での歴史は書かれなかった。

③シナには歴史的発展がないから歴史観がなく、文化が停滞しているからシナ人は自己本位の名利を求める他に関心のもちようがなく、歴史叙述の必要が起こらなかった。

④歴史が人によって作られることを知らぬから、応報のみを重んじて過程を重んじない。つまり生活の社会的・歴史的意義が考えられていない……

小倉はこの津田流史観を「徹底した「ないないづくし」」と呼ぶ。その対極点に「あるあるづくし」として想定されている「ヨーロッパ近代があり、さらにそれを受容した近代日本が位置している。（中略）『論語と孔子の思想』（一九四六年）の結語で、（津田は）思想の研究に必要なのは、思想を「学問的研究の対象とするたち場」であると述べたのに続けて、こういう研究方法は、〝それぞれの思想についていろいろの特殊の伝統と偏執とをもっている国（＝中国）の学者にはむつかしいことであるが、わが国〔＝日本〕ではできることである〃と断言している」。ここで小倉は、津田の〈自信の強さ〉〔独善と読む――矢吹注〕に唖然とし、この自信が生み出した一九二〇年代以降の津田の研究は「停滞せるシナを観測する姿勢から出たもの」と認識する。そして小倉は、「これは、津田ひとりだけの問題だったのではない」と結論する。

然り、これは日本の対中侵略戦争に協力したすべての日本人の問題であった。小倉は、「残念ながら彼ら〔日本の歴史家〕「における」中国は、時の日本政府「における」中国と同質であったり、時の国際的主流（と彼らが考えるもの）「における」中国の処遇と波長を同じくするものにすぎなかった」と結ぶ。

一九四五年の敗戦は、原爆による対米敗戦であり、対中敗戦に非ず、とする論調が大手を振ってまかり通る。一九四五年敗戦は、日本史も、日本人の歴史観も、何一つ変えることはなかった。日中不再戦は、あっという間に〈台湾有事〉と置換された。かくて日本はいま中国蔑視・朝鮮蔑視の大流行である。白鳥庫吉の邪馬台国＝九州論が、日韓併合前後の時期に提起されたのは偶然ではない。〈鯨面文身の先祖〉を畿内から追放するために発想されたのであり、まさに白鳥帝国主義史観の核心にほかならない（矢吹著『天皇制と日本史』補章、集広舎、二〇二一年）。

4　『源氏物語』から読む和魂漢才

中西進の論考「隠喩と暗喩――源氏物語における白氏文集、長恨歌（一）（二）」（国際日本文化研究センター『日本研究』第四集一九七～二二四頁、第五集一〇五～一三三頁）を読むと、漢籍からの膨大な引用が原典と並べて解説されている。これらの直接的引用あるいは間接的暗喩がなければ、『源氏物語』は成り立たないとさえいって過言ではあるまい。『源氏物語』の骨格として漢籍が縦横に駆使されている事実を見失うことは許されまい。漢籍から何を学んだのか。一つは白楽天〈長恨歌〉の引用からわかるように玄宗帝と楊貴妃の〈傾国と傾城〉物語だ。これは男女関係の話だから、一般に〈色好み〉のテーマと理解されている。しかしながら、これは同時に〈帝王学・皇后学〉のテキストでもある。帝王学としての『源氏物語』の成立と流布を最もわかりやすく説いているのは、著者紫式部が自著の成立を語った『紫式部日記』である。

藤原道長は娘・中宮彰子の里帰り出産時に一条帝への土産として冊子本を作らせた。

中宮様が宮中にお戻りになる日が、少しずつ近づいてきます。けれども、次から次へと若宮のご誕生に伴う儀式が続きますので、女房たちは慌ただしく、落ち着かない日々を送っていました。そんな中で、中宮様は、物語の本を新しくお作りになりたいという意向を持たれ、早速、物語の制作が始まりました。ぐるぐる巻く巻物（巻子本）ではなく、一枚一枚紙をめくってゆく冊子本です。宮中にお戻りになる時の、お土産の目玉になさりたいのでしょう。

このプロジェクトの責任者と言いますか、中心となっているのが、ほかならぬ私でした。（島内景二『新訳紫式部日記』花鳥社、二〇二二年、二七八頁）

中宮様の肝煎りで始まった『源氏物語』冊子本の制作プロジェクトですが、殿（道長様）のご協力なしには不可能です。殿は、産後の健康が優れない中宮様のお体を心配されていますが、これから冬の寒さも厳しくなってゆきます。「子どもを産んだばかりの母親は健康第一で、特に冷気には気をつけねばなりませんぞ。それなのに、寒い朝から冷え込む晩まで、新しい物語の冊子作りですか。大概になさったほうがよろしいですぞ」と、口ではおっしゃるのですが、惜しみなく援助してくださるのです。清書に必要な上質の薄い紙をたくさん、それに筆や墨なども、殿は中宮様のお部屋に持ってきてくださいます。（島内二七九頁）

『紫式部日記』の記述からわかるように、若宮出産後に里帰り先から宮中へ帰る際の一条帝への土産として持参させるためにこそ、『源氏物語』冊子本が作られた。当時は極めて高価な、大量の上質の薄い紙と筆や墨を道長が用意したことによって、冊子本は成ったことが、ここで証言されている。島内解説からわかるように、一条帝は中宮彰子の手元にある『源氏物語』を〈読み聞かせ〉させることによって、〈紫式部の漢才〉を的確に理解した。この事実は何を意味するか。『源氏物語』は一般に〈色好み〉の読物と理解するようになって久しいが、一条帝たちは、〈色好み〉と同時に長恨歌の〈傾城・傾国物語〉、すなわち帝王学の副読本として読んだのだ。この伝統は徳川綱吉の側用人柳沢吉保の側室正親町町子『松蔭日記』まで続いたと島内景二が論じている（NHKラジオ古典講読「紫式部日記（二二）」二〇二二年三月五日放送ほか）。

このように、私は少女時代から漢籍に深く親しんでいたのですが、少しずつ、漢籍や漢字に疎くなってゆきました。というのは、「漢学は男性のものですが、その男性だって、漢学の素養をひけらかすようなタイプの人は、どういうものでしょうね。出世だって、ろくにできないようですよ。まして、女性ならばなおさら、漢学の素養を持っているだけで、皆から敬遠されることでしょうよ」と助言されることが多くなり、私も、その忠告を、身に染みて受け止めたのです。その結果、「一」という字すら、自分は書いて見せないようになりました。仮面を永くかぶり続けていると、いつのまにか仮面が取れなくなるように、演技がいつのまにか本質となり、まことに、私が無学であることは、我ながらあきれるばかりです。

少女時代に読んだことのある漢籍などは、もう自分には親しいものではなくなり、読むことはおろか、手に取って眺めることもなくなりました。それなのに、「漢籍に詳しい女性」という私の噂はますます大きくなる一方で、とうとう、「日本紀の御局」などという、とんでもない渾名をつけられたと聞きました。〔中略〕

それなのに、中宮様の御前で、『白氏文集』のあちらこちらを私に読ませなさったことがありました。それによって中宮様の好奇心や向学心がいたく刺激されたと見え、漢詩文についてもっと詳しいことを知りたいと思われるようになりました。それで、一昨年の夏くらいから、人目につかないように細心の注意を払い、中宮様の近くに誰も人がいない時を見計らって、『新楽府』という漢詩を、お粗末ながら教えていますが、そのことも秘密にしているのです。この『新楽府』は、白楽天の『白氏文集』の巻三と巻四に当たっていますが、為政者の参考になる内容を多く含んでいるのです。

このことは、私だけでなく、中宮様も内緒にしておられましたが、殿（道長様）も、主上様〔一条帝』も、二人の秘密をいつのまにかお知りになりました。私たちが読んでいます『新楽府』を初めとする漢籍を、殿は能書家に書かせて、中宮様に献上なさったのでした。

このように、中宮様が私に漢籍を教えさせて読んでおられることを、私に「日本紀の御局」という渾名を付けた「うるさ型」の左衛門の内侍は、まだ知らないのでしょう。もし、彼女がこの話を聞きつけたならば、どんなに私を批判するか、わかったものではありません。「文集の御局」や「楽府の御局」では済まないでしょう。中宮様まで巻き込んだのですから。この世の中は、何から何まで、複雑な出来事がほどきようもなくこんがらがっていて、すっきりしません。特に人間関係の網の目は、厄介なものなのですね。

（島内四八〇〜四八二頁）

島内の名訳が教える一連の〈史実〉から、①日本文学の成立期における中国古典の役割とその意義を明確に再認識すべきこと、②総じて日本文化総体が中国文化の決定的影響を受けつつ、〈和魂漢才〉の精神によって育まれてきた史実に改めて眼を向けたい。それはアジア蔑視論の対極であろう。

筆者がいま自明の史実に改めて眼を向けよと指摘するのは、新・暴支膺懲国会決議（二〇二二年二月一日）を皮切りに、新・脱亜論＝アジア蔑視論の風潮がますます賑やかになりつつあるからだ。〈新・暴支膺懲決議〉や〈新・脱亜論〉の復興（＝アジア蔑視論）によって日本の未来を切り開くことはできない。これらの旧日本帝国主義の負債を止揚することによってのみ、アジアの隣人との共生が可能となる。

（初出：『善隣』二〇二二年十一月号）

中共二〇回大会の政治局人事と習近平思想

第三期習近平体制の陣容

筆者は二〇二二年十月二十一日、国際善隣協会中国塾の講演において第三期習近平体制の人事を予想したが、大外れであった。何をどう間違えたのか。総理李克強の引退は予想どおりだ。李は総理を二期一〇年務めており、公務員規定に照らして延長はありえない。が、その後継を胡春華副総理の昇格と予想したのは、大外れ、胡春華は政治局委員（常務委員を含めて総勢二四名）から格下げされ、中央委員級にとどまった。このような格下げは、中国共産党の人事では、珍しい。

ここで筆者が注目するのは、政治局委員が二五名から二四名に減じた背景だ。これは胡春華の総理昇格は無理としても、副総理留任はありうると見られていた人事案に対して、最後の段階で政治局委員解任が決定されたために一名の補充が行われるに至らなかったためではないか。言い換えれば、国務院総理昇格はないとしても、副総理留任案は最後まで残ったことを意味するのではないか。しかしながら、胡春華はついに政治局から排除された。もう一つの予想違いは、汪洋が常務委員に留任して全国人民代表大会常務委員長に転ずるという予想だ。汪洋は共青団幹部の経歴をもつが中央で出世した胡春華と違って共青団の地方幹部だから、いわば共青団非主流派である。共青団主流派も共青団非主流派もすべて

表　24名からなる中国共産党中央政治局委員

	生年	年齢	原籍	大学	前職	現職
①習近平	1953.6	69	陝西富平	清華大学 人文社会学院	総書記、軍委首席、国家主席	総書記、軍委首席、国家主席
②李強	1959.7	63	浙江瑞安	中央党校	上海市党委書記	国務院総理
③趙楽際	1957.7	65	陝西西安	中央党校	紀律検査委書記	全人代委員長
④王滬寧	1955.10	67	山東莱州	復旦大学 国際政治系	中央全面深化改革委員会弁公室主任	政協主席
⑤蔡奇	1955.12	66	福建竜渓	福建師範大学	北京市党委書記	中央書記処 常務書記
⑥丁薛祥	1962.9	60	江蘇南通	復旦大学 管理学院	中央弁公庁主任	副総理
⑦李希	1956.10	66	甘粛両当	西北師範学院	広東省党委書記	紀律検査委書記
張又俠	1950.2	72	陝西渭南	軍事学院	中央軍委副主席	中央軍委副主席
王毅	1953.1	69	北京	北京第二 外国語学院	外交部部長	国務委員、中共中央外事工作委員会弁公室主任
李鴻忠	1956.8	66	山東昌楽	吉林大学 歴史系	天津市党委書記	全人代副委員長
石泰峰	1956.9	66	山西楡社	北京大学 法律系	中国社会科学院院長	中国社会科学院院長
黄坤明	1956.11	66	福建上杭	清華大学 公共管理学院	中央宣伝部部長	広東省党委書記
何立峰	1957.7	65	広東興寧	厦門大学 財政金融系	国家発展改革委主任	国家発展改革委主任
何衛東	1957.8	64	江蘇東台	中央党校	軍事委副主席	軍事委副主席
馬興瑞	1959.1	63	山東鄆城	ハルピン 工業大学	新疆ウイグル自治区党委書記	新疆ウイグル自治区党委書記
陳文清	1960.1	62	四川仁寿	西南政法学院	中央書記処書記	中央政法委員会書記
陳敏爾	1960.9	61	浙江諸曁	中央党校	重慶市党委書記	天津市党委書記
劉国中	1962.7	59	黒竜江望奎	ハルピン 工業大学	陝西省党委書記	陝西省党委書記
尹力	1962.8	59	山東臨邑	ロシア医学 科学院	福建省党委書記	北京市党委書記
袁家軍	1962.9	59	吉林通化	航空航天部 第五研究院	浙江省党委書記	重慶市党委書記
李書磊	1964.1	58	河南原陽	北京大学中文系	中央宣伝部 副部長	中央宣伝部部長
張国清	1964.8	58	河南羅山	清華大学 経済管理学院	遼寧省党委書記	遼寧省党委書記
李幹傑	1964.11	58	湖南長沙	清華大学 エネルギー研究所	山東省党委書記	山東省党委書記
陳吉寧	1965.2	57	吉林梨樹	英ロイヤルポリテク・インスティテュート	北京市党委 副書記	上海市党委書記

排除するのが、今回の習近平人事であった。そのような予想も一部で行われていたが、筆者はやはり最後には習近平の左翼路線に対して穏健・温和路線と見られていた汪洋、胡春華の共青団人脈との妥協に帰結すると見ていた次第である。しかしながら、政治局常務委員から共青団人脈は一掃され、習近平一強体制を固めた。筆者が人事予想の間違いを率直に自己弁明したところ、聴講者の一人から、矢吹先生は七名の常務委員中、習近平、趙楽際、王滬寧、丁薛祥の四名を当てたのだから、大間違いではないと慰めてくださる方がいた。なるほど外れたのは李強、蔡奇、李希の習近平側近三名であり、数字でいえば過半数は当たったが、予想の真の課題は、共青団系の排除の可否にあり、この点で習近平は鄧小平期の「改革開放」に固執する人々を習近平路線への抵抗勢力と見做して排除し、習近平路線への転換を強引に進めた。この人事の背後を分析してみよう。

まず国内の条件から。政治報告から、習近平二期一〇年の成果を点検すると、①脱貧困作戦：この成果は明らか。経済成長の結果として格差も生じたが、全体として所得底上げとなった。②経済成長の量的発展から質的発展への転化：これは多面的だが、その成果は明らかだ。③政治の全過程に人民民主主義が導入された：この評価には〈習近平独裁〉論に凝り固まっている日本では異論が多いかもしれない。しかしながら、政治報告や党規約の改正において、多くのグループ会議が繰り返された経過を読むと、約一億の党員間で、あるいは二三〇〇名の大会代表を中心に膨大な党内民主主義的討論が繰り返された経過がよくわかる。④中国的特色をもつ大国外交により、人類運命共同体が推進された：一帯一路構想も着実にルートを広げている。これは西側では「戦狼外交」と揶揄され、力によって現状変更をはかる「覇権主義」と批判された。⑤ゼロコロナの人民戦争：人口百万当たりの死者数を比較すると、中国は米英と三ケタ違う。いわゆるG7の先進国は「揺りかごから墓場まで」の社会福祉政策を自慢してきたが、実際には旧植民地からの移民労働者は、移住先の旧宗主国の3K労働を担いながら、コロナに罹患したまま治療を受けずに職場に出かけ、コロナウイルスの運び屋になった。コロナ死者率比を見ると、中国の勝利は明らかだ。⑥党の整風により、自己革命をやり、社会革命を導く∴汚職摘発の活発化は特筆すべき成果を上げている――これら六項目の内容は、習近平期に独自の成果というよりは、江沢民・胡錦濤の施政期の延長上の成果も含まれる。しかしながら、習近平が「新時代のマルクス主義」の旗を掲げることによって、先富論から「共同富裕論への転換」の方向性が与えられたことは否定できない。習近平は一連の成果を踏まえて、一強指導体制のもとで、この共同富裕路線をさらに発展させる由だから、その成果を注視したい。要するに、習近平は執政一一年目に初めて自前の執行部を擁するに至った。習近平第一期（二〇一二～二〇一七）は彼自身を除いてほとんどのメンバーは胡錦濤執行部の選んだ顔ぶれだ。習近平第二期（二〇一七～二〇二二）は党中央書記処や軍の一部に父習仲勳の盟友・西北幇を加えたものの、行政の執行部・国務院は李克強の率いる共青団人脈に握られて、党政分離という官僚主義システムに阻まれて、隔靴搔痒の気分を味わった模様だ。習近平の思惑どおりには政策の展開を進めることができなかった。カリスマ性をもつ毛沢東でさえも党内官僚主義に手を焼いたことは有名な話だ。習近平の指示が中南海の赤い壁を越えられなかったのはさもありなんと思われる。

習近平第二期（二〇一七～二〇二二）の治世が始まった途端に彼は慣例を打破して、習近平第三期（二〇二二～二〇二七）作りに着手し、その結果が上述の習近平一強（独裁）体制の確立であった。常務委員の序列二位の李強は二〇二三年全人代で国務院総理に選ばれるのが慣例だ。李強の前職は上海市党委書記であり、中国最大の経済都市上海のトップが国務院総理に抜擢されるのは不思議ではない。李強の後任には北京市副書記から陳吉寧がすでに就任している。序列三位の趙楽際の前職は紀律検査委書記であり、汚職摘発に辣腕を振るった西北幇の腹心は、全人代委員長に明春就任する。序列四位の王滬寧は明春全国政協主席に就任する見込みだ。序列五位の蔡奇の前職は北京市党委書記で、冬季五輪の采配を振るった。蔡奇は中央書記処常務書記として、中央の党務を総括し、習近平総書記を支える。李強総理を支える常務副総理は、序列六位の丁薛祥だ。彼は党中央弁公庁主任として習近平弁公室の事務処理一切を支えてきたが、今度は国務院に転ずる。序列七位の李希の前職は広東省党委書記だが、今度は中央書記処書記と紀律検査委書記を担当する予定だ。李希の後任には、黄坤明がすでに広東省党書記に就任している。

次に、政治局委員二四名の顔ぶれを眺めてみよう。その出身母体は党中央各部長級幹部および国務院各部長級幹部の出身者が一二名、直轄市や省級書記から選ばれた者が一二名、半々である。党中央各部・国務院各部の内訳を見ると、従来は「党政分離」の建前から国務院各部のうち重要部門に対しては政治局委員ポストが割り当てられる慣例があったが、今回は国務院から外交部長の王毅と発展改革委の何立峰の二名しか選ばれていない。ここから察せられるのは、習近平は鄧小平時代の「党政分離」を放棄して、「党政一体化」の行政を目指しているように見える。「党政分離」という官僚機構のカベが習近平思想による行政の推進にとって障害となり、このカベを「党の一元化指導」により突破することを目指しているように見える。

この「党政分離」からの逆行は、何を意味するのか。米国の対中封じ込め（デカップリングという分断策）に対抗しつつ、硬軟両様の構えで臨機応変の対応をはかるためには、習近平の指示が直ちに反映される体制が望ましいのであろう。毛沢東は文革により、官僚主義との闘いを進めたが、結果的には失敗した。習近平は毛の失敗をどこまで学んでいるか、その学習結果が問われることになる。二四名の政治局委員の半数はいわゆる省級書記から選ばれた。北京＝蔡奇・天津＝李鴻忠・上海＝李強・重慶＝陳敏爾の四直轄市は、いわば指定席のように政治局委員に選ばれる。残りの八名は、広東＝李希・山東＝李干傑・浙江＝袁家軍などの人口の多い省から選ばれるのは慣例だが、今回目立つのはまず陝西＝劉国中だ。ここは習近平・習仲勲父子の地元だ。ついで福建＝尹力は習近平が省級書記として最初に赴任した地だ。尹力はすでに北京市党委書記に栄転した。少数民族地域としては、ウイグル族問題が話題になった新疆自治区書記＝馬興瑞が選ばれた。最後に国有企業の多いことで有名な遼寧＝張国清書記も政治局入りした。最終学歴の専攻を見ると、軍の二名を除く二二名の内訳は、文系一六名、理系六名である。しかしながら、ポスト習近平の指導部を構成するメンバーになる可能性をもつ陳敏爾以下の若手八名を見ると、文系三名、理系五名であり、理系専攻者が六三％を占める。ＩＴ分野に強い若手が選ばれていることが察せられる。

今回の政治報告の基調を二〇二一年秋の「第三の歴史決議」と読み比べると興味深い。この「決議」で採択された骨子が政治報告や党規約改正に反映していることが明瞭に読み取れる。筆者は「歴史決議の舞台裏を読む」（『善隣』二〇二二年二月号。本書二五〇〜二六五頁に収載）で分析ずみである。

電脳社会主義への道

歴史決議をいわば中間ステップとして、習近平は今大会を通じて習近平「一強体制」（あえていえば独裁体制）の構築に成功した。共青団人脈を指導部から一掃することによって、習近平思想に基づいて電脳社会主義を強力に推進する体制を整えたわけだ。二〇回大会時点では〈習近平思想〉とつづめるまでは至らなかった。鄧小平理論の堅持を主張する「共青団に象徴される抵抗勢力」のために、その段階には至らなかった、と読む。「習近平」と「思想」との中間には、若干の形容句を挟んでいるが、この形容句を削除して、毛沢東思想なみに、いずれ「習近平思想」と名付けられるのは時間の問題であろう。革命期の中国を導いたのが毛沢東思想とすれば、「電脳社会主義を導くのは習近平思想だ」という自負があふれている。革命期は毛沢東思想に依拠し、電脳社会主義の建設は習近平思想に依拠するというわけだ。

鄧小平の改革開放政策は、毛沢東時代から習近平流の電脳社会主義建設期に至る転換期を結ぶ過渡期の理論にとどまるという位置付けになる。このような政治の文脈で読むと、共青団派に象徴される政治勢力は、まさに過渡期を担った政治集団にほかならない。習近平の電脳社会主義が新たな歩みを始めるに際して、抵抗勢力あるいはブレーキ役に転化した。胡春華が政治局から排除されたのは、彼個人の能力の問題ではなく、「鄧小平時代への訣別」の象徴として棚上げされたと私は読む。

さて、習近平に迫って一強指導体制、電脳社会主義への転換を強く迫った国際的要因は何か。ズバリ一言でいえば、トランプ政権およびバイデン政権による対中封じ込め政策にほかならない。トランプ政権は「中国を標的とした八カ条の命令」（Executive Orders Directly Targeting China）を二〇一七年十二月から二〇二一年一月にかけて下した。同時に「中国を直接標的としてはいないが、標的に中国が含まれる七カ条の命令」も加えて、中国封じ込め一五カ条の政策を展開した（本書二五五〜二五六頁参照）。トランプの後継バイデン政権も、対中封じ込め政策を継承し、中国の経済成長を抑止する政策を一見目立たない形で展開した。超大国・米国のこの種の陰陽両面にわたる圧力は、中国経済の弱点を直撃しようとするものであった。

この突然の乱暴な対中政策に接して、党内は一致団結して対米交渉に当たる、いわゆる「戦狼外交」が支持され、逆に「韜光養晦（隠忍自重）」路線が敗北したのであろう。

対外的条件だけではなく、国内政策においても不動産ブームの暴走やアリババの挑戦が市場管理の枠に抵触し、その是正措置もスタートした。マンション価格が平均年収の二〇年分といった暴騰は問題とすべきだし、流通革命に成功したアリババの貢献は認めるとしても、アント（アリババグループ傘下）の暴走には問題がある。市場管理の機能はやはり国家に委ねるのが当然だ。アリババの消費者金融業務の行き過ぎを是正するのは当然なのだ。そのような「行き過ぎた先富論」にブレーキをかけ、共同富裕論の正道に戻すことは電脳社会主義の道の不可欠の要素であろう。

最後に米中関係を展望して結びとしたい。バイデン政権は二〇二二年十月、台湾政策法を提起して、台湾のウクライナ化を宣伝し始めた。ＮＮＭＡすなわち非ＮＡＴＯ加盟国だが、重要な同盟国（Non NATO Major Ally）に台湾を加えること（DESIGNATION OF TAIWAN AS A MAJOR NON-NATO ALLY Section 517 of the Foreign Assistance Act of 1961）を、ウクライナ戦争の最中に、この戦争イメージと重ねる形で再確認し、「台湾有事」を強調するのは、いかにもキナ臭い。台湾海峡で局地的な軍事衝突を引き起こし、中国経済の躍進にブレーキをかけたいという陰謀が繰り返されてきたが、今回は最後のチャンスだとする怪しげな観測が意図的に流されている。習近平政権はこれに対して「戦狼外交」的言辞は用いるが、台湾の武力解放の意図は毛頭ない。彼らの選択肢にあるのは、平和的統一だけだ。元来が日清戦争によって割譲された領土の回復である以上、軍事力の使用は、そもそもありえない。中国当局の平和的解決という立場を理解しつつ、それでもやはり、米国側が台湾の武力解放を恐れるのはなぜか。TSMC＝台湾積体の半導体工場が中国政府に接収される事態を恐れているのではないか。TSMCは寧波生まれの中国人ビジネスマン張忠謀（モリス・チャン）がテキサスインスツルメンツでの二五年の体験を踏まえて世界初のファウンドリー型半導体工場として台湾新竹のサイエンスパークに設け、スタートした。私は台湾留学生に道案内されてこの工場を八〇年代末に訪ねている。TSMCは今や世界市場シェアで六割を占め、時価総額はトヨタの二倍だ。線幅五ナノメートルの微細加工はTSMCと韓国サムスンの独壇場である。二〇二五年には二ナノメートルの量産計画を予定している。世界最先端の半導体工場が中国に奪われたら米国は経済だけでなく軍事力の心臓部がマヒする。TSMCの半導体は現在中国市場にも供給されており、これを奪う必要性は皆無だ。中国国内ではSMIC＝中芯国際に巨大投資を行い、微細加工技術でTSMCに肉薄しようとしている。追いつきはやはり、時間の問題であろう。日本はトヨタを含む八社連合でラピダスを創設し、EV車対策に乗り出したが、この寄り合い所帯がエルピーダメモリ失敗の二の舞にならなければ幸いだ。EV車成功のカナメは、多分通信衛星技術との連携にあり、この認識が日本で欠けているのは致命的に見える。

神舟一五号は十一月二十九日に打ち上げに成功し、乗組員の費俊竜、鄧清明（船長）、張陸の名が発表された。二〇一六年の量子実験衛星墨子号の打ち上げ成功以来、中国の宇宙開発は眼を見張る成果を挙げている。一連の宇宙プロジェクト責任者たちが科学技術の最先端に結集し、軍事委の先頭に立つ。軍事委メンバーは、次のとおりだ。主席習近平はただ一人の文官として、委員会の開催を招集し、決議の決定権をもつ。副主席二人と四人の委員は習近平の決定を執行する役割のみをもつ。副主席の一人は、顧問格の張又俠（習近平の父習仲勲の盟友）であり、もう一人は現役トップの何衛東上将六十四歳だ。軍事委メンバーは、①李尚福委員は一九五八年二月生まれ、六十四歳、江西省興国人、陸軍上将、中央軍委装備発展部部長兼中国有人宇宙飛行プロジェクト総指揮（これは宇宙戦争の準備に備える）。②劉振立委員は一九六四年八月生まれ、五十八歳、河北省欒城人、陸軍上将、連合参謀部参謀長。③苗華委員は一九五五年十一月生まれ、六十七歳、江蘇省如皋県、中央軍委政治工作部主任、海軍上将。④張昇民委員は一九五八年八月生まれ、六十四歳、陝西省武功人、陸軍上将、中央軍委紀律検査委書記。

シビリアンコントロールの習近平および顧問格の張又俠を除く制服組の軍事委メンバー五名は、六十四歳組の三名（何衛東、李尚福、張昇民）が中心で、この三角構造に、監督の必要上年長の六十七歳の苗華（政治部）と若手の五十八歳の劉振立（参謀部）が連絡役として加わり、五角構造の調整に走る構図である。この精兵簡政体制は従来の各兵種・軍種の代表からなる大人数の軍事委と比べて際立った対照を示す。ズバリ一言でいえば、宇宙戦争に備える宇宙シフトなのだ。その花形が李尚福（中国有人宇宙飛行プロジェクト総指揮）だ。

（初出・『善隣』五三二号、二〇二三年一月・二月合併号）

著作選集あとがき

刊行の辞で『万葉集』の「梅花の歌」序に言及したので、中国流の歌枕「梅花落」に触れて結びとしたい。一九六一年十二月、毛沢東は陸游の「詠梅詞」を換骨奪胎して「卜算子調・詠梅」を作った。私は最初の翻訳本『毛沢東 社会主義建設を語る』(現代評論社、一九七五年)の「解説」にその試訳を掲げた。

風雨送春帰、飛雪迎春到。
已是懸崖百丈冰、猶有花枝俏。
俏也不争春、只把春来報。
待到山花爛漫時、她在叢中笑。

こぞのはる　いにしばかりに　まふゆきの　はるをむかへぬ
たかきがけ　つらつらなり　はなびらの　あやにうつくし
あやなれど　わがものとせず　つぐるのみ　はるきたりしを
よのはなの　さかりをまちつ　かのうめは　ひとりほほえむ

一九六一年冬の毛沢東は四面楚歌であった。大躍進政策や人民公社作りの失敗が明らかになり、毛沢東に自己批判を迫る風潮が高まり、失意のどん底にあった。彼は自らの初心を反芻し、「社会主義の春を告げる梅花」に譬え、その志はいずれ老百姓に理解されるはずだと確信して、この詞を詠じた。毛沢東の後継者鄧小平は、毛沢東流の貧しさを分かち合う社会主義路線（いわゆる平均主義）を厳しく批判し、路線を一八〇度転換したが、彼を全否定することはなく、「三割は間違いだが、七割は正しい」と評価した（いわゆる三七開）。そして黒猫白猫、ネズミをとるのが良い猫だ、と喝破しネズミ捕りを推奨した。

さて、鄧小平の後継者習近平の課題はなにか。二〇回党大会の前夜、彼は側近にこう述懐した――ネズミ捕りが成功して、肥満猫が増えたが、紅猫が消えた。紅猫政権が黒猫（腐敗）政権に変質しつつある。中国共産党が社会主義を忘れた政権に転落するのを防ぐべし。共同富裕論に立ち返り、紅色政権を再建せよ、これこそ、歴史が私・習近平に課した使命なのだ、と。毛沢東の左翼偏向と鄧小平の右翼偏向の是正に習近平が成功する可能性は高い。電脳社会主義の条件（生産力・科学技術的条件）が整いつつあるからだ。これが私のチャイナウオッチ半世紀から得た結論である。

二〇二三年春節

矢吹　晋

編者あとがき

　国交正常化から五〇年を経過した日中関係は前進するどころか、反中・嫌中感は一向に収まる気配はなく、後退の一途をたどっている。二〇二一年二月の国会で「新疆ウイグル、チベット、南モンゴル〔内モンゴル〕、香港等」の「深刻な人権状況」を非難する決議が、自民、公明、立憲、維新、国民民主、共産ほかの多数で可決された。マスメディアの中国報道は、〇五年の中国各地での大規模な反日運動、一〇年の尖閣諸島中国漁船衝突事件などがつづき、ぎくしゃくする日中関係を追認するような論調が大方を占めている。田中角栄首相・大平正芳外相が、自民党保守派の強い抵抗を振り切って訪中し、国交正常化を実現した一九七二年の日中共同声明、七八年の日中平和友好条約、閣議決定に基づいた九五年の村山富市首相談話をあげるまでもなく、日中戦争への反省を出発点とする政治的立場を超えた善隣友好の精神はいったいどこへ行ってしまったのか。敵基地攻撃能力（反撃能力）の保有、防衛費の大幅増額などを盛り込んだ、いわゆる安保三文書の改訂を閣議決定し、根拠薄弱な脅威をあおり、台湾有事を想定して中国を仮想敵国とする。対中関係に軍事を優先する風潮への強い危惧の念から本著作選集が生まれた。

全五巻からなる本著作選集の第一巻は文化大革命を主題とする。最初に過渡期論に関わる三つの論考を収載したのは、文革が社会主義の道を歩む過程における理論闘争という側面があったことを止めおきたいからだ。反右派闘争、大躍進、中ソ論争と急進的な政策を推し進め、文革へ突き進んだ毛沢東の危機感が社会主義国家の矛盾を一気に顕在化してしまったのが文革だったともいえよう。文革は失敗だったというが、文革の理念に立ち返って何が失敗だったのかを問わずには、今現在の真の中国をウオッチすることはできない。

第二巻の主題は天安門事件である。大部を占める「天安門事件の真相」は矢吹編著『天安門事件の真相』(上・下巻)』の上巻を収載したものだが、これに加えて矢吹編訳『チャイナ・クライシス重要文献(第1〜3巻)』、さらに村田忠禧編『チャイナ・クライシス「動乱」日誌』、三菱総合研究所編『チャイナ・クライシスWHO'S WHO』は事件の余韻冷めやらぬ八九年八月〜九〇年八月の一年の期間に蒼蒼社から刊行された。テレビ画面に刻々流れた映像は生々しく、体験記や評論などの関連書があふれたが、事実にこだわり、徹底した資料渉猟によって編まれたこれら一群の書は天安門事件を語るに必須の、国内外に類を見ない基本文献である。

第三巻は一九七八年末の中国共産党第十一回大会三中全会で改革・開放政策への転換を表明し、社会主義に所与の条件と見なされてきた計画経済から脱却し、社会主義に市場経済を導入した経緯を追う。天安門事件の悲劇、ソ連の解体という事態を眼前に政治改革は雲散霧消したが、それでもなお社会主義を棄てることなく、新たな社会主義の道を模索する中国を、前半では孫治方を軸に経済改革に至る背景を経済理論の面から概括し、後半では鄧小平と朱鎔基に焦点を当て、経済改革の実際を明らかにする。

第四巻は経済的にも政治的にも米国と競い合う力をもつようになった中国という認識のもと、中国と米国、中国と日本の関係について考察する。米中関係はかつての米ソ関係同様に軍事的対立を含みながらも、経済的には相互補完関係にある。このチャイメリカ構造を俎上に載せ、著者は軍事と経済双方の要素についてバランスのとれた観察を行なわなければならないとする。トランプの登場以降、対決色が強まった感があるが、チャイメリカの構造は解体されたわけではない。日中関係悪化の端緒となった尖閣問題については二著作を収載したが、帰属問題は棚上げするという日中間の合意の存在を否定し、領土問題は存在せずの一点張りでは何も解決できないと、論旨は明解である。日中間の国交正常化で、いわゆる「台湾問題」は一応の解決をみた。しかし、日本の植民地統治の落とし子としての台湾問題は決して解決されてはいない。日本―中国―米国の三角関係のなかで台湾を後景に追いやることがあってはならない。そのことを肝に命じたく台湾に関連する小論を配した。

第五巻の巻頭「習近平の「プチ毛沢東」化」は二〇一二年十一月の第十八回、「習近平二期体制の展望」は一七年十月の第十九回、「歴史決議の舞台裏を読む」は二一年十一月の第十九回六中全会、巻末の二二年十月の「中共二十回党大会の政治局人事と習近平思想」は、習近平が総書記に選出された以降に開催された党大会と重要会議の要点をそれぞれまとめたものである。「日中関係を破壊し日本を滅ぼす新・暴支膺懲(ようちょう)決議」と「アジア蔑視論と和魂漢才」はチャイナウオッチャーの目から観た日本批判である。チャイナウオッチャーによる日本ウオッチとして日本の現状の核心を突く論考である。

「習近平の夢」では夢の中身、「二十一世紀版海陸シルクロード」―「一帯一路」構想について、また夢を支えるインフラ整備の金融支援のための新たな国際開発金融機関―アジアインフラ投資銀行（ＡＩ

IB）について、習自身の発言に拠りつつ整理する。では「中国の夢」とは？　二〇一七年の党大会における習の政治報告に拠れば、第一段階（二〇二〇〜三五年）で社会主義現代化を基本的に実現すること、第二段階（二〇三〇〜五〇年）で物質文明・政治文明、精神文明・社会文明・生態文明が全面的に高められ、国家のガバナンスが現代化され、総合国力と国際的影響力に優れた国家、共同富裕が実現され、中華民族が世界民族のなかで屹立する社会主義現代化強国実現することである。著者は自らの長期にわたるチャイナウオッチの経験を重ね合わせて、中国の夢とは電脳（デジタル）社会主義を実現することだとする。小見出しには社会主義国家の「官僚」化をめぐる言論、官僚資本主義から電脳社会主義へ、ソ連解体からチャイメリカ体制へ、文化大革命再考、毛沢東社会主義の教訓、計画経済と市場経済の間で……といった現代中国史のキーフレーズが並ぶ。これは本稿初出の『中国の夢』が習の政権基盤を固めた第一七回党大会の五か月後に刊行されたことを想起すれば、毛沢東の革命思想、鄧小平の経済発展理論を止揚する、共和国三人目の「巨人」習近平による新時代の社会主義思想が現れたのではないかと刺激されて編まれたのではないか。言い換えれば、新たなチャイナウオッチの視点を総攬できる書である。ここで挿話をひとつ。中国共産党の名だたる最高幹部は著作集を刊行する。『毛沢東選集』全五巻（第五巻は路線転換により刊行五年後に発売禁止）、『鄧小平文選』全三巻、『周恩来選集』『劉少奇選集』は全二巻といったように。就任時、日本の少なからぬメディアは習を「共産党史上、最も弱い総書記」と軽視したが、『習近平談治国理政』は全四巻（二〇二三年五月現在）である。これは習が毛や鄧なみの力をもつに至った傍証になろう。

本著作選集全五巻は著作を時系列順に収載することを基本とし、要所であとの時代から観た著作を差し込んだ。浮かび上がってくるのは中国の揺れである。毛沢東時代に「立ち上がり」、鄧小平時代に「豊かになり」、習近平の新時代に「強くなる」という中国現代史を概括する句があるが、子細に見れば、時代を通して政権（＝共産党）内でこれほど激しいイデオロギー闘争が連綿と続いた、今も続いている国家はないように思う。多くのチャイナウオッチャーはこの揺れに幻惑、翻弄されてしまうようだが、著者は揺れない。何となれば、揺れに内在する事実を探り出し、事実からウオッチの有り様を積み上げていく技量に長けているからだ。第一義的にこの揺れを解釈できなければ現代中国をウオッチすることはできまい。

市場経済を取り込んだ中国の電脳社会主義と旧来の資本主義との闘いは続くのだろうか。世界経済のシステムに組み込まれた中国とは、たとえ対立があったとしても、協調を主とするしかないではないか。中国が抱え込んでいる問題は世界の問題に直結しているといってよい。旧来の社会主義国であれば、ありえないことだが、資本主義の危機を中国も引き受けざるをえない状況にあるといってもよいだろう。言わば同じ土俵に立っている中国を封じ込める（＝排除する）ことではもはや世界は成り立たないのである。気候変動という地球環境の危機的状況下、常識を働かせば軍事衝突などをやっている余裕はないはずだ。「持続可能な発展（sustainable development）」という制約のもとでは、異なる体制間の融合へ向けた道を歩むしかないではないか。中国は何を考え、何を欲しているのか、どこへ向かおうとしているのか。日本は中国に何を伝え、どう向き合うのか。国家、国境を越える世界システムの構築を目指して、虚心坦懐にお互いの姿を見つめ合う必要がある。

最終刊の第五巻は同時代史である。著作選集は著者の集大成であるが、未来を見通すための集大成でもある。第一巻から第四巻によって歴史認識を検証し、第五巻に記されている論点を読み解いていただきたい。第五巻に、予定になかった著者へのインタビュー記録を別冊として付した意図もそこにある。

なお、本著作集の記述は誤記や誤植を訂正したほかは初出の著作に基づいているが、読みやすさを考慮して、時代を経て不十分な記述になっている箇所は最小限の範囲で加筆・訂正を加えている。著者注および編者注も加筆している。複数の論考間で重複する記述はどちらかを削除したが、削除によって文脈がたどりにくくなる場合はそのままとした。漢字やかななどの表記については目立つ語句、また専門用語の表記についてはできるだけ統一した。中国語については意味を類推できる場合は日本語訳しなかった語句がある。以上ご了解いただきたい。

二〇二三年四月

朝浩之

矢吹晋著作一覧

一九七四年

『毛沢東　政治経済学を語る――《ソ連政治経済学》読書ノート』（翻訳）現代評論社

『東南アジア華人社会の研究 下』（研究参考資料224）（シンガポール中華総商会の「幇派論争」をめぐって／矢吹晋）戴国煇編、アジア経済研究所

一九七五年

『毛沢東 社会主義建設を語る』（編訳）現代評論社

『中国社会主義経済の理論――政治経済学基礎知識』（翻訳）龍溪書舎

『労働者管理と社会主義』（共編著）岩田弘・川上忠雄・矢吹晋編著、社会評論社

『現代社会主義の可能性』（UP選書140）（中国農業の社会主義化、社会主義国家と権力／矢吹晋）

『中ソ対立――その基盤・歴史・理論』（有斐閣選書47）菊地昌典・袴田茂樹・宍戸寛との共著）大内力編、東京大学出版会

一九七六年

『中国石油――その現状と可能性』（編著）龍溪書舎

一九七七年

『思想の積木――毛沢東思想の内容と形式』（翻訳）金思愷著、龍溪書舎

一九七八年

『中国経済と毛沢東戦略』（岩波現代選書8）（中兼和津次との共訳）J・ガーリー著、岩波書店

一九七九年

『中国トロツキスト回想録――中国革命の再発掘』（アジア叢書）（翻訳）王凡西著、柘植書房

一九八四年

『二〇〇〇年の中国』論創社

一九八五年

『マルクス経済学・論理と分析』（孫治方の「スターリン論文」批判／矢吹晋）林健久・佐々木隆雄編、時潮社

一九八六年

『チャイナ・ウオッチング――経済改革から政治改革へ』（蒼蒼スペシャル・ブックレット）蒼蒼社

『チャイナ・シンドローム――限りなく資本主義に近い社会主義』（蒼蒼スペシャル・ブックレット）蒼蒼社

『現代中国の歴史1949～1985』（有斐閣選書765）（宇野重昭・小林弘二との共著）

一九八七年

『中国開放のブレーン・トラスト』（蒼蒼スペシャル・ブックレット）蒼蒼社

『改革期中国のイデオロギーと政策――1978～1987』（蒼蒼スペシャル・ブックレット）（翻訳）スチュアート・R・シュラム著、蒼蒼社

『「図説」中国の経済水準』（蒼蒼スペシャル・ブックレットNo.13）蒼蒼社

一九八八年

『ポスト鄧小平――改革と開放の行方』（蒼蒼スペシャル・ブックレットNo.14）蒼蒼社

『中国のペレストロイカ――民主改革の旗手たち』（蒼蒼スペシャル・ブックレットNo.17）蒼蒼社

一九八九年

『文化大革命』（講談社現代新書971）講談社

『チャイナ・クライシス重要文献 第1巻』（蒼蒼スペシャル・ブックレットNo.20）（編訳）蒼蒼社

『チャイナ・クライシス重要文献 第2巻』（蒼蒼スペシャル・ブックレットNo.21）（編訳）蒼蒼社

『チャイナ・クライシス重要文献 第3巻』（蒼蒼スペシャル・ブックレットNo.23）（編訳）蒼蒼社

一九九〇年

『天安門事件の真相 上巻』（蒼蒼スペシャル・ブックレットNo.26）（編著）蒼蒼社

『天安門事件の真相 下巻』（蒼蒼スペシャル・ブックレットNo.28）（編著）蒼蒼社

一九九一年

『中国における人権侵害――天安門事件以後の情況』（蒼蒼スペシャル・ブックレットNo.29）（福本勝清との共訳）アムネスティ・インターナショナル&アジア・ウオッチ著、蒼蒼社

『ペキノロジー――世紀末中国事情』（蒼蒼スペシャル・ブックレットNo.30）蒼蒼社

『毛沢東と周恩来』（講談社現代新書１０７０）講談社

『保守派vs.改革派――中国の権力闘争』（蒼蒼スペシャル・ブックレットNo.32）蒼蒼社

一九九二年

『〈図説〉中国の経済』蒼蒼社

一九九三年

『鄧小平』（講談社現代新書１１５３）講談社

一九九四年

『〈図説〉中国の経済 増補改定版』蒼蒼社

一九九五年

『鄧小平なき中国経済』蒼蒼社

『変貌するアジアの社会主義国家――中国・ベトナム・朝鮮』（日本国際フォーラム叢書）（佐藤経明ほかと共著）三田出版会

一九九六年

『中国のリスクとビジネスチャンス』（中江要介・平田昌弘との共編著）東洋経済新報社

『巨大国家 中国のゆくえ――国家・社会・経済』東方書店

『中国人民解放軍』（講談社選書メチエ82）講談社

『「大中国」はどうなる』（問題なのは越境酸性雨だけか？／矢吹晋）文藝春秋編、文藝春秋

一九九八年

『中国情報用語事典1996―97年版』（竹内実との共編）蒼蒼社

一九九九年

『「図説」中国の経済 第2版』（スチーブン・M・ハーナーとの共著）蒼蒼社

『最近の中国情勢』（エグゼクティブ・アカデミー・シリーズ）国際関係基礎研究所

『中国情報用語事典1999―2000年版』（竹内実との共編）蒼蒼社

『周恩来『十九歳の東京日記』』（小学館文庫657）（編著）周恩来著、鈴木博訳、小学館

二〇〇〇年

『「朱鎔基」中国市場経済の行方』（小学館文庫1495）小学館

『中国の権力システム――ポスト江沢民のパワーゲーム』（平凡社新書58）平凡社

二〇〇二年

『ポーツマスから消された男――朝河貫一の日露戦争論』（横浜市立大学叢書4）（編訳著）朝河貫一著、

東信堂

『李登輝・その虚像と実像』（解説に代えて／矢吹晋）戴国煇・王作栄著、夏珍編、陳鵬仁ほか訳、草風館

『日中相互理解とメディアの役割』（日中誤解は「迷惑」に始まる――国交正常化30周年前夜の小考21／矢吹晋）日中コミュニケーション研究会編、日本僑報社

『中国から日本が見える』（That's Japan 2）ウェイツ

二〇〇三年

『歴史研究者交流事業（派遣）研究成果報告書集』（台湾史における客家とその客家意識／矢吹晋）交流協会日台交流センター編、交流協会

『鄧小平』（講談社学術文庫１６１０）講談社

二〇〇四年

『現代中国治国論――蔣介石から胡錦涛まで』（鄧小平／矢吹晋）許介鱗・村田忠禧編、勉誠出版

『日中の風穴――未来に向かう日中関係』（智慧の海叢書12）勉誠出版

二〇〇五年

『中国情報ハンドブック２００５年版』（何故「反日」感情が露出したのか?・「政冷」でも進展する東アジア経済統合／矢吹晋）21世紀中国総研編、蒼蒼社

『入来文書』（翻訳）朝河貫一著、柏書房

『日中相互理解のための中国ナショナリズムとメディア分析』（王逸舟教授の中国新外交論を読む／矢吹晋）日中コミュニケーション研究会編、明石書店

二〇〇六年

『大化改新』（翻訳）朝河貫一著、柏書房

二〇〇七年

『朝河貫一比較封建制論集』（編訳）朝河貫一著、柏書房

『激辛書評で知る 中国の政治・経済の虚実』日経ＢＰ社

『朝河貫一とその時代』花伝社

二〇〇八年

『日本の発見――朝河貫一と歴史学』花伝社

二〇〇九年

『マンション学の構築と都市法の新展開――丸山英氣先生古稀記念論文集』（いま中国の課題は区分所有法である／矢吹晋）丸山英氣先生古稀記念論文集出版編集委員会編、プログレス

二〇一〇年

『複眼中国――現代中国の襞を読み解く』（時事通信オンデマンドブックレット No. 50 時事ニュース Janet）（譚璐美との共著）時事ニュース Janet 編集部編、時事通信社

『［図説］中国力（チャイナ・パワー）――その強さと脆さ』蒼蒼社

『中国情報ハンドブック２０１０年版』（矢吹晋ディレクター展望）21世紀中国総研編、蒼蒼社

『一目でわかる中国経済地図』（編者）蒼蒼社

『客家と中国革命――「多元的国家」への視座』（藤野彰との共著）東方書店

二〇一一年

『劉暁波と中国民主化のゆくえ』（加藤哲郎・及川淳子との共著訳）花伝社

『「私には敵はいない」の思想――中国民主化闘争二十余年』（歴史に対し責任を負う劉暁波／矢吹晋）劉暁波著、藤原書店編集部編、藤原書店

二〇一二年
『モリソンパンフレットの世界』（東洋文庫論叢75）（朝河貫一とG・E・モリソン／矢吹晋）斯波義信編纂、東洋文庫
『チャイメリカ――米中結託と日本の進路』花伝社
『中国情報ハンドブック2012年版』（薄熙来スキャンダル／矢吹晋）21世紀中国総研編、蒼蒼社
『一目でわかる中国経済地図――2015年までの展望 第2版』（編者）蒼蒼社
二〇一三年
『尖閣問題の核心――日中関係はどうなる』花伝社
『中国情報源2013―2014年版』（日米安保条約は尖閣諸島を守る保障となり得ない／矢吹晋）21世紀中国総研編、蒼蒼社
『中国情報ハンドブック2013年版』（米中「新型の大国関係」と尖閣問題／矢吹晋）21世紀中国総研編、蒼蒼社
『尖閣衝突は沖縄返還に始まる――日米中三角関係の頂点としての尖閣』花伝社
二〇一四年
『中国情報ハンドブック2014年版』（中国経済が米国を抜いて世界一になる時、中国封じ込めに動く安倍ドンキホーテ政権に未来はあるか／矢吹晋）21世紀中国総研編、蒼蒼社
『敗戦・沖縄・天皇――尖閣衝突の遠景』花伝社
『国際アジア共同体ジャーナル＝Journal of international Asian community』第3号・第4号合併号（2014）（田中周恩来会談と沖縄返還を結ぶ臍の緒としての尖閣問題／矢吹晋）国際アジア共同体学会編、国際アジア共同体学会
『中共政権の爛熟・腐敗――習近平「虎退治」の闇を切り裂く』（高橋博との共著）蒼蒼社

二〇一五年

『対米従属の原点 ペリーの白旗』花伝社

『中世日本の土地と社会』(編訳) 朝河貫一著、柏書房

『中国情報ハンドブック2015年版』(アジアインフラ投資銀行の外交的敗北に際して虚心坦懐に中国を見つめ直そう/矢吹晋) 21世紀中国総研編、蒼蒼社

二〇一六年

『南シナ海領土紛争と日本』花伝社

『中国情報ハンドブック2016年版』(独裁者・習近平、尖閣諸島接続水域への中国軍艦侵入/矢吹晋) 21世紀中国総研編、蒼蒼社

二〇一七年

『習近平の夢――台頭する中国と米中露三角関係』花伝社

『沖縄のナワを解く』(情況新書13) 世界書院

『文化大革命――〈造反有理〉の現代的地平』(中国現代史再考/矢吹晋) 明治大学現代中国研究所・石井知章・鈴木賢編、白水社

『G・E・モリソンと近代東アジア――東洋学の形成と東洋文庫の蔵書』(朝河貫一とモリソン/矢吹晋) 東洋文庫監修、岡本隆司編、勉誠出版

『モリソンパンフレットの世界 改訂増補』(東洋文庫論叢81) (モリソンと極東政治 朝河貫一とG・E・モリソン/矢吹晋) 斯波義信・岡本隆司編纂、東洋文庫現代中国研究班資料グループ編、東洋文庫

『中国・北朝鮮脅威論を超えて――東アジア不戦共同体の構築』(中国脅威論で自縄自縛に陥った日本/矢吹晋) 進藤榮一・木村朗編著、耕文社

二〇一八年
『中国の夢――電脳社会主義の可能性』花伝社
『中国情報ハンドブック2018年版』（スマホ、EV車、人工知能で日本惨敗・中国台頭／矢吹晋）21世紀中国総研編、蒼蒼社
『一帯一路からユーラシア新世紀の道』（勃興する中国デジタル経済と日中経済協力の新たな可能性を探る／矢吹晋）進藤榮一・周瑋生・一帯一路日本研究センター編、日本評論社
二〇二〇年
『六四と一九八九――習近平帝国とどう向き合うのか』（新全体主義と「逆立ち全体主義」との狭間で／矢吹晋）石井知章・及川淳子編、白水社
『コロナ後の世界は中国一強か』花伝社
『〈中国の時代〉の越え方――一九六〇年の世界革命から二〇二〇年の米中衝突へ』白水社
二〇二一年
『天皇制と日本史――朝河貫一から学ぶ』集広舎
二〇二二年
『周恩来十九歳の東京日記 改訂新版』周恩来著、鈴木博訳、矢吹晋監修、デコ
『東アジア国境紛争の歴史と論理』（南シナ海紛争と海洋法仲裁裁定／矢吹晋）石井明・朱建栄編、藤原書店

＊著書・共著・訳書・共訳書・編書・共編書の一覧である。矢吹以外の編書については論考名を付加した。

やぶき すすむ

1938年福島県郡山市生まれ。県立安積高校在学時に朝河貫一を知る。1958年東京大学教養学部に入学し、第2外国語として中国語を学ぶ。1962年東京大学経済学部卒業。東洋経済新報社記者となり、石橋湛山の謦咳に接する。1967年アジア経済研究所研究員、1971～1973年シンガポール南洋大学客員研究員、香港大学客員研究員。1976年横浜市立大学助教授・教授を経て、2004年横浜市立大学名誉教授。現在、21世紀中国総研ディレクター、公益財団法人東洋文庫研究員、朝河貫一博士顕彰協会会長。

著書は単著だけでも40書を超え、共著・編著を合わせると70書をゆうに超える。ここでは本シリーズ「チャイナウオッチ」からはずれる朝河貫一の英文著作を編訳した『ポーツマスから消された男——朝河貫一の日露戦争論』(東信堂、2002年)、『入来文書』(柏書房、2005年)、『大化改新』(同上、2006年)、『朝河貫一比較封建制論集』(同上、2007年)、『中世日本の土地と社会』(同上、2015年)、『明治小史』(『横浜市立大学論叢』、2019年)の6書、朝河を主題とする『朝河貫一とその時代』(花伝社、2007年)、『日本の発見——朝河貫一と歴史学』(同上、2008年)、『天皇制と日本史——朝河貫一から学ぶ』(集広舎、2021年)の3書を挙げておきたい。

チャイナウオッチ
矢吹晋著作選集
5
電脳社会主義

2023年 6 月15日 初版印刷
2023年 6 月30日 初版発行

著者　矢吹晋
発行者　飯島徹
発行所　未知谷
東京都千代田区神田猿楽町 2 丁目 5-9　〒 101-0064
Tel. 03-5281-3751 / Fax. 03-5281-3752
［振替］　00130-4-653627

編者　朝浩之
編集協力　（株）デコ
組版　柏木薫
印刷・製本　モリモト印刷

Publisher Michitani Co, Ltd., Tokyo
Printed in Japan
ISBN 978-4-89642-675-5　C0322